Y LLYFRGELL

Er cof am T. Elfyn Jones
1914–2008
bardd, pregethwr a thad-cu
a'm dysgodd i rannu
'gair o brofiad'

Y LLYFRGELL

FFLUR DAFYDD

Argraffiad cyntaf: 2009

℗ Hawlfraint Fflur Dafydd a'r Lolfa Cyf., 2009

Ffuglen yw'r gyfrol hon. Er ei bod yn cynnwys cyfeiriadau at bobl a lleoliadau go iawn, maent yn ymddangos mewn sefyllfaoedd dychmygol, a chyd-ddigwyddiad llwyr yw'r tebygrwydd i bobl neu sefyllfaoedd sy'n bodoli mewn gwirionedd.

Dymuna'r cyhoeddwyr gydnabod cymorth ariannol
Cyngor Llyfrau Cymru

Llun y clawr: Chris Iliff
Cynllun y clawr: Sion Ilar

Rhif Llyfr Rhyngwladol: 978-1-84771-169-4

Cyhoeddwyd ac argraffwyd yng Nghymru
ar ran Llys Eisteddfod Genedlaethol Cymru
gan Y Lolfa Cyf., Talybont, Ceredigion SY24 5HE
gwefan www.ylolfa.com
e-bost ylolfa@ylolfa.com
ffôn 01970 832 304
ffacs 832 782

More than anything, memory resembles a library in alphabetical disorder, and with no collected works by anyone.

Joseph Brodsky

Fel ewyn ton a dyr ar draethell unig,
Fel cân y gwynt lle nid oes glust a glyw,
Mi wn eu bod yn galw'n ofer arnom –
Hen bethau anghofiedig dynol ryw.

Waldo Williams

A NA A NAN

"SDIM TEIMLAD TEBYG i fod yn y bath, ar drothwy trychineb," meddai Ana wrth ei hadlewyrchiad ym mhen draw'r baddon, "oes e?"

"Nag oes," atebodd ei hefaill, Nan, gan lyfnhau deigryn o chwys oddi ar ei boch. Roedd y dŵr yn llawer rhy boeth, ond ni ddwedodd hynny wrth ei chwaer.

"Gad imi ddarllen dy feddwl di," meddai Ana, gan chwythu triongl gwyn tuag ati, "er mwyn i fi gael gweld sut rwyt ti wir yn teimlo am fory."

Ceisiodd Nan suddo'n is o dan dirwedd y swigod, gan lusgo'i llygaid gyda hi. Roedd yn gas ganddi'r syniad y byddai Ana'n ei arddel o hyd ac o hyd, mai un ymennydd oedd ganddyn nhw, a bod gan Ana'r rhyddid i redeg trwy goridor ei meddwl fel petai'n adeilad gwag, gan agor a chau drysau, chwilota mewn droriau, sleifio'i bysedd dros gyfrin-bethau. Er gwaetha'r ffaith iddi drio 'run tric, roedd drysau meddwl Ana bob amser ar glo, a'r stafelloedd oll yn dywyll wrth iddi sbecian i mewn ynddynt.

"Meddylia am rywbeth nawr," meddai Ana, wrth i'w bronnau godi uwchben y dŵr fel burum. "Betia i ti 'mod i'n gallu gweud yn gwmws am beth rwyt ti'n meddwl." Rhoddodd Ana gic ysgafn i Nan o dan y dŵr, a'i hyrddio i'r wyneb drachefn. Roedden nhw wyneb yn wyneb eto.

Teimlodd Nan ryw ddewrder newydd yn cydio ynddi. Efallai mai heno, wedi'r cyfan, fyddai'r noson iddi fentro meddwl am bethau na wyddai ei chwaer ddim amdanyn nhw;

gweld a oedd hi wir yn gallu darllen ei meddwl. Oherwydd fe fyddai'n faen prawf i'w pharatoi ar gyfer yfory, a fyddai'n gadael iddi weld yn union pa mor groes i'w chwaer y câi fynd mewn gwirionedd.

"Wel?" meddai Nan, gan ddal ei hanadl. Edrychai Ana arni, i mewn iddi rywsut, ac yn sydyn, fe ofnai Nan ei bod wedi gweld y cwbwl.

"Mi rwyt ti'n meddwl am Mam, on'd wyt ti?" meddai.

"Ydw," meddai, gan wybod bod ei chyfrinach yn berffaith ddiogel.

"Ti'n trio dychmygu'r olwg ar ei hwyneb hi, ac yn ei gweld hi nawr, yn edrych arnon ni'n dwy. Ti'n ofni y bydd rhywbeth yn mynd o'i le fory."

Ochneidiodd Nan mewn rhyddhad. Fel y tybiodd, dro ar ôl tro, hi oedd yn berchen ar ei meddwl ei hun, nid ei hefaill.

"*Ma* ofn arna i," meddai Nan, gan chwarae'r gêm, "ond dwi'n gwybod y byddwn ni'n iawn, ac y byddwn ni'n neud beth bynnag sy'n rhaid i ni neud. Eiff dim byd o'i le; fe fyddwn ni'n llwyddo." Doedd hynny ddim yn wir, wrth gwrs. Roedd hi'n gwybod yn iawn y byddai rhywbeth yn mynd o'i le. Roedd hi'n gwybod y bydden nhw'n methu; roedd hi wedi penderfynu'n barod bod yn *rhaid* iddyn nhw fethu. Eisoes roedd hi'n teimlo'r gwn yn ei llaw, ac yn gwybod y byddai'r tanio'n dod yn rhy rwydd, rywsut.

"Sdim rhaid i ti fod ag ofn," meddai Ana, a'i llais yn donnau sydyn o dynerwch. "Mi wna i neud e ar 'y mhen 'yn hunan, os bydd rhaid. Wedi'r cyfan, ry'n ni'n un, on'd y'n ni? Os dwi'n neud, mi rwyt ti'n neud."

Gwelodd Nan fodiau traed ei chwaer yn nofio tuag ati, yn deulu o wynebau pinc yn y dŵr. Cododd ei throed, a phlygu bodiau ei thraed hithau tuag atynt. Teimlodd glwstwr o fochau coch yn cyffwrdd.

"Ana a Nan," medd Ana, "un person, un enaid, palindrom."

Roedd gan ei chwaer obsesiwn â'r ffaith fod eu henwau'n ffurfio palindrom, a bod modd dweud eu henwau ymlaen a sha 'nôl. Credai fod hynny'n dacteg fwriadol ar ran eu mam, er mwyn sicrhau nad oedd modd ymyrryd â'u henwau mewn unrhyw ffordd. Arwydd o gadernid. Ond roedd cadernid yn gallu bod yn rhywbeth digon diflas, meddyliodd Nan. Doedd enwau ddim yn amddiffyn neb rhag y byd. Yn blentyn ifanc, roedd Nan wedi breuddwydio am gael enw mwy cyflawn, mwy cymhleth, amlsillafog. Rhywbeth ac anhrefn yn perthyn iddo. Rhywbeth blêr, diofal. Rhywbeth fel Arianrhod neu Gwenhwyfar. Rhywbeth nad oedd modd ei anghofio.

"Palindrom," adleisiodd Nan, wrth i'w cheg lenwi â swigod chwerw.

★ ★ ★

Teimlai Ana fod trydan arbennig yn yr aer y noson honno – trydan na fedrai neb arall ei deimlo. Roedd e'n weladwy iddi, yn stribedi aur o flaen ei llygaid. Gofynnodd i Nan a oedd hi'n ei weld. Cytunodd Nan ei bod hi, ond doedd Ana ddim yn ei chredu – rhyw esgus cytuno â phopeth fyddai Nan y dyddiau hyn. Ond doedd dim modd osgoi'r trydan hwnnw. Eu trydan unigryw nhw, rhywbeth roedden nhw wedi'i greu. Nhw'n unig oedd â'r wybodaeth na fyddai yfory fel unrhyw yfory arall. Yfory, wrth gamu i mewn drwy ddrysau'r Llyfrgell, fe fydden nhw fel terfysgwyr yn camu ar awyren ymhlith twristiaid hapus, a'u calonnau'n curo'n uwch ac yn uwch wrth iddyn nhw fynd i'w seddau. Fe fyddai pob cam, pob anadl, yn wahanol. Fe fydden nhw'n cerdded ar hyd carped coch y Llyfrgell fel y gwnaen nhw bob dydd, ond y tro hwn gyda'r addewid o waed yn diferu ar eu holau.

Roedd yr oriau, y munudau, yr eiliadau hynny o wybod bod rhywbeth ar fin digwydd yn rhoi rhyw wefr ryfedd i rywun, meddyliodd Ana. Nid trwy bellter, trwy wahaniaeth, trwy ryw ôl-edrychiad ffodus y byddai'r oriau hynny'n magu eu harwyddocâd – ond roedden nhw'n arwyddocaol *nawr*. Cerdded i'r siop sglodion ar y cornel i nôl swper, troi dolen y drws ffrynt, rhedeg dŵr y bath, roedd y rhain i gyd rywsut yn weithredoedd cyffrous – am nad oedd ganddyn nhw syniad pryd, nac ym mha fodd y bydden nhw'n gwneud hynny eto. Heno, roedden nhw'n cadw cyfrinachau rhag y byd llonydd, normal, mudan, a ddaliai i syllu arnyn nhw o'i grombil diarwybod ei hun.

I'r rhelyw o bobl gyffredin, fe fyddai yfory yn ddim byd ond diwrnod arall yn y gwaith. Ffyliaid fydden nhw i gyd, yfory, meddyliodd Ana gyda boddhad, a hi a Nan yn unig a wyddai beth oedd o'u blaenau. Criw o ffyliaid ac un ffŵl yn benodol yn camu i'w dranc heb syniad yn y byd. Doedd dim angen poeni. Roedd y gwaith caled wedi'i wneud; roedd popeth yn ei le. Y cyfan roedd angen ei wneud nawr oedd cwblhau cyfres o weithredoedd bychain er mwyn rhoi'r weithred fawr yn ei lle.

Am ddeuddeg o'r gloch yn union, fe aeth y ddwy i'r gwely mawr, hen wely eu mam, a syrthio i gysgu'n syth. Y noson gynta o gwsg llyfn, didrafferth iddyn nhw ei chael ers misoedd.

Cwta filltir o'r fflat, roedd rhwyd y noson hefyd yn dynn am y Llyfrgell Genedlaethol ar ben y bryn. Yr adeilad

hwnnw a oedd yno'n tywynnu'n olau yn erbyn y nos ddi-
sêr, heb syniad am yr yfory a oedd yn ei ddisgwyl.

DAN

FEL Y GWNÂI bob bore arall, cerddodd Dan, y porthor,
ar hyd y carped coch tuag at y fynedfa, gan wybod
bod y byd i gyd yn disgwyl amdano y tu hwnt i'r drysau.
Roedd 'na ryw heddwch rhyfedd yn perthyn i'r foment
hon – y foment pan oedd y distawrwydd yn perthyn iddo
ef yn unig. Cyn i'r drws agor ac arllwys ei geriach drosto,
cyn i gannoedd o esgidiau, geiriau ac ystumiau ddechrau
pylu'r carped, gan wneud iddo golli golwg ar y cochni. Bob
bore, fe fyddai'n ysu am ddal yn sownd wrth y foment lân,
berffaith honno, ei thynnu rywsut i mewn iddo ef ei hun,
gadael iddi ei feddiannu. Ond doedd hynny byth yn bosib.
Wedi i'r cloc daro hanner awr wedi naw, roedd y larwm yn
seinio, a fyddai ganddo ddim dewis ond estyn am ei declyn
bychan – y darn plastig y cyfeiriai ato fel y lleian fach, gan
iddo daeru ei fod yn gweld gwedd lleian yn y siâp du a
gwyn; gwddf main, uchel, rhimyn gwyn uwch ei thalcen,
a gweddill ei chorff yn grwm. Wrth i'r lleian amneidio
ei phen swil yn ei ddwylo, fe fyddai'r stribed diogelwch
yn adweithio ac fe fyddai drysau'r Llyfrgell yn agor, gan
ddatgelu myrdd o wynebau blin.

Gwaith diddiolch oedd agor y Llyfrgell. Doedd yr
wynebau hynny ddim yn sylweddoli y gallai ef sbecian trwy
dwll cyfrin y clo ar eu hwynebau chwyddedig drwy'r bore,
a phenderfynu eu cau nhw allan. Doedden nhw ddim yn
gwerthfawrogi'r grym oedd ganddo. Ond dyna oedd natur
pobl a fynychai lyfrgelloedd, meddyliodd Dan. Ar goll yn

eu meddyliau eu hunain. Eisoes yn pori drwy eu harchifau dychmygol, yn benthyg meddylfryd fan hyn a fan draw, yn gadael atgofion ar eu hanner, wyneb i waered ar ddesgiau blêr y cof.

A doedd 'na ddim pwynt iddo gredu fod gan y porthor unrhyw rôl fwy nag agor a chau drysau. Gadael pobl i mewn a'u gadael nhw allan. Dyna oedd ei unig swyddogaeth – gwasgu bol yr hen leian fach, troi'r golau coch yn wyrdd. Gallai rhywun hyfforddi cyfrifiadur i wneud hynny – yn wir, yn y llyfrgelloedd mawr yn Llundain, roedden nhw bellach *yn* hyfforddi cyfrifiadur i wneud y gwaith.

A doedd hi ddim hyd yn oed yn wir i ddweud fod gan bob diwrnod ei sialens newydd. Yr un hen wynebau oedd i'w gweld ddydd ar ôl dydd. Bob bore, fe fyddai e'n rhyfeddu fod pobl, ar ddiwrnod braf, gaeafol fel heddiw, yn mynnu ciwio y tu allan i'r Llyfrgell fel pe bai eu bywydau'n dibynnu ar gael mynd i mewn drwy'r drysau mawrion. Roedd rhai ohonyn nhw 'di bod yn dod 'ma bob bore ers cyn cof, rhai eraill ond yma dros dro – nes y byddai'r erthygl, neu'r ddoethuriaeth, neu'r goeden deuluol, neu beth bynnag roedd y bobl 'ma'n gwastraffu eu bywydau arno – wedi tynnu i'w derfyn. Ac roedd 'na rai eraill, mathau arbennig o bobl mewn cotiau cwyr a sbectol drwchus, yn dod yma i edrych ar fapiau, bob dydd o'r flwyddyn. A'r rheiny, o blith yr holl ymwelwyr, fyddai'n edrych fwyaf ar goll.

Y math gwaethaf oedd y rhai a ddeuai yno ben bore fel hyn. Y rheiny oedd eisiau gwthio heibio iddo er mwyn rhuthro'n syth i'w safleoedd, fel petai rhywun wedi chwythu chwiban. Welodd e mo'r ffasiwn beth erioed. Cwympo mas dros gornel er mwyn deffro cyfrifiadur. Baglu dros fagiau i gael bod yn agos at fap.

Weithiau, fe fyddai'n fwriadol yn ceisio rhwystro llwybr

ambell un. Yn enwedig y rheiny oedd wedi bod yno ers naw y bore, yn symud yn agosach at y drws, fodfedd y funud, fel petai'n fagned. Ei darged y bore hwnnw oedd y ferch benfelen a oedd wrthi'n cynhyrchu astudiaeth gymharol o gyntafolion y genedl. Roedd e wedi'i chlywed hi dro ar ôl tro'n esbonio hanfod ei phrosiect wrth sawl un: y bardd caeth cyntaf un, yr ymgyrchydd iaith cyntaf, y fenyw gyntaf yng Nghymru i gael ei hystyried yn ddyn. Roedd bod yn gyntaf yn obsesiwn ganddi, yn cythru trwy'r gwaed, yn sicrhau fod tôn ei llais ychydig yn uwch na'r rhai o'i chwmpas. Hi fyddai'r waetha am wthio'i ffordd drwy'r dorf. Roedd yn rhaid i'r cyntafolyn fod yn gyntaf. Roedd hi a'i chariad, boi eilradd a'i wallt yn llen dros ei lygad chwith, yn ddigon parod i sefyll ar draed pobl – yn llythrennol – er mwyn sicrhau cornel bella'r Ystafell Ddarllen iddyn nhw'u hunain.

"*Pass* plis," meddai'n swrth wrthi.

"Ond o'n i 'ma ddo'," meddai, gan lygadrythu ar y rhai a wibiai heibio iddi, y cyntaf, yr ail, y trydydd a'r pedwerydd yn llif o fwriad heibio'r pileri gwyn.

"Sori, *security check*," meddai, gan fwynhau ei ffugawdurdod. Pwysodd yn ôl wrth iddi dwrio yn ei bag am ei phwrs. "Ry'n ni'n adnewyddu'r system ddiogelwch, ac mae'n rhaid bod yn ofalus."

"'So 'mhwrs 'da fi – do'n i ddim angen 'y ngherdyn ddoe, na'r diwrnod cynt – nag y'ch chi'n cofio fi'n dod 'ma ddo'? Fi 'di bod yn dod 'ma bob dydd ers chwe mis!"

"Nadw, sori," meddai wrth yr wyneb a oedd mor syrffedus o gyfarwydd nes iddo freuddwydio ddwywaith amdani yn ystod y mis yma'n unig. "Bydd yn rhaid i ti wneud cais am ddocyn dros dro draw fan 'na, bach."

Cyffyrddodd yn ysgafn yn ei braich. Tynnodd hithau ei

braich yn ôl yn chwyrn.

"Paid â chyffwrdd ynddo i!"

"'Nes i ddim cyffwrdd ynot ti 'chan, be sy'n bod arnat ti?"

Ceisiodd droi'n sydyn at gwsmer arall, ond roedd e eisoes wedi gwneud y camgymeriad wrth ymateb iddi. Rheol 22 o dan y system ddiogelwch newydd: peidiwch ag ymateb yn ddiangen i rywun sy'n trio creu trwbwl.

"Do, mi 'nest ti," trodd y ferch at ei chydymaith. "Welest ti fe'n cyffwrdd yn'o i, on'd do fe – yn anweddus, bron yn fygythiol?"

"Do, 'sbo," meddai'r llipryn unllygeidiog wrth ei hymyl. "Ie, anweddus yw'r gair."

Erbyn hyn roedd y ciw yn ei anterth, yn byrlymu'n llawn pobl a'r rheiny'n sownd rhwng y drysau tro, fel amlen ar fin byrstio drwy bedair ochr.

"Cer i nôl dy docyn dros dro," sibrydodd, "ac fe gei di fynd i mewn. Iawn?"

"Mi wna i sôn yn sicr am y ffordd anweddus ces i 'nhrin, a hynny o flaen tyst," meddai'r ferch, a'i llygaid gwyrdd yn fflamio.

"Jyst cer i mewn 'te," sibrydodd, wrth weld cariad y ferch yn gwenu arno drwy gil ei sbectol seimllyd. "Hei," gwaeddodd ar ei hôl. "Pam na 'nei di 'nghynnwys i yn dy astudiaeth – y porthor cyntaf i…"

"I fethu dod i ben â gwneud ei swydd geiniog a dime," poerodd yn sbeitlyd yn ôl ato. "Ie, iawn. Mi wna i."

Taflodd ei phen merlen felen fel arf dros ei hysgwydd. Trodd y llipryn unllygeidiog ar ei sawdl gan sibrwd wrtho o dan ei anadl.

"O's 'da ti bach o…?" holodd â diwedd ei frawddeg yn diferu i'r aer.

"Dim heddi," atebodd, yn awyddus i gael gwared arno cyn y deuai'r ymwelydd nesaf yn rhy agos atynt.

"Ond wedest ti… " dechreuodd, a'i wefus isa'n crynu.

"Gwranda, dere i weld fi wedyn, ocê? Tuag amser cinio. Bydd 'da fi rywbeth i ti."

Gwenodd y llipryn a cherdded i ffwrdd. Ochneidiodd Dan. Y diawl bach anniolchgar. Doedd dim byd byth yn ddigon iddo. Fe ddylsai fod wedi sylweddoli mai syniad gwael fyddai dechrau gwerthu i fyfyrwyr. Doedd ond angen i hwn ddweud gair wrth ei gyntafolyn o gariad ac fe gâi le blaenllaw yn ei hastudiaeth fel y porthor cyntaf i gael ei ddal yn gwerthu cyffuriau o loceri'r Llyfrgell Genedlaethol.

Doedd y dydd ddim wedi dechrau'n dda iawn ac roedd e eisoes wedi ymlâdd. Fe ddylai wybod yn well na dod rhwng darllenydd a'i ddesg.

Ond dyna ni, wedi'r prysurdeb hwnnw, gwyddai mai tawelu fyddai pethau, ac erbyn naw munud ar hugain i ddeg doedd dim golwg o neb. Roedd hynny wastad yn ei gythruddo. Dyna pryd y dylai fod wedi disgwyl cwsmeriaid go iawn. Ond doedd gan neb ddiddordeb mewn dod yno ar yr union adeg honno – am ryw reswm, doedd pobl ddim yn gallu derbyn y drefn ddefodol a roddwyd iddyn nhw. Erbyn pum munud ar hugain i ddeg roedd ei draed ar ei ddesg, a'r loceri – a oedd wedi dwyn yr unig swyddogaeth a fu ganddo unwaith, sef casglu'r bagiau – yn cau ac yn agor yn yr awel ysgafn, nes canu rhyw alaw ysgafn ar hyd y coridorau. Roedd 'na ryw saib rhyfedd lle safai yn disgwyl i rywbeth ddigwydd. Roedd e wedi cael ei hyfforddi ar gyfer y 'rhywbeth' hwnnw, wedi'r cyfan. Ond doedd e erioed wedi digwydd. Wnâi e fyth. Roedd e wedi'i gondemnio i fywyd o warchod gofod, mewn gwirionedd. Gwarchod dim byd.

Roedd heddiw'n wahanol, wrth gwrs. Câi fwy o reolaeth dros y gwacter heddiw. Roedd yr Archborthor yn mynd lawr i Gaerdydd i'r Senedd, i drafod y system ddiogelwch newydd. Roedd e wedi dewis a dethol y porthorion a gâi fynd gydag e – ac ymhen chwarter awr fe fyddai'r rheiny i gyd wedi ymgynnull ar garped coch y Llyfrgell fel tasen nhw ar eu ffordd mas i ddawns, yn sibrwd ymysg ei gilydd, ac yn taflu rhyw olwg o sarhad i gyfeiriad Dan, am na châi e fynd i nunlle, byth. Roedd yr Archborthor yn fwriadol wedi dewis pawb ond Dan, gyda'r esgus y byddai'n rhaid i rywun aros ar ôl er mwyn sicrhau bod y linc camera cylch cyfyng wedi'i gysylltu â'r Senedd.

"Fyddi di'n iawn, on'd byddi?" meddai, a'i fwstás yn ffluwcho'n ofnus ar ei wyneb. "Bydd yn gyfle da i ti gael ychydig mwy o gyfrifoldeb; gwna'n siŵr dy fod ti'n manteisio arno, yn profi dy hunan. Ma'n hen bryd i ti wneud hynny."

Taflodd Dan wên ymdrechgar yn ôl ato, gan ei ddychmygu'n slochian gwinoedd wrth y bwrdd ym mwyty'r Senedd, a'r llywodraeth yn talu am bob dim, yn gweini rhyw greadigaethau pinc, amlonglog ar lestr arian, yn ffres o'r môr ac yn llygaid i gyd. Dychmygodd yr Archborthor yn codi ar ei draed wedyn ac yn gwneud ei gyflwyniad, gan ddal model o'r lleian fach a allai gau pawb i mewn, neu eu cau allan, a'r porthorion unsillafog i gyd yn cymeradwyo, yn gylch o forloi ufudd o'i gwmpas. Fe fyddai'r Brif Weinidoges, wedyn, yn gwneud cyfweliadau gyda'r cyfryngau gan ddweud mor arloesol oedd y ddyfais newydd 'ma, er nad oedden nhw'n sôn am ddim byd mwy soffistigedig na darn bach o blastig. Doedd Dan ddim yn gweld beth oedd o'i le ar ddefnyddio allweddi. Roedd e'n hoffi eu teimlo yn ei ddwylo, yn hoffi'r jingl-jangl yna o awdurdod wrth iddo nesáu at y drws, gan wybod mai dyna'r hyn a wnâi i bobl sylweddoli fod ganddo rym. O bryd i'w gilydd, breuddwydiai am ei allweddi, y clwstwr arian yn ei ddwrn, y dynion bach llachar 'na a oedd yn sgwaru rhwng ei fysedd, ac fe fyddai'n deffro'n chwys oer i weld y lleian fach yn gwenu'n blygeiniol arno o gornel ei stafell.

Roedd yr Archborthor yn amlwg yn ystyried Dan fel rhywun a oedd ychydig yn wahanol i'r gweddill. O achos iddo gael ei ddal ganddo unwaith – unwaith – yn smygu sbliff rownd y cefn gyda chriw o fyfyrwyr ymchwil, ers hynny câi ei drin fel y credai'r Archborthor y dylsai rhywun fel fe gael ei drin.

"Gobeithio nad wyt ti wedi anghofio, 'machgen i," meddai hwnnw, a llawnder ei fol yn arllwys dros dop ei drowsus, "pwy wnaeth ymddiried ynot ti gynta. Pwy wnaeth roi'r cyfle 'ma i ti."

"Fe fyddai'n beth braf gallu anghofio," roedd arno eisiau dweud, ond caethiwodd ei dafod rhwng ei ddannedd. Dyma hoff arf yr Archborthor yn ei erbyn: y ffaith mai fe oedd wedi rhoi'r swydd iddo pan ddaeth y gwasanaeth cymunedol i ben, y ffaith na fyddai neb arall wedi rhoi swydd i rywun a chanddo record. Ond roedd misoedd ers hynny, bellach. Roedd ef a'r Archborthor yn rhyw fath o ffrindiau bryd hynny, felly doedd hi ddim wedi cymryd fawr o ymdrech i newid statws y swydd, na fawr o aberth chwaith. A dweud y gwir, roedd yna brinder staff, ac o'r hyn y gallai ei gofio, roedd y panel penodi'n ddiolchgar iddo am fod mor barod i barhau yn ei waith. Ond câi gwir hanes ei chwalu, a'i ailddehongli yn y lle 'ma. Y gorffennol yn mynd yn rhyw gynfas bras y gallai rhywun dynnu llinell drosto. Ac ers amser bellach, roedd yr Archborthor wedi ail-greu'r hanes, wedi gwneud i bawb gredu mai cael a chael fu hi i'r hen Dan

Morgan o'r dechrau, am fod hynny'n rhoi mwy o hygrededd i'w statws ef fel pennaeth, gan wahanu Dan fwyfwy oddi wrth y porthorion eraill. Doedd yr Archborthor ddim fel petai'n cofio iddo yntau unwaith fod yn borthor ei hun fel yr holl borthorion eraill. Cyn i'r wlad yma gael ei Senedd ei hun, cyn i'r bobl ryfeddaf gael eu rhoi mewn pŵer, am nad oedd neb gwell ar gael i wneud y swydd. Dyna pryd y cafodd teitl yr 'Arch' ei roi uwch enw'r porthor cyffredin hwn, a byth ers hynny dyna lle roedd y teitl hwnnw, yn sefyll rhyngddo ef ac eraill, arch o hunanbwysigrwydd yn gryman gwyn dros ei ben.

Roedden nhw ar fin dechrau ar eu taith i'r de. Gwelodd Dan yr Archborthor yn cerdded tuag at y fan wen, yn lwmpyn crynedig, a'i fintai o borthorion yn fflewtian mynd ar ei ôl. Fesul un aethon nhw i mewn i'r gofod tywyll, a'r Archborthor yn gwneud nodyn o'u henwau ar ei glipfwrdd. Yna, ag un ystum, caeodd y cwbwl i mewn yn y fan ag un glec enfawr. Doedd dim i'w weld bellach ond logo'r Senedd, yn tywynnu'n fras ar y paent gwyn, heb unrhyw arwydd o'r tun sardinau o borthorion y tu mewn. Yr unig un a fyddai i'w weld yn amlwg yn ystod y daith i lawr i Gaerdydd fyddai'r Archborthor, yn gwlffyn o floneg yn y sedd flaen, ac wrth ei ymyl, gan roi'r cyfle perffaith iddo ei seboni, byddai'r Brif Lyfrgellwraig.

Fel petai'n ymwybodol fod Dan yn ei wylio, trodd yr Archborthor yn sydyn a'i ddal yn rhythu arno, gan godi fforch dau fys at ei lygaid, a'u taflu'n ôl i'w gyfeiriad.

"Fyddwn ni i gyd yn dy wylio di, Morgan," gwaeddodd ar draws y maes parcio. "Paid ti ag anghofio hynny. Fe fyddwn ni eisiau defnyddio'r camera cylch cyfyng ar gyfer y cyflwyniad, felly mae'n hanfodol dy fod ti'n bihafio dy hunan, ti'n clywed? Gwna'r linc cyn gynted â'n bod ni'n gadael, iawn? Bydd gweddill y criw yn gallu dy wylio di wedyn ar y sgrin yng nghefn y fan."

"Dim problem," meddai'n chwerw, gan chwifio hwyl fawr ar y criw. Doedd ganddo ddim bwriad yn y byd o fihafio'i hunan. Ei ddiwrnod e oedd heddiw. Roedd e wedi hen dwyllo'r system cylch cyfyng. Diolch i flynyddoedd o droseddu cyfrwys, roedd ganddo fwy o wybodaeth gyfrifiadurol na'r criw cyfan gyda'i gilydd. Fe allen nhw ei wylio fe drwy'r dydd os mai dyna roedden nhw am ei wneud, ond fe fydde fe yn rhywle arall. Chwarddodd wrth feddwl am y porthorion wedi'u cau i mewn yn ogof y fan, wedi'u caethiwo i'w seddau, ac yn gwylio'r sgrin. Fe fyddai'r holl beth yn ormod i stumog ambell un; gwyddai'n iawn beth oedd pwrpas y bwcedi plastig a daflodd yr Archborthor i mewn ar eu holau. Ysgydwodd Dan ei ben. Er gwaetha holl ddatblygiadau'r byd modern – y sgriniau yn y faniau a'r ceir, y llywio awtomatig, y ffaith y gallech chi wylio unrhyw leoliad cyhoeddus yng Nghymru drwy gyfrwng eich sgrin boced, eto i gyd doedd 'na ddim un ffordd fwy cyfleus o gyrraedd Caerdydd o Aberystwyth nag ar hyd yr un hen lôn droellog, yr A470, mewn hen groc o fan wen. Roedd yr archbriffordd yma y byddai'r Brif Weinidoges wastad yn sôn am ei gorffen yn dal yn greadur anorffenedig ar gyrion y dref – fel corryn ar ei gefn a'i goesau'n ymestyn yn ddigyfeiriad i'r awyr. Tybiai Dan y bydden nhw'n rhoi'r gorau iddi cyn pen dim, ac yn mynnu mai cerflun cenedlaethol ydoedd, ac nid priffordd wedi'r cyfan.

Aeth yn ôl at ei ddesg er mwyn deialu'r linc i'r Senedd. Siaradodd â Teleri, y swyddog trosglwyddo. Byddai'n hoff o fflyrtio gyda hi bob hyn a hyn, gan wybod ei fod e o dan anfantais. Roedd hi'n gwybod yn union sut berson oedd e o ran pryd a gwedd ond doedd ganddo fe ddim syniad sut un oedd hi. Er gwaetha'r ffantasïau a gâi amdani, gwyddai mai go brin ei bod hi'n chwip o bishyn ugain oed.

"Haia ti," meddai hi. "Be sy 'da ti i fi heddi 'te, *loverboy?*"

"Linc camera cylch cyfyng y Llyfrgell ar gyfer stafell gynhadledd 340," meddai, gan ddarllen y wybodaeth oddi ar y papur. "Ac maen nhw eisiau linc i gerbyd rhif 4578 hefyd."

"Be sy? Dy'n nhw ddim yn dy drystio di, neu beth?" meddai hi. "Un drwg wyt ti, yntife?"

"Falle y gnei di ddod i wbod, rhyw ddiwrnod," meddai, ond hyd yn oed wrth ddweud hynny roedd e'n amau realiti'r sefyllfa – roedd hi'n ddeugain, newydd ysgaru, ac yn chwysu mewn blows a oedd yn rhy fach iddi. "Os ca i fyth wahoddiad i'r Senedd, ontife, sy'n annhebygol weden i."

Cliciodd y rhif diogelwch i mewn a chadarnhaodd Teleri fod y linc wedi'i wneud.

"Www, dwi'n licio dy wallt di fel 'na, " meddai hi'n chwareus.

Syllodd Dan ar y llun ar y sgrin o'i flaen. Roedd hi'n iawn. Edrychai ei wallt yn neis iawn ryw dair wythnos yn ôl ac yntau newydd ei dorri. Ond roedd ei wallt ychydig yn fwy blêr heddiw. Nid y byddai'r gweddill yn sylwi, chwaith, ar y gwahaniaeth rhwng y ddau gyfnod – gwallt oedd gwallt i'r gwas sifil. Os oedd Teleri wedi llyncu'r abwyd, ni fyddai neb arall yn debygol o sylwi chwaith nad y presennol oedd i'w weld ar y sgrin.

"'Na i siarad gyda ti fory, 'te," meddai yntau, eisoes wedi diflasu ar y sgwrs dameidiog.

"O na, wnei di ddim," meddai Teleri'n chwareus. "Dwi'n gadael y swydd."

"O'n i'n meddwl byse rhywun fel ti'n methu godde

gweithio mewn job gachu yn y blydi Senedd ddiwerth 'na,"
meddai, gan adleisio rhywbeth roedd wedi'i glywed gan
ddyn moel penboeth ar raglen drafod y noson cynt.

"Dwi ddim yn gadael y Senedd. 'Di cael dyrchafiad
ydw i," meddai hithau, a'r hwyl wedi diflannu o'i llais. "A
bydden i'n gwerthfawrogi taset ti ddim yn dweud y gair
'cachu' a 'Senedd' yn yr un frawddeg, ocê? Dangos tam'
bach o barch, 'nei di?"

A chyda hynny roedd hi wedi mynd, ac unig ddifyrrwch
y bore wedi mynd gyda hi. Typical, meddyliodd. Roedd
Teleri fel y gweddill, wedi'r cyfan. Yn ddigon parod i
feirniadu'r system tra oedd hi ar ris isa'r ysgol, ond wedi
iddi ddechrau dringo, dyna ni wedyn, fe fyddai hi â'i llygad
barus ar y gris nesaf o hyd, a gwae iddi gydnabod unrhyw air
drwg yn erbyn y Senedd. *Bali merched sy'n cael eu dyrchafu'n
ddiddiwedd yn y wlad 'ma*, cofiodd ddyn barfog yn dweud
ar yr un rhaglen, neithiwr. Daeth hwtian a hefru wedyn
oddi wrth fenywod yn y gynulleidfa, a phenderfynodd y
gyflwynwraig benfelen y buasai'n well mynd am doriad.
Doedd Dan ddim yn cofio diwedd y drafodaeth; deffrodd
bum awr yn ddiweddarach i fflachiadau cartŵns lliwgar, a'r
sbliff crimp yn dal yn ei law.

Eisteddodd Dan yn ôl yn ei sedd. O leiaf roedd Teleri
wedi lincio'r ffilm cyn iddo'i chythruddo, ac roedd e wedi
llwyddo unwaith eto. Doedd neb wedi sylwi nad oedd yr
hyn roedden nhw'n ei weld yn ddilys, a llwyddodd e hyd yn
oed i newid y dyddiad ar y sgrin y tro hwn. Dyddiad heddiw,
20.02.20 oedd ar y sgrin, er bod yr hyn roedden nhw'n ei
weld o'u blaenau, sef fe'n cerdded i fyny ac i lawr y coridor,
wedi digwydd dair wythnos ynghynt. Gwyddai union drefn
y diwrnod roedden nhw ar fin ei weld. Fe fyddai e'n eistedd
yn ddiddig wrth ei ddesg drwy'r bore, gan ymddwyn fel

petai'r gofod gwag o'i gwmpas yn un o drysorau'r byd, ac yna byddai'n cerdded ar hyd y coridorau yn y gwaelodion drwy'r prynhawn. Byddai'n esiampl glodwiw i'w gyd-weithwyr. Pan fyddai llygaid y Senedd i gyd yn troi i edrych arno, dyna lle y byddai, yn defnyddio'r lleian fach wrth fynd o fan i fan, yn dangos pa mor ddibynadwy ydoedd, pa mor slic oedd y deunydd diogelwch.

Mewn gwirionedd, mas yn y bac y byddai e, yn cael ffag, neu sbliff, neu – fe obeithiai, cyn hir, ta beth – yn cael rhyw gydag un o'r llyfrgellwyr y bu'n potsian â hi yn ystod yr wythnosau diwethaf. Ond drwy'r amser, byddai 'na fersiwn arall ohono fe'i hun, un sobrach a mwy cyfrifol, yn eistedd yn ddistaw wrth ddesg ger y drysau mawrion, yn rhoi perfformiad gorau ei fywyd.

Roedd heddiw'n argoeli'n un o'r diwrnodau hynny lle câi ddyblygu ei hun heb ormod o drafferth. Doedd 'na ddim llawer o ymchwilwyr o gwmpas, a'r rhan fwya ohonyn nhw – heblaw am y ferch benfelen, gecrus, a oedd, yr eiliad honno'n cerdded 'nôl heibio iddo a'i sigarét wedi'i rholio yn ei llaw – yn ddigon didrafferth. Ymhen awr neu ddwy, meddyliai, fe fyddai hi'n amser am fwgyn bach arall, ac ni fyddai neb ddim callach. Fe gâi weddill y diwrnod basio heibio wedyn mewn rhyw lesmair hufennog, a chyn iddo droi rownd, fe fyddai 'nôl mewn pryd i wylio'r rhaglen natur am anifeiliaid y môr. Roedd e wedi hen ddarganfod nad oedd dim byd mwy atyniadol na chreaduriaid y môr pan fyddai ychydig bach yn chwil, ac roedd meddwl am eu gwylio nhw â'r fath ddiddordeb yn gwneud iddo chwerthin, wrth feddwl am yr holl lygaid 'na'n ei wylio fe nawr, fel petai yntau ei hun yn greadur tanddwr, heb syniad ei fod eisoes yn nofio mewn cefnfor newydd.

EBEN

ROEDD AROS I'R drysau agor yn beth poenus y bore hwnnw. Er i Eben sefyll yno droeon o'r blaen, wrth gwrs, gan fân sgwrsio gydag ymchwilwyr o'r un anian ag ef, yn esgus chwerthin am yr un hen jôcs academaidd, roedd y bore hwn yn wahanol. Wrth ddringo'r grisiau a gweld y cast arferol yn aros amdano, roedd eisoes wedi ewyllysio i beidio â chwarae ei ran, i anghofio'i linellau, a chilio i ochr y llwyfan, gan osgoi'r pantomeim arferol.

Gwyddai yn union beth fyddai trefn ddefodol y pymtheg munud hynny cyn i ddrysau'r Llyfrgell agor. Fe fyddai Niclas Gruffudd, Yr Athro Niclas Gruffudd – a oedd bellach yn rhyw fath o ffrind stepen-drws iddo yn sgil y boreau hyn, yno'n aros amdano, a gwên slei ar ei wyneb. Fe fyddai'r cyfarchiad cyntaf, yn ddi-os, yn rhyw fath o jôc neu'i gilydd am yr enw Eben. Hyd yn oed wrth faglu dros ris cynta'r mynediad rhyw ddeufis 'nôl, roedd Niclas wedi llwyddo i ddyfynnu Eben Fardd wrth syrthio'n ôl, gan wneud i Eben, a oedd ar ei draed ar y pryd, deimlo mai fe oedd wedi baglu, nid Dr Gruffudd. *Llithrig yw'r palmant llathrwyn*, meddai hwnnw, a'r chwarddiad yn ewynnu dan ei drwyn. Casâi Eben y bobl hynny a oedd yn gallu rhyddhau dyfyniadau fel bwledi, fel petai 'na ystôr parod ohonyn nhw yng nghefn y meddwl, ar gael i'w saethu yn y fan a'r lle. Fe fyddai Eben, yn ôl ei arfer, yn chwerthin yn llawer rhy uchel, er mwyn rhoi'r argraff ei fod ar yr un lefel ddeallusol â Dr Gruffudd, ond gan wybod yn iawn mai dwyn amser iddo oedd pwrpas y chwarddiad hwnnw. Amser i ymbalfalu yn ei gof am weddill y gerdd er mwyn canfod ei chynffon – *môr gwaed ar y marmor gwyn* – oedd yr hyn a ddyfynnodd yn y diwedd, wedi saib helaeth. "Go dda rŵan Eben," meddai Dr Gruffudd, fel pe bai'n cymeradwyo plentyn teirblwydd a oedd newydd lwyddo i fynd i'r tŷ bach ar ei ben ei hun.

Yna, fel arfer, fe fyddai ef a Niclas yn sefyll yno'n fud yn syllu ar y môr go iawn, yn llwyd a diflas o'u blaenau, gan ddwyn i gof y rheiny a oedd wedi troi at y môr am ysbrydoliaeth, gan ddyfynnu Ann Griffiths, neu feirdd y Cilie, neu unrhyw drueniaid eraill a oedd yn hwylio ar donnau'r lli, gan raffu'r llinellau hyd syrffed – yn siarad mewn rhigymau am beilot ar y môr, wele'n cychwyn dair ar ddeg o longau bach ar fore teg, mae rhyw deid yn dod mewn a theid yn mynd mas... Cymaint oedd undonedd y patrymau dyddiol hyn nes bod sŵn y stribed diogelwch yn cael ei ryddhau gan y porthor yn falm i'r glust; dyna'r sŵn y teimlai Eben iddo fod yn aros am ei glywed gydol ei oes, sain a oedd yn fwy persain na'r un llinell o farddoniaeth.

Ond roedd rhywbeth yn wahanol ynghylch heddiw. Heddiw gwrthododd chwarae'r gêm. Safai'n fud wrth ymyl yr Athro Gruffudd, yn syllu ar goncrid y llawr, gan fod 'na bethau amgenach ar ei feddwl. Heddiw, roedd ar drothwy newydd-deb sgleiniog, cyffrous o ddieithr, a doedd e ddim am i'r un dyfyniad arall dorri ar ei draws.

"Y'ch chi'n iawn, Eben?" meddai Niclas, gan godi un o'i aeliau fel marc cwestiwn. "Ry'ch chi i weld ychydig yn dawedog heddiw."

"Dwi'n iawn, diolch, Nic," meddai, gan dalfyrru enw'r Athro mewn modd na wnaeth erioed cyn hynny. Gwelodd y syndod yn lledu dros wyneb yr hwn na chawsai ei alw'n Nic gan neb erioed o'r blaen. Hon oedd ei fwled ef, meddyliodd

Eben yn hunangyfiawn, gan weld y drysau mawrion yn agor o'u blaenau. Camodd oddi wrth ei gydymaith i gyfeiriad y tai bach.

Rai munudau'n ddiweddarach, brasgamodd yn ôl ar hyd y carped coch tuag at y ddesg ymholiadau â bwriad newydd yn ei draed. Teimlai ei fod yn haeddu'r carped y diwrnod hwnnw, ac nad oedd dim ots pa mor surbwch oedd wyneb y fenyw o'i flaen, yr un a arthiodd arno ei fod yn hwyr. Byddai hi'n gwneud hynny bob bore, waeth beth oedd ei gais y diwrnod hwnnw, ac er nad oedd e erioed – byth – wedi cyrraedd yn hwyr. Byddai e gyda'r cynta i mewn drwy'r drysau 'na bob bore. Ac roedd hi'n gwybod hynny. Er iddo dderbyn ei hagwedd dros y misoedd diwetha, roedd e'n teimlo fod ganddo hawl – heddiw – i fod ychydig yn gecrus.

"Gwrandwch 'ma, dwi 'di bod yn ciwio mas tu fas ers naw o'r gloch," meddai, "bob bore am naw mis. Dwi erioed wedi bod yn hwyr. Ugain munud i ddeg yw hi."

"Yn gwmws," meddai'r llyfrgellwraig, gan daflu un llygad dros glogwyn ei sbectol. "Ugain munud i ddeg. Chi ddeng munud yn hwyr."

"Es i i'r tŷ bach," meddai. "Ma hawl 'da rhywun i fynd i'r tŷ bach, siawns?"

"Am ddeg munud?" meddai hithau, gan edrych ar ei wats. "Beth ddiawl o'ch chi'n neud i mewn 'na am ddeg munud?"

Teimlodd belydrau ei llygaid yn ei ddinoethi lle safai, a ddwedodd e ddim gair wrthi. Doedd e ddim am iddi wybod am y ddefod oedd ganddo.

"Bydden i'n awgrymu'n garedig, Mr Prydderch, eich bod chi'n gwneud eich busnes cyn i chi ddod i'r Llyfrgell. Fel 'ny, fyddech chi ddim yn gwastraffu ein hamser ni i gyd. Nawr 'te, gadewch i ni weld beth ry'ch chi'n wneud wythnos 'ma. A!" meddai hithau, gan ddarllen y wybodaeth ar y sgrin o'i blaen. "Ry'ch chi wedi cael caniatâd i fynd i'r archif, 'te?"

Edrychodd i fyny'n amheus arno. Unwaith eto, roedd e'n meddwl y dylai fod yn ymddiheuro iddi am rywbeth, heb wybod yn iawn beth roedd e i fod wedi'i wneud. Ond dyna sut roedd e wedi teimlo yn ystod y flwyddyn ddiwethaf, fel un ymddiheuriad mawr, gan gredu y dylai fod yn plygu ei ben mewn mannau cyhoeddus, i ddangos ei bod hi'n wir ddrwg ganddo am y drosedd honedig.

"Peth od, ontefe, eich bod chi o bawb wedi cael mynediad i'r lle," meddai'r ddynes, gan blymio'i phelydrau'n ddyfnach byth i mewn i'w gorff. "Ond does dim amheuaeth ry'ch chi'n bendant wedi cael caniatâd – mae'r teulu ei hunan wedi dweud y cewch chi fynd, felly mae hi'n ymddangos y gallwch chi fod yno mor hir ag ry'ch chi'n moyn."

Gwenodd Eben. O'r diwedd, roedd e'n mynd i gael darllen dyddiaduron Elena Wdig. Roedd y teulu wedi bod yn gyndyn i ganiatáu i unrhyw un gael gweld yr archifau ar ôl iddi farw, ond yna, yn sydyn, yn dilyn sawl cais, fe ildion nhw. Esboniodd Eben ei fod am ysgrifennu cofiant iddi, ac na fyddai modd iddo gwblhau ei ymchwil heb y ffynonellau hyn. Roedd y ffaith iddyn nhw gytuno, hefyd yn awgrymu eu bod wedi maddau iddo am yr hyn a wnaeth. Ac os nad maddau, gweld rheswm. Gweld nad oedd a wnelo'r hyn a wnaeth ddim oll â'r hyn a ddigwyddodd i Elena Wdig.

Roedd e wedi gwisgo siwt – dyna'r peth iawn i'w wneud rywsut. Roedd yn rhaid i rywun wisgo'n deidi cyn dechrau mynd i'r afael â chyfrinachau'r meirw, wedi'r cyfan. Siwt lân, las-tywyll, gyda thei bach mwstard, er mwyn ceisio dangos bod ganddo ryw fymryn o bersonoliaeth. Dim gormod, serch hynny. Doedd dim angen i gofiannydd gael gormod o bersonoliaeth, gallai hynny ymyrryd â chynnwys y llyfr. Ond roedd eisiau rhyw fymryn o gymeriad, digon i roi blas, neu i roi rhyw gic i'r cyfanwaith. Dyna pam y dewisodd y lliw mwstard. Nid mwstard Seisnig na Ffrengig chwaith, â'u pigiadau siarp, ond rhywbeth llawer mwy addfwyn, melysach – mwstard o Gymru, a mêl yn gymysg ag e.

Fe fyddai'n ddyfyniad da ar gyfer gwerthu'r cofiant, meddyliodd Eben yn sydyn. "Mêl-fwstard o gofiant, yn felys ac yn finiog ar yr un pryd." Efallai y gallai ofyn i'w ffrind, Ffrancon Emlyn am y dyfyniad hwnnw. Roedd Ffrancon yn arbenigo ar ddyfyniadau, gymaint felly fel yr aeth y ffaith na wnaeth e sgrifennu dim ei hunan yn rhyw ôl-nodyn yn ei hanes. O'r eiliad yr aeth y llyfr yn rhywbeth ynfyd, rhywbeth dwl, gwastraffus i'w ddal yn y dwylo – yn wastraff *adnoddau* – roedd unrhyw un a oedd yn sgrifennu gair ar y we yn cael ei weld fel awdurdod. Doedd dim gwahaniaeth rhwng y llyfrau prin, a ddaliai i fodoli, a'r llyfrau ar y we. Bellach, roedden nhw i gyd yn un gybolfa, a bron nad oedd rhywun yn cofio pwy oedd wedi ysgrifennu beth. Ffrancon oedd yr awdurdod ar bob dim, erbyn hyn, o farddoniaeth ganoloesol i ryddiaith ôl-grefyddol. Roedd e'n adolygu pob cyfrol ddigidol, gan ryddhau ei feirniadaethau i'r gofod mawr gwyn drwy glicio botwm, heb boeni 'run iot am y rheiny y byddai'n eu tramgwyddo. Nid tan iddo ddwyn perswâd ar Eben i wneud yr un peth, hynny yw, meddyliodd Eben yn chwerw.

Roedd hynny'n dal i gorddi Eben, ond eto, roedd rhyw ran wyrdroëdig ohono yn dal i ysu am gael ei weld yng nghwmni'r hen Ffrancon, ac roedd am ei gael yn ôl eto'n ffrind. Fe fyddai'r astudiaeth hon, fe obeithiai, yn rhyw fath o ymddiheuriad nid yn unig i'w genedl ond hefyd yn bont yn ôl at ennill cyfeillgarwch Ffrancon.

Curai ei galon yn gyflymach nag erioed wrth gerdded tuag at yr archif. Roedd hyn fel nefoedd iddo. O'r diwedd, câi ddatgloi meddwl Elena Wdig, a chanfod yr hyn roedd arno ei angen er mwyn cwblhau ei gofiant. Un haf arall, ac fe fyddai wedi'i gwblhau. Ond eisoes teimlai'n ddigalon oherwydd nad llyfr go iawn fyddai ei astudiaeth, ond rhyw rith-ffurf ddigidol o fewn clawr rwber yr e-ddarllenydd. Doedd e erioed wedi ymgyfarwyddo â'r teclynnau electroneg hyn: y dafell denau, un sgrin, â rhyw bìn bach – y dudalen ddidolwr – yn cael ei ddefnyddio i sgrolio i lawr y dudalen. Yn waeth byth, roedd ganddo gof anferthol, ac roedd modd llwytho degau, os nad cannoedd, o lyfrau eraill ar yr un pryd, a'u cywasgu'n dwt rhwng dau glawr. Roedd hynny wir yn codi pwys ar Eben, meddwl am orfod cael ei gau i mewn rhwng yr holl awduron drewllyd eraill 'na. Dychmygai y byddai fel bod yn sownd mewn lifft yng nghwmni'r bobl mwyaf annymunol a gyfarfu yn ystod ei oes.

Doedd Eben ddim yn un i rannu ei dudalen â neb, a'r unig gysur a deimlai oedd gwybod nad oedd y fath beth â thudalen yn bod mwyach, beth bynnag. Fel cymaint o bethau eraill, tudalen *ymddangosiadol* yn unig a gâi'r darllenydd, ac roedd hynny'n fwy urddasol, yn lanach, yn ôl rhai, na'r hen dudalen, wastraffus, ddrewllyd. Unwaith eto roedd Eben yn eiddigeddus o Elena, yn gynddeiriog ei bod hi wedi cyhoeddi ar adeg pan fyddai clod a bri yn perthyn i lyfrau go iawn, llyfrau y gellid cydio ynddynt, llyfrau â llun yr awdur yn glamp o gadarnhad ar ei gefn. Llyfr ac iddo ei arogl, ei swmp a'i sylwedd, ei bersonoliaeth ei hun. Rhyw bethau diwyneb oedd llyfrau bellach, a dyfyniadau agoriadol pob darn o waith yn rhedeg fel slogan sinema ar dalcen yr e-ddarllenydd, yn fflachio mewn golau lliw o ddewis yr awdur – yr unig ddewis a gâi awduron bellach.

Fe'i tywyswyd drwy ymysgaroedd y Llyfrgell, drwy ddyfnderoedd na wyddai am eu bodolaeth, yng nghwmni'r fenyw surbwch a chanddi ryw flerwch o flew yn tyfu uwchben ei gwefus, a hwnnw'n sboncio tuag at Eben bob tro y siaradai hi ag ef.

"Fan hyn maen nhw," meddai, a'i llais yr un mor flewog rywsut, fel tasai 'na ddegau o flewiach bach yn sownd yn ei llwnc. Fe'i tywyswyd i stafell fechan a oedd yn ymddangosiadol wag. Gwingodd wrth weld fod cynlluniau ar droed i roi plac arian ac enw Elena arno y tu allan i'r stafell. Eisoes roedd y canon ffug, camarweiniol yn dechrau cael ei ffurfio.

"Maen nhw i gyd fan hyn," meddai'r ddynes, gan ddechrau troi dolenni er mwyn datgelu silffoedd cudd yr archif. Roedd gweld llyfrau go iawn yn dod i'r amlwg, wedi pum mlynedd a mwy o e-lyfrau, yn wefr amheuthun. Yn raddol, agorodd y ddau ben arall ac fe'i trawyd gan fyrdd o liwiau, cloriau pinc, porffor, melyn, fel rheseidiau o losin. Eto, fe deimlai'r un hen deimladau o anniddigrwydd yn cronni. Beth oedd o'i le ar y dyddiaduron clasurol hynny gyda chloriau lledr, urddasol, tywyll? Fe fyddai'n rhaid iddi hi fod yn wahanol i bawb arall, wrth gwrs. Ond sylweddolodd yn sydyn mai'r hyn a'i gythruddai ef oedd fod yr harddwch yn brifo, yn ormod o atgof o'r hyn a fu, y llyfrau go iawn a fu unwaith yn addurno pob silff, yn hytrach na'r tafelli tenau o e-ddarllenwyr a feddiannai'r Llyfrgell bellach. Teimlai Eben fel rhuthro tuag atyn nhw a'u gwasgu'n dynn ato, eu harogli, eu blasu hyd yn oed. Prin fod unrhyw un, y dyddiau 'ma, i'w weld â llyfr go iawn yn ei ddwylo, prin y byddai neb yn trafferthu gyda rhywbeth mor elfennol ag inc a phapur. Eto, fe ddaeth yr ysfa. Roedd e eisiau bwyta un o ddyddiaduron Elena'n gyfan, yn y fan a'r lle. Ond ceisiodd ei atal ei hun rhag gwneud unrhyw beth a fyddai'n ymddangos yn rhyfedd. Roedd e'n ofni ei fod rywsut yn dal ar brawf gan y fenyw hon, ac y gallai hi ddal i wrthod mynediad iddo.

"Fan hyn mae'r dyddiaduron i gyd, a'r mabinolion, wrth gwrs. Os byddwch chi eisiau twrio ymhellach gallwch chi ddod draw fan hyn," meddai, gan gydio mewn dolen arall. Gwyliodd mewn rhyfeddod wrth iddi dynnu perfedd y stafell i'r golwg, fesul silff.

"Fan hyn fe ffeindiwch chi ei holl lythyron, a nodiadau cynnar ei nofelau," meddai, gan gydio mewn dolen blastig ar ben un o'r rheseidiau eraill. Agorodd ddwy silff a'r rheiny'n tywynnu gyda'r addewid o bapur go iawn, papur lafant, papur wedi'i ailgylchu, papur ac arno farc dŵr arbennig. Papur, papur, papur. Eto roedd e eisiau hyrddio'i ddwylo i'r gwynder yn y fan a'r lle, stwffio llond dwrn o bapur i'w geg fel petai'n gacen gri.

"O 1975 tan 2002 draw fan hyn, wedyn o 2002 tan 2013 fan hyn, ac wedyn mae unrhyw beth ar ôl 2015 yn dilyn y *switch-over*, ar y sgriniau archifol, fan hyn."

Pwyntiodd y ddynes i ben draw'r stafell, lle roedd 'na gyfrifiadur ac iddo sgrin lydan, ac uwch ei ben, silff yn dal degau o ddisgiau bach, fel dyddiaduron llygod.

"Dyma chi," meddai, gan logio i mewn i'r sgrin ar ei ran. "Gallwch chi edrych ar bopeth o 2015 tan 2019 fan hyn. Ac wedyn, yn amlwg," meddai, gan ostwng ei llygaid, "maen nhw'n gorffen."

"Beth am 2014?" holodd. "Does 'na ddim cofnod?"

Edrychodd y fenyw arno a'i llygaid yn ei groeshoelio.

"Wnaeth hi ddim ysgrifennu gair, y flwyddyn honno," meddai. "Ry'n ni i gyd yn gwbod pam, wrth gwrs. Doedd dim modd iddi wneud, gyda'r holl ymosodiadau ciaidd a ymddangosodd bryd hynny. Ac ry'n ni i gyd yn gwybod pwy oedd yn gyfrifol am yr ymosodiadau."

Edrychodd Eben i ffwrdd yn sydyn. Doedd e ddim wedi disgwyl i hon, o bawb, hon â'r blewiach, wybod pwy oedd e. Difarodd iddo agor ei geg. Wrth gwrs doedd dim modd iddi sgrifennu yn ystod y flwyddyn honno. Roedd e wedi gwneud yn siŵr o hynny. Neu gwnaeth Ffrancon, beth bynnag. Ond doedd enw Ffrancon byth yn cael ei grybwyll yn yr adroddiadau. Roedd rôl Ffrancon yn yr holl ddigwyddiad wedi'i dileu. Eben a gâi'r bai.

"Diolch yn fawr i chi am eich cymorth," meddai, gan aros iddi ei adael. "Mi ddof i'ch nôl chi os bydd angen help arna i."

Crechwenodd y fenyw.

"Na wnewch," meddai. "Bydd yn rhaid i chi wasgu'r botwm os byddwch chi eisiau help," meddai, gan bwyntio at fotwm coch ar y wal. "Newn ni ddod i'ch gadael chi mas."

"Beth? Chi'n 'y nghloi i mewn?"

"Polisi diogelwch newydd," meddai'r fenyw. "Dwi'n siŵr eich bod chi'n ymwybodol deunydd mor werthfawr yw'r dyddiaduron hyn. Does 'na fawr o ddogfennau go iawn ar ôl yn ein cymdeithas ni. Dy'n ni ddim am redeg y risg o adael unrhyw un ar ei ben ei hunan yma, waeth pa mor fach yw'r cyfle i ddianc. Allwn ni ddim fforddio colli tystiolaeth mor werthfawr â hyn am fywyd rhywun. Allech chi fod yn rhedeg mas o 'ma gyda'i thrugareddau o dan eich ceseiliau. Mae'r Llyfrgell wedi colli digon o'i deunydd yn barod."

"Ond siawns na allwch chi drystio'r cofiannydd," dwedodd, gan geisio swnio'n hwyliog, er bod llygaid y fenyw'n peri arswyd iddo.

"Hy! Nhw yw'r gwaetha – dwyn bywydau pobl eraill am nad oes ganddyn nhw syniad gwell eu hunain! Yr un rheol sydd i bawb. Os y'ch chi eisiau darllen y dyddiaduron yma, mae'n rhaid i ni wneud yn siŵr ein bod yn diogelu ein deunyddiau," meddai. "Nawr 'te, os nag oes mwy o gwestiynau, mi wna i 'ych gadael chi."

"Ond… " meddai Eben, gan deimlo fel petai yn yr ysgol gynradd. "Beth os bydda i angen mynd i'r tŷ bach?"

"Chi a'ch bali tŷ bach! Gwasgwch y botwm coch, ac mi ddaw porthor â bwced i chi," meddai hithau.

"Bwced?" meddai, a'i lais yn gryndod.

"Jôc fach," meddai'r fenyw, heb wenu. "Mi ddaw porthor i'ch gadael chi mas. Ma'r toiledau i lawr y coridor, ar y chwith. Cofiwch olchi eich dwylo cyn dod 'nôl i fyseddu'r deunyddiau. A chofiwch wisgo'r menig, hefyd. Nid i fynd i'r tŷ bach − i fyseddu'r deunyddiau."

Deunyddiau. Roedd e'n cofio Ffrancon yn sôn fod y Senedd yn ceisio annog pobl i beidio â defnyddio geiriau fel dyddiaduron, llyfrau na thudalennau rhagor. Roedden nhw'n dadlau nad oedd pwynt iddyn nhw ddileu llyfrau os oedd yr eirfa yn ymwneud â llyfrau yn mynd i barhau, ac felly roedden nhw'n annog llyfrgellwyr i feddwl amdanyn nhw eu hunain bellach fel trafodwyr tystiolaeth, ac i weld pob dim a fyddai'n pasio trwy eu dwylo fel *deunydd*. "Neu fe fydd yr eirfa'n ein dal ni 'nôl fel cenedl," oedd geiriau'r Brif Weinidoges. "Fe fydd ein geirfa hynafol yn golygu ein bod ni'n llusgo'n cwt y tu ôl i weddill y byd."

Ond fedrwch chi ddim dileu'r gair 'Llyfrgell', meddyliodd Eben, gan deimlo bod y gair eisoes yn teimlo'n hynafol ar ei wefus. Llyfrgell. Heb lyfrau doedd e'n ddim byd ond cell. Deunyddgell. Cyn bo hir, efallai y byddai'r Senedd yn mynnu eu bod nhw'n ailenwi'r adeilad yn rhywbeth hurt felly. Yr Archif Genedlaethol. Rhywbeth amhersonol yn hytrach na swae sidan o air, fel 'Llyfrgell'.

Gwisgodd Eben y menig gwynion. Clywodd y drws yn cau'n glep, a sŵn blip bach, a'r golau gwyrdd uwchben y drws yn troi'n goch. Teimlodd yn unig yn sydyn, ar ei ben ei hun yng nghanol arogl hen dudalennau, â blynyddoedd lawer o fyfyrdodau yn syllu'n ôl arno o'r silffoedd. Doedd y peth ddim yn gymaint o wefr, rywsut, wedi iddo gael ei adael heb neb yno ond fe a'r tudalennau llychlyd. Ble roedd dechrau arni? Dyna oedd y cwestiwn. "Dechrau yn y dechrau," meddai, gan estyn am glawr pinc, blodeuog 1975, blwyddyn ei eni, ac Elena'n naw oed.

Teimlai'n rhyfedd yng nghanol y dyddiaduron hyn – un wyneb bach amddifad yng nghanol dyddiaduron diwyneb. Doedd e ddim wedi sylweddoli anferthedd ei brosiect tan y foment honno, ond nawr doedd dim dianc. Ar wahân i'r un cyfnod hwnnw roedd hi wedi mynnu cofnodi popeth, pob dim a ddigwyddodd iddi erioed. Hyd yn oed wrth gymryd pip yn glou ar un o'r dyddiaduron cynharaf, gwelodd nad oedd Elena wedi bodloni ar ei chyfyngu ei hun i un paragraff y diwrnod; yn hytrach, roedd 'na dudalennau ar dudalennau'n cofnodi manylion ei bywyd, pob un digwyddiad allanol a'i hymateb mewnol.

Gadawodd i'r amheuon lifo drosto unwaith eto. Pam roedd e'n gwneud hyn? Er mwyn lleddfu ei gydwybod, dyna ddywedai wrth bawb. A dyna a wnâi ei orchwyl yn un gonest, yn un gwerth chweil. Clodforodd erthygl ddiweddar yn yr e-bapur lleol ei ymdrechion, gan ddweud bod ei ymlyniad i'r gwaith hwn yn arddangos haelioni newydd yn y byd llenyddol, rhyw ryngddibyniaeth gynnes rhwng awduron a'u beirniaid. Ond wrth edrych o'i gwmpas, roedd y gorchwyl yn teimlo'n ormod. Yn niwsans, bron.

Ac roedd rhywun yno i weld ei uchelgais yn marw'n araf. Sylweddolodd yn ddigon buan nad oedd ar ei ben ei hun.

Ym mhen draw'r stafell, roedd llun o Elena. Daeth Eben wyneb yn wyneb â hi, ac fe'i trawyd gan aer oer o'i llygaid arctig. Ei chell hi oedd hon, ac roedd e'n gaeth ynddi.

ANA A NAN

W RTH IDDYN NHW wisgo'r bore hwnnw, sylwodd Ana
ar farc ar waelod cefn Nan – rhyw glais ôl-borffor yn
wincio arni. Ei greddf gyntaf oedd holi yn ei gylch. Ond
roedd rhywbeth yn dweud wrthi y dylai fod yn gwybod,
y dylai fod yn bosib iddi ddarllen meddwl Nan a gweld yr
holl ddigwyddiad fel pe bai wedi digwydd iddi hithau, a
chael teimlo'r briw i'r byw. Ond doedd 'na ddim modd iddi
deimlo, na gweld dim byd. Ac yna mewn chwinciad roedd
y clais wedi'i orchuddio â chotwm glân, gwyn, gan wneud i
Ana amau a oedd hi wedi gweld unrhyw beth o gwbwl.

Trodd i wynebu'r drych mawr. Doedd dim angen iddi
allu darllen meddwl ei chwaer i wybod ei bod hi, yr union
eiliad hon, yn meddwl am eu mam eto, am y troeon y safodd
hithau o flaen y drych yn edmygu ei hun cyn mynychu
darlleniad neu, tuag at y diwedd, sut y byddai hi'n syllu'n
wyllt yn y drych ac yn rhedeg ei bysedd ar ei hyd. "Roedd
rhoi genedigaeth i efeilliaid yn rhywbeth cwbwl anorfod,"
dywedai mewn cyfweliadau, "gan i mi deimlo droeon 'mod
i'n fwy nag un person."

Roedd Ana wedi mynnu bod yn rhaid iddyn nhw
wisgo 'run dillad heddiw. Fe fyddai'n gwneud pethau'n
haws. Bydden nhw'n gwneud hynny fel arfer, beth bynnag
– heblaw am gyfnod y got werdd, pan geisiodd Nan fentro
bod yn wahanol. Ond doedd hi ddim yn bosib iddi fod yn
wahanol, meddyliodd Ana, nid dyna sut roedd eu bywydau
nhw'n gweithio. Cofiai Ana gyda chywilydd sut y lluchiodd

hi'r got werdd un amser cinio i grombil bws gwag yn y maes parcio. Am hanner awr wedi pedwar, a hithau'n noson o Ragfyr, roedd Nan wrthi'n twrio drwy'r swyddfa yn edrych am ei chot werdd, tra bod Ana wrth ei desg, yn gwylio'r bws hwnnw'n hwylio drwy strydoedd Aberystwyth, ar ei ffordd yn ôl i Gaerdydd. Doedd gan Nan ddim dewis wedyn ond mynd 'nôl i wisgo'r got ddu, ffurfiol, ac unwaith eto roedden nhw'n gymesur, yn gywrain, yn amhosib eu gwahaniaethu oddi wrth ei gilydd.

Ond roedd hi ei hunan wedi teimlo'r ysfa i fod yn wahanol yn ddiweddar. Ers y diwrnod y cyfarfu â Dan, ac ers iddyn nhw ei dynnu'n ddyfnach i mewn i'r rhwyd. Pan fyddai Ana yn ei gwmni, roedd arni eisiau dweud rhywbeth, neu wneud rhywbeth a fyddai'n chwalu'r cwbwl, a fyddai'n gwneud iddo weld fod 'na ddwy ohonyn nhw, nid un. Ond roedd hi'n ofni y byddai'n rhaid iddo ddewis, wedyn. Ac roedd arni hi ofn na fyddai e'n ei dewis hi.

Yn sydyn iawn, roedden nhw'n barod. Y blowsys gwyn yn eu lle, y sgertiau llwyd yn dynn am eu cluniau, y gwallt syth, cochlyd yn disgyn yn unffurf at y ddwy ên bigog, a'u llygaid yn frawychus o ddi-liw. Heddiw, roedden nhw wedi ychwanegu sgarff binc yr un, yn ddestlus am eu gyddfau main. Poenai Nan fod hynny ychydig yn amlwg, a nhwythau'n gwneud cyn lleied o ffws fel arfer, ond roedd Ana wedi mynnu y byddai'n tyfu'n rhyw fath o nodwedd bwysig yn y pen draw. "Bydd yn rhaid i ni edrych ar ein gorau ar gyfer y camerâu, dy'n ni ddim eisiau edrych fel dwy hen ferch."

Hyd yn oed os mai dyna y'n ni, roedd arni eisiau ategu. Syllodd Ana drachefn i mewn i'r drych. Roedd hi'n ysu am weld slicrwydd, proffesiynoldeb, cryfder. Ond welai hi mo hynny. Yn hytrach gwelai ddwy fenyw blaen saith ar hugain oed na chawsent erioed eu cyffwrdd gan ddyn – nid go iawn, beth bynnag. Bu hi mor agos, gyda Dan, meddyliodd. Mor, mor agos i gael profi'r holl bethau a glywsai weddill merched y Llyfrgell yn piffian chwerthin amdano amser cinio, yn bowld i gyd, heb ronyn o wrid. Roedd hi wedi clustfeinio digon i wybod beth oedd yn debygol o ddigwydd petai hi'n digwydd gadael i ddyn i groesi trothwy ei theits.

Ond roedd yn rhaid iddi wthio'r meddylfryd hwnnw i'r blwch yng nghefn ei meddwl, a'i gau'n sydyn. Roedd Dan yn rhan o'r cynllun ac roedd i hynny ei reolau ei hun. Doedd yr un ohonyn nhw i fod gyffwrdd ynddo, nid *fel 'na*. "Pe bai e'n ca'l yr hyn mae e'n moyn, yn rhy glou," dwedodd wrth ei chwaer, "fydd e ddim mor barod i'n helpu ni. Ac rwyt ti'n cofio beth ddwedodd Mam – ni ddaw unrhyw ddaioni o gyffwrdd mewn dyn. Wnaeth hi erioed wneud, naddo? Ac rwyt ti'n deall pam. Roedd hi'n gwybod mai cam gwag fydde fe." Credai Ana'r geiriau hynny pan ynganodd nhw gynta, ond roedd pethau wedi newid ers hynny. Gwyddai ei fod e'n disgwyl am rywbeth nawr, a bod y rhywbeth hwnnw'n real ac yn frawychus o agos at ddigwydd.

Ond fedrai hi ddim. Hi oedd yr hynaf, a hi oedd fod i reoli'r sefyllfa. Roedd yn rhaid sicrhau na fyddai dim byd yn ymyrryd â'r cynllun, gan eu bod nhw wedi dod mor bell, ac wedi paratoi mor ofalus. Edrychodd i fyw llygaid ei chwaer yn y drych, a'u gweld yn feddal ac yn glwyfus, fel eu rhai hi. Amneidiodd â'i phen tuag ati. Roedden nhw'n gwybod ei bod hi'n amser gadael.

Tu hwnt i'r drws, disgwyliai gyfarfod tyrfaoedd maleisus a'r rheiny'n gweiddi, gan gredu y byddai pawb yn sylweddoli beth oedd eu bwriad. Ond wrth gamu drwy'r drws, gwelodd nad oedd neb yn talu dim sylw iddyn nhw, neb heblaw am y gwylanod – a oedd yn crawcian ac yn wylofain eu dedfryd mewn cylchoedd o'u cwmpas. Edrychodd i fyw eu llygaid llygod mawr wrth iddyn nhw lanio ar stepen y drws a llusgo'u pen-olau ar y pafin, eu traed yn wead pinc, hyll; eu pigau fel bwyeill. I ffwrdd â nhw wedyn mewn ffrwd o blu wrth iddi gau'r drws ffrynt yn glep, gan ruthro'n ôl at y môr a gostwng eu cwrcwd twt ar y tonnau, gan droi eu cefnau ar yr hyn oedd yn digwydd.

Roedd y gwylanod ar eu hochr nhw, meddyliodd Nan, gan sythu ei sgarff. Creadur mileinig oedd gwylan wedi'r cyfan. Cofiai weld un ar sil ei ffenest ryw fore, yn bwyta coes cyw iâr gyfan, a honno'n creu siapau onglog yn ei gwddf cyn diflannu'n llwyr. Gallai gwylan stumogi unrhyw beth.

★ ★ ★

Ana oedd wastad wedi teyrnasu, meddyliodd Nan yn chwerw. Gan iddi gael ei geni ddeuddeng munud yn gynt na hi, roedd hi wastad wedi bod ar y blaen i bethau. Fel petai'r deuddeng munud hynny – pan na allasai fod wedi gwneud dim mwy na sgrechian crio, yn diferu o waed a slwj – yn rhoi rhyw hawl ddwyfol iddi ddweud wrth ei hefaill beth i'w wneud. Pan fydden nhw'n dathlu eu pen-blwydd, fe fyddai Ana yn mynnu bod pawb yn canu pen-blwydd hapus iddi hi'n gynta, gan mai hi oedd yr hyna, ac am ryw gyfnod dwl, roedd hi wedi mynnu bod yn rhaid i Nan fynd i'r gwely ddeuddeng munud yn gynt na hi. Ond doedd Nan ddim yn un i dderbyn pethau felly. Roedd hi'n barod i ymladd 'nôl yn erbyn annhegwch y peth. Hyd yn oed bryd hynny, fe fyddai gan Nan ei chynllun. Pan fyddai Ana'n dod i'r gwely fe fyddai hi'n dod o hyd i Nan ar dop y grisiau, yn chwerthin i gyfeiliant y cloc larwm a fyddai'n canu ddeuddeng munud yn ddiweddarach. Roedd Nan yn barod i'w chwaer ddwyn y deuddeng munud hynny oddi wrthi, ond doedd hi ddim yn cael hawlio munud yn hwy.

Roedd hi'n amser iddyn nhw adael. Pob manylyn yn ei le, a dim un blewyn yn gwyro i gyfeiriad gwahanol. Teimlai Nan ryw gryndod mawr oddi mewn. Er gwaetha'r ffaith eu bod wedi cynllwynio'r cyfan fisoedd yn ôl, a bod pob un camgymeriad neu dro trwstan wedi cael ei rag-weld a'i ddadansoddi a'i oresgyn yn eu meddyliau, roedd meddwl Nan yn gwbwl wag y bore hwn. Roedd hi wedi anghofio'n barod beth oedd trefn pethau, ac wedi anghofio, i raddau, pam roedden nhw am wneud yr hyn roedden nhw'n bwriadu ei wneud. Ond doedd hi ddim am gyfaddef hynny wrth ei chwaer. Doedd hi ddim am iddi wybod cymaint roedd hi'n dueddol o anghofio'n ddiweddar.

Roedden nhw wedi penderfynu mynd ar droed. Doedd dim llawer o bwynt gyrru, yn y mini bach coch, i'r Llyfrgell – achos doedd dim dal a fydden nhw hyd yn oed yn dod oddi yno. Roedd ceir y meirw yn gallu bod yn boen, meddyliodd Nan, gan feddwl am y trafferth gawson nhw gyda char eu mam wedi iddi farw. Roedd hi wedi'i barcio ar linell felen – yn fwriadol, meddai ambell newyddiadurwr, ei gweithred sarhaus olaf yn erbyn y gyfundrefn – cyn mynd i wneud yr hyn a wnaeth hi. Ac fe wnaeth y tocynnau parcio bentyrru wrth y drws ffrynt, yn un mynydd gwyn o sarhad, a'u gwawdio'n feunyddiol. Erbyn iddyn nhw fentro ymateb iddynt, roedd arnyn nhw bron fil o bunnoedd i'r Cyngor Sir. "Ond mae hi 'di marw," oedd eu dadl olaf yn wyneb y ddynes surbwch yn lle'r cyngor. "Hy!" ebychodd y ddynes, fel petai hi 'di bod yn aros am y cyfle hwn gydol eu bywyd. "Y meirw yw'r gwaetha," meddai. "A ta beth, ry'n ni i gyd yn gwbod nad *marw* nath eich mam. Mynd o ddewis. Mae hynny'n wahanol. Roedd hi'n gwbod na fyddai hi yma i dalu'r ddirwy, ac yn ein tyb ni, mae hynny'n gwneud y drosedd gymaint â hynny'n waeth. Nawr 'te, oes gennoch chi gerdyn? Dydyn ni ddim yn derbyn llyfrau siec rhagor – ma hynny fel rhywbeth o'r oes a fu!"

Aeth Nan oddi yno nid yn ddig wrth y ddynes fel y cyfryw, ond yn ddig wrth ei mam. Roedd gan y fenyw bwynt. Beth oedd diben gadael y mini hanner dros y llinell, hanner dros y pafin, a thaflu'r allweddi i'r môr? Roedd Ana'n gweld y cyfan fel arwydd. "Roedd hi eisiau dweud wrthon ni, Nan, na fedrwn ni dderbyn y byd fel y mae," meddai ei chwaer mewn llais isel, tosturiol. "Roedd hi eisiau i ni gael ein hatgoffa pa mor wallgo yw'r byd 'ma nawr, a bod yn rhaid i ni beidio â derbyn yr hyn sy'n digwydd iddo. Bod yn rhaid i ni sefydlu trefn – cyfundrefn – ein hunain." Nonsens oedd hyn, a gwyddai Nan hynny'n iawn. Wedi anghofio ble roedd ei char wnaeth hi'r diwrnod hwnnw. Un angof arall yn creu llwybr anghofus at angau. Roedd yr holl anghofio wedi mynd yn ormod iddi.

Ond pan fyddai'r cof yn pallu, byddai'r pethau rhyfeddaf yn dod i'r meddwl, gan godi i'r uchelfannau. Roedd hi wedi cofio digon i wybod fod angen 'sgrifennu llythyr, beth bynnag. Mwy nag un llythyr, hefyd. Pan gyrhaeddodd Nan y fflat y diwrnod hwnnw – ddeuddeng munud cyn ei chwaer, am unwaith – gwelodd yr amlen ar y bwrdd, ac fe'i hagorodd. Bryd hynny, roedd ei mam yn dal yn fyw – o leiaf, roedd hi'n fyw yn ystod y pymtheg eiliad a gymerodd hi i Nan ddarllen y llythyr a sylweddoli bod rhywbeth o'i le. Fe ddaeth y sgrech o'r balconi'n rhy sydyn, ac fe roth Nan y llythyr yn ei phoced. Roedd ei mam wedi ymddiried ynddi hi yn hytrach nag yn Ana i wireddu ei dymuniadau olaf. Fyddai dim rhaid i Ana wybod am y llythyr hwn. Roedd llythyr arall yn y dyddiadur ar gyfer Ana – ac ar gyfer gweddill y byd.

Erbyn i'r ambiwlans gyrraedd, doedd 'na ddim modd ei hachub. Roedd hi wedi mynd, ac roedd pawb yn dechrau dweud fod y weithred ei hun yn un boliticaidd, fel y bu popeth a wnaethai eu mam erioed. Pe bai'r merched wedi gallu ei rhwystro, yna fe fyddai hi wedi bod yn stori arall – yn un druenus. Nid dyna oedd ei dymuniad. Roedd hi am stori ddramatig, du-a-gwyn, a fyddai'n hawlio sylw'r byd, pe bai hi'n lwcus. Roedd hi hyd yn oed wedi ysgrifennu datganiad. Gwyddai pa ongl oedd ei hangen, a honno'n un a fyddai'n gwyro'n hynod ffafriol tuag ati hi. Y tro hwn, roedd yn amlwg pwy fyddai'r cocyn hitio, a hen bryd hefyd – Eben Prydderch. Byddai'n rhaid i rywun gymryd y bai, ac Eben Prydderch oedd hwnnw. Fe a'i adolygiadau. Fe a'i ymosodiad ciaidd arni. Roedd Eben Prydderch wedi lladd Elena Wdig. Oedd, roedd Eben Prydderch yn gocyn hitio perffaith.

Ond doedd y cynllun ddim wedi gweithio – o leia, nid yn union fel roedd eu mam wedi gobeithio. Yn hytrach na chrebachu mewn ofn neu gywilydd roedd y cocyn di-liw wedi bod yn hollbresennol. Wedi newid ei gân yn llwyr. Ysgrifennodd gerddi pruddglwyfus er cof amdani, a datgan mai gwaith athrylithgar pur oedd yn ei nofelau. Ac roedd yr ergyd fwya wedi dod rai wythnosau yn ôl. A hithau ac Ana'n eistedd yn bwyta'u swper wrth ymyl ei gilydd, roedd yr arch gocyn wedi datgan, yn fyw ar deledu, ei fod am ysgrifennu cofiant iddi. Dim ond un rhwystr oedd ganddo, sef cael yr hawl i ddarllen dyddiaduron Elena yn y Llyfrgell Genedlaethol. Roedd y teulu wedi gwrthod yr hawl hwnnw i bawb, mae'n debyg, meddai, gan syllu i lygad y camera.

Dyna pryd yr edrychodd Nan ar Ana ac Ana ar Nan, a sylweddoli'n sydyn iawn beth roedd eu mam am iddynt ei wneud.

★ ★ ★

Tywynnai'r stribed hir o balmant o'u blaenau ac fe aethant ymlaen gyda'i gilydd am y tro olaf, heibio'r cornel ger Canolfan Fusnes Pantycelyn, gan droedio'n araf tuag at eu tynged. Roedd yn well gan Nan ddod y ffordd yma, er bod Ana bob amser yn swnian y dylen nhw fynd i fyny ar hyd y ffordd gefn, serth. Teimlai y byddai'n addas ar ddiwrnod fel heddiw, cael dringo'n raddol i'r Llyfrgell. Nid cerdded tuag at adeilad a oedd yn llygadrythu arnon nhw yr holl ffordd yno, ond yn hytrach dod yn raddol ymwybodol o'r adeilad, yn cuddio rhwng y perthi. Digon hawdd fyddai i'r dieithryn gredu nad oedd y llwybr hwn yn arwain at ddim byd arbennig. Yna, yn sydyn, câi rhywun ei lorio gan anferthedd yr adeilad. Wrth gerdded i fyny'r grisiau, gwelodd ei hefaill yn sgwaro'i hysgwyddau, gan annog Nan i wneud yr un peth.

"Mae 'na ddwy ohonon ni," meddai Ana wrthi, a'i llais yn crynu rhyw fymryn, "a 'mond un Llyfrgell. Mae hyn yn hollol, hollol, bosib," meddai.

"Ydy," meddai Nan yn ddistaw. "Gallwn ni neud hyn."

"Wyt ti'n siŵr, Nan?" ebe ei chwaer. Yn sydyn, daeth awel hafaidd o rywle gan chwythu ei gwallt i gyfeiriad gwahanol.

"Beth bynnag ddigwyddith nawr, mi fyddwn ni'n saff," meddai Nan. "Dyma'r hyn ry'n ni i fod i 'neud."

Cydiodd Ana'n dyner yn llaw ei hefaill a'i mwytho. Doedd Nan ddim eisiau'r fath dynerwch y foment honno, a thynnodd ei llaw yn ôl yn swrth. Gyda chamau bach gofalus, aethant tuag at y drysau mawrion gan syllu'n syth o'u blaenau ar y tywyllwch a dywynnai atynt o'r tu mewn, fel genau duon.

Yna, yn union fel y trefnwyd, fe aeth Ana i mewn trwy'r drysau ffrynt, a Nan i mewn trwy'r cefn.

DAN

CREDAI DAN BOB amser mai rheol 34 yn y llawlyfr diogelwch fyddai'r rheol a roddai'r boddhad mwyaf iddo wrth ei thorri: *peidiwch â chael perthynas rywiol nac emosiynol gyda'r rheiny yr ydych yn gyfrifol am eu diogelwch.* Ond, wedi pythefnos yn ei swydd, roedd wedi gweld fod hynny'n bur annhebygol, beth bynnag. Cyn iddo ddechrau gweithio yn y Llyfrgell dychmygai mai doliau porslen yn gwisgo blowsys gwynion, sgertiau tyn du, sbectol fain, a'u gwallt anystywallt yn gyfrinach dwt mewn rhuban di-liw oedd llyfrgellwyr (neu 'cellwyr', fel roedden nhw nawr yn cael eu hannog i'w galw). Cymerai'n ganiataol mai ymestyniad o glwb nos ydoedd yn y bôn, a bod pob math o bethau'n digwydd mewn stafelloedd cudd rhwng porthorion â'r ffigyrau nwydwyllt hyn; y stacs yn guddfan serch heb eu hail, lle byddai dwylo main mewn menig gwynion yn sleifio dan ddillad isa, silffoedd yn dirgrynu, a sbectolau a botymau'n tasgu i'r llawr.

Ond nid felly roedd hi. Roedd e'n lwcus i weld gwên, a'r unig beth a oedd yn debygol o dasgu oedd cwpanaid o de llugoer oddi ar hambwrdd. Hyd y gwelai, doedd yr un ferch a weithiai yno'n fodlon cydnabod hyd yn oed y tamaid lleia o'i rhywioldeb. Gwalltiau cwta oedd yma, a'r rheiny'n tyfu'n dwfftiau madarchaidd ar dalcen. Lapiwyd y cyrff main o'u corun i'w sawdl yn y deunydd mwyaf anneniadol: ffrogiau brethyn brown a llwyd yn lledaenu fel eilgroen garw amdanynt. Yn hynny o beth, gwyddai Dan na fyddai, mewn argyfwng, yn gweld y menywod hyn fel dim byd mwy nag ystadegau, sef bwriad sylfaenol y rheol. Roedd angen gwrthrychedd oeraidd i fod yn borthor da.

Ond yna fe'i gwelodd hi. Neu roedd hi wedi'i weld ef, yn hytrach. Roedd e'n gwybod, o'r eiliad y gwelsai, nad oedd ganddo ysfa yn y byd i'w diogelu rhag unrhyw beth. Ac yn ei lawlyfr personol, golygai hynny y câi wneud fel y mynnai â hi.

Roedd hi'n hwyrach nag arfer heddiw. Edrychai'n wahanol am ryw reswm, meddyliodd Dan, â'r sgarff binc islaw ei gwddf fel petai wedi clymu ei phen yn sownd yn ei le. Edrychodd i fyny o'i ddesg tuag ati, ac yn ôl ei harfer, amneidiodd ei phen y mymryn lleiaf tuag ato i'w gydnabod, heb dynnu sylw neb arall o'i chwmpas. Heddiw, roedd e wedi blino ar y rigymarôl, a chan wybod nad oedd y camera cylch cyfyng yn dangos dim byd ond ei ufudd-dod llwyr, cymrodd fantais o'r sefyllfa, gan ymdrechu i neidio dros y ddesg tuag ati. Gwelodd fod ei symudiad powld anarferol wedi rhoi braw iddi, wrth iddi ddechrau brysio i ffwrdd oddi wrtho. Doedd Dan ddim yn ddigon cyflym i'w dal. Doedd ei symudiad dros y bwrdd ddim mor slic ag y bwriadai iddo fod, gan i gefn ei grys ddal mewn bachyn. Erbyn iddo ddatgysylltu ei hun roedd hi eisoes ar ei ffordd i gyfeiriad ei swyddfa, neu ble bynnag yr âi bob dydd. Doedd e erioed wedi meddwl gofyn iddi ble yn yr adeilad hwn roedd hi'n gweithio. Yn ôl ei arfer, fe'i gadawyd ef yn sefyll ar ei ben ei hun yng nghanol y carped coch, yn teimlo'n ynfyd. Roedd hon fel gwyfyn. Weithiau byddai hi'n hedfan yn syth tuag ato, dro arall yn gwingo yn ei freichiau, a'i bryd ar ddianc. Roedd y peth yn ei ddrysu a'i gyffroi ar yr un pryd.

Doedd e'n gwybod fawr amdani. A hynny am na

ddwedodd hi erioed mo'i henw wrtho, na hyd yn oed ei chyfeiriad. Fe allai ofyn i rywun, wrth gwrs, petai e wir eisiau gwybod, ond hoffai niwtraledd y peth. Ofnai y byddai gwybod ei henw yn newid pethau. Yn tarfu ar hudoliaeth y berthynas. Yn ei thrawsnewid i fod yn un o'r menywod trwsgl 'na mewn brethyn cartref o flaen ei lygaid.

Cerddodd mor bell â'r Ystafell Ddarllen i weld a oedd hi yno. Doedd 'na ddim golwg ohoni, a'r swyddog wrth y ddesg ymholiadau wedi'i chythruddo, gan iddo achosi i'r drysau awtomatig agor a chau, agor a chau, wrth gerdded 'nôl ac ymlaen yn ceisio gweld a gâi gip arni.

"Oes wiwer lan dy ben-ôl di?" sibrydodd honno drwy flewiach ei gwefus. "Ma rhai ohonon ni'n trio gweithio fan hyn. Cer i ffeindio rhywbeth i'w ddiogelu, 'nei di."

Trodd ei gefn ar yr Ystafell Ddarllen a dilyn afon goch y carped i gyfeiriad y swyddfeydd. Doedd e ddim fel arfer yn crwydro i'r rhan honno o'r adeilad tan amser cinio, pan fyddai'r Archborthor yn gorchymyn iddo wneud hynny, ond heddiw teimlai'n eofn. Roedd y lleian fach yn ei boced, ac yntau'n rhydd i grwydro i unrhyw ran o'r adeilad ar unrhyw adeg. Gallai agor unrhyw ddrws, dewis unrhyw lwybr, heb i neb ei wylio. Ar y sgrin a gâi ei gwylio gan y porthorion yn y fan, neu rownd y ford yng Nghaerdydd, roedd Dan arall eisoes yn bodoli – un a oedd yr eiliad honno'n eistedd y tu ôl i'w ddesg yn gwylio amser yn diferu heibio.

Crwydrodd i lawr y coridor gan sbecian i mewn ar ambell un drwy'r sgwaryn bach gwydr. Roedd y madarch oll wrth eu desgiau. Neb yn siarad â'i gilydd. Byseddodd y lleian fach, gan feddwl am y grym oedd ganddi. Doedd ond angen iddo'i gwasgu'n dynn yn erbyn y stribedi diogelwch wrth ymyl pob drws ac fe fyddai wedi cloi pawb i mewn yn eu swyddfeydd. Dyna ran o'r strategaeth ddiogelwch newydd

– fod cloi rhywun i mewn yn fwy diogel na'i ryddhau. Yn dilyn y gwaith atgyweirio diweddar, roedd yr Archborthor yn mynnu pwysleisio fod seiliau llawer cadarnach i'r adeilad erbyn hyn, a olygai y byddai'n gwrthsefyll hyd yn oed yr ymosodiad mwyaf milain. Yn ôl yr Archborthor, gallai'r Llyfrgell wrthsefyll unrhyw beth – bom niwclear, tswnami, hyd yn oed yr apocalyps ei hun. Ond doedd Dan ddim yn siŵr a oedd e am achub y rhain. Fe fyddai'n gorfod treulio gweddill ei fywyd wedyn yng nghwmni'r bobl ryfedd hyn, yn gorfod caru gyda'r morynion madarchaidd, a chwerthin gyda'r porthorion llwydaidd. Na, fe fyddai'n well ganddo adael y drysau'n agored led y pen a gadael iddyn nhw daflu eu hunain oddi ar yr arch Noa o adeilad, i mewn i'r dilyw.

Ond roedd e weithiau'n meddwl y buasai'n bosib cloi pawb i mewn am oriau bwy'i gilydd a fyddai neb yn sylwi. Neb yn gwrthwynebu, hyd yn oed. I rai, fe fyddai'n rhyw fath o fendith – i gael bod ymysg yr holl bobl eraill 'na yn hytrach nag wynebu unigrwydd y byd y tu allan. Roedd rhai ohonyn nhw'n gofyn amdani – y rheiny a fyddai'n llusgo'u traed pan ganai'r gloch olaf, yn cymryd mwy o amser nag arfer i glirio eu desgiau, i ffitio coflaid eu cotiau'n dwt am eu cyrff. Roedd hi'n berffaith amlwg fod unrhyw beth yn well, i rai, na mynd adre i dŷ oer, heb dân, a gweiddi helô i mewn i ofod gwag.

Cerddodd yn ôl heibio coridor y swyddfeydd cyn troi drachefn i goridor gwag arall. Doedd 'na ddim golwg ohoni. Dechreuodd gerdded yn ôl i lawr y grisiau tuag at ei ddesg.

Dyna pryd y'i gwelodd, yn rhedeg i fyny'r grisiau â bag mawr du yn ei breichiau. Cymaint oedd ei ysfa i'w gweld nes teimlodd ei bod hi'n greadigaeth a lamodd o'i ddychymyg ef ei hun.

"Dan," meddai, mewn syndod. Doedd hi'n amlwg ddim

wedi disgwyl ei weld. Gwelodd ei bysedd main yn tynhau ei gafael o gwmpas y bag yn ei breichiau.

"Haia," meddai, gan wenu'n llydan arni. "Ddrwg 'da fi am gynne. Do'n i ddim wedi meddwl hala ofon…"

Edrychodd arno mewn penbleth. Gwnâi hyn weithiau, fel petai'r pethau symlaf roedd e'n eu dweud yn bethau hurt, fel pe byddai newydd gamu allan o'r môr ac yn ceisio defnyddio iaith nad oedd neb arall yn ei deall.

"Hwnna yw'r bag nethon ni'i storio pwy nosweth?" meddai, gan amneidio tuag at y bwndel yn ei breichiau.

"Ie, y deunydd," meddai, a'i llais yn clepian am y cwestiwn. "Deunydd i'r archif."

Roedd yr atgof am y noson honno mor felys nes ei fod bron ag anghofio'r hyn oedd wedi sbarduno'r cyfan. Wedi'r cwbwl, hi ofynnodd iddo roi help llaw iddi storio rhyw ddeunydd neu'i gilydd yn y loceri mawrion yng ngwaelodion y Llyfrgell, wedi i bawb arall adael yr adeilad. Cofiodd iddo ofyn ar y pryd beth oedd yn y bagiau; wrth deimlo'r siâp anghyfarwydd. Ond doedd fawr o ddiddordeb ganddo chwaith. Sut i'w chael hi i lawr i'w waelodion ef oedd ar ei feddwl y noson honno. Fe'i dilynodd hi'n ufudd i berfeddion y Llyfrgell, a'r lle wedi hen dawelu. Teimlai'r cynnwrf, wrth ei dilyn fel hyn, a'r düwch a'r tawelwch yn dechrau gwau'u ffordd o'u cwmpas. Roedd e wedi dechrau amau mai cynllwyn i'w gael e ar ei ben ei hun oedd y cyfan. Onid oedd wedi gofyn iddo wneud yn siŵr na fyddai neb arall yno? Roedd yna addewid yn dawnsio yn ei llygaid wrth i'r ddau ohonyn nhw gario'r bagiau trymion i lawr, lawr, lawr, at y loceri mawr.

Dim ond pethau prin, fel arfer, a gâi fynd i'r fan honno. Darnau pwysig o gelf, neu rywbeth oedd angen ei adnewyddu. Nodwyd yn y rheolau – rheol 784 – nad oedd modd storio unrhyw beth arall yno, yn enwedig unrhyw eiddo personol. Ond roedd ei llygaid, ynghyd â'r ffaith fod botwm uchaf ei blowsen wen wedi datod, yn cyniwair rhywbeth ynddo.

"Plis, Dan," meddai. "Dim ond am heno byddan nhw yma. Byddan nhw'n cael eu gosod yn yr archif ymhen dim," meddai.

Edrychodd arno'n awgrymog, a chyffrôdd yntau unwaith eto. Lluchiodd y bagiau trymion i mewn, heb fecso iot am y deunyddiau dienw roedd e newydd gytuno i'w storio. Eto i gyd gwyddai na fedrent fod yn bethau amheus chwaith. Doedd hi mo'r teip. Trodd i'w hwynebu. Siawns fod arni ddyled iddo nawr? Gwthiodd ei sgert uwch ei gwasg. Roedd 'na un man yn yr archif lle gwyddai na fedrai'r camera eu dal nhw. Roedd wedi dysgu erbyn hyn i beidio ag edrych arni pan fydden nhw'n caru; roedd yr oerni yn ei llygaid yn bradychu'r synau cynnes a ddeuai o'i cheg.

Yn awr, gwenai arno eto, a'r sgarff binc yn tynhau am ei gwddf. Pwysodd ymlaen i'w chusanu. Camodd hithau yn ôl rhyw fymryn oddi wrtho, gan bwyntio tuag at y camera uwch eu pennau. Chwarddodd yn uchel.

"Sdim isie i ti boeni taten am hwnna," meddai. "Dyw e'n gweld dim heddi."

"Be wyt ti'n feddwl?" meddai hithau. "Mae e'n gweld popeth, on'd yw e, dyna'i bwrpas."

Pwysodd ymlaen yn nes a sibrwd ei gyfrinach yn ei chlust. Edrychodd yn rhyfedd arno, ond wedyn, yn ara deg, fe ddechreuodd hithau wenu.

"Felly, allen ni neud unrhyw beth, nawr," meddai, â chwarddiad yn ei llwnc. "A fydde neb yn ein gweld ni?"

"Neb heblaw am y bobl fusneslyd arferol," meddai, wrth weld y swyddog ymholiadau yn cerdded heibio gan duchan yn uchel. *Oes mae gen i wiwer i fyny 'mhen-ôl,* roedd arno eisiau gweiddi'n ôl at ei llygaid dirmygus. *Dyma hi.*

Wedi i honno fynd o'r golwg tu hwnt i'r coridor gwyn, fe roddodd hithau ei breichiau amdano a'i wasgu'n dynn. Gwthiodd ei dwylo'n ddwfn i mewn i'w bocedi ac ymbalfalu am ei bidlen yn nüwch y cotwm. Rhyddhaodd Dan ochenaid fer wrth ildio i'w llaw.

"Tamaid i aros pryd," meddai hi, gan dynnu'n ôl yn sydyn.

"Fedri di ddim neud 'na," meddai, gan ei thynnu tuag ato. "Dere gyda fi nawr, lawr i'r archif. Neu i rywle. Allwn ni 'i neud e ble ni'n moyn heddi. Dwi 'ma ar 'y mhen 'yn hunan," meddai. "Dere."

"Na, Dan," meddai hi. "Ma gwaith 'da fi neud," a chan gydio yn ei bag drachefn dechreuodd gerdded oddi yno.Yna, sylwodd yn sydyn ar rywbeth a amlygai ei hun drwy gotwm tenau ei blows, rhyw farc porffor ar waelod ei chefn. Rhaid mai fe oedd yn gyfrifol am y marc hynny, drwy ei gwasgu'n rhy dynn yn erbyn y silffoedd. Cofiodd sut y gadawodd iddo'i dadlapio'r noson honno, fel anrheg, a theimlodd y chwydd rhwng ei goesau'n troi'n foncyff drachefn. Cochodd, gan obeithio na fyddai hi'n sylwi cymaint oedd ei ddyhead. Ond dyna a wnaeth hi. Troi 'nôl yn sydyn ac edrych yn syth i'r fan honno – a gwenu – ond nid yr un wên, gynnes, gynnil a gawsai ganddi eiliadau'n ôl, ond un ychydig mwy maleisus, yn tawchu rhyw dywyllwch o ochrau'i cheg.

"Rhywbryd 'to, falle," meddai hi'n ddistaw, "ond nid heddiw. Ma lot gormod gen i i'w wneud heddiw."

Ac ymaith â hi. Roedd chwa oer ei geiriau wedi achosi i'r chwydd grebachu, a diflannodd fel llygoden i'w ddillad isa.

Dim ond ar ôl iddo gyrraedd ei ddesg y gwelodd beth oedd gwir bwrpas y weithred; roedd yr ast gyfrwys wedi dwyn y lleian fach o'i boced.

EBEN

ROEDD MENIG GWYNION Eben wedi byseddu mor bell â 1978 erbyn hyn, blwyddyn ac iddi gloriau coch, meddal, a stribedi gwynion drostynt, papur losin o glawr. A bod yn onest, roedd darllen y blynyddoedd cynnar yma'n waith digon llafurus, wrth feddwl mai prin ddeuddeg oed oedd Elena bryd hynny, a'i hysgrifen yn gylchoedd o batrymau anwastad ar hyd y dudalen, a phob sillaf yn diferu inc o'i gwaelodion – y gorymdrech yn staen arni. Roedd e newydd ddarllen am gêm griced ddigon dinod ar iard ysgol Nant-y-cadno, a hithau'n aelod o'r tîm buddugol (ffliwc, meddai, gan mai hi oedd yr ola i gael ei dewis). Cafwyd hefyd nodyn am bob aelod yn y tîm: Edryd, Graham, Lisi, Gwenda a John. Yna, rhyw ddwli pellach am y gêm roedd hi'n ei chwarae gyda Lisi yn y stafell gotiau – lle roedd hi'n 'esgus' mai Lisi oedd ei gŵr, ac yn gwneud 'beth mae mamau a tadau yn ei wneud'. Petrusodd uwchben y paragraff hwn am eiliad, gan bendroni a fyddai'n werth nodi'r foment hon fel dechrau ei gwrthryfel yn erbyn dynion: y ffaith iddi sylweddoli, yn gynnar iawn, nad oedd angen dyn o reidrwydd i ddiwallu nwydau'r corff, nac i greu uned deuluol. Pe na byddai fawr ddim arall yn y dyddiaduron plentynnaidd hyn, efallai y byddai'n rhaid iddo wneud mwy allan o'r stori hon, drwy ymyrryd ychydig â'r ffeithiau.

Wrth daflu'r dyddiadur hwn o'r neilltu, ystyriodd a ddylai fynd yn syth at ei dyddiaduron mwyaf diweddar. Rhaid mai fan 'na roedd y deunydd gwirioneddol ddiddorol, wedi'r cyfan, ac roedd e'n gwastraffu ei amser braidd yn mynd drwy fyfyrdodau merch fach, fel petai'n hen daid busneslyd. Ond roedd yn rhaid iddo ad-dalu ei ddyled i Elena, meddyliodd yn surbwch, er ei fod yn dechrau colli amynedd bellach gyda'r syniad hwnnw. Doedd dim modd ad-dalu'r ddyled yn llawn, dim ots beth wnâi e; atgyfodiad yn unig fyddai'n gwneud hynny. "A dyna'r peth dwetha sydd ei angen ar Gymru," meddai wrth y llun yng nghornel y stafell.

Ers i'r gwirionedd am hunanladdiad Elena ddod i'r amlwg, ac ers iddo gael ei gondemnio'n gyhoeddus am yr hyn a wnaeth, daeth hi'n fwyfwy nag erioed yn rhan o'i fywyd, yn gysgod annifyr drosto. "Y cofiant 'ma yw'r ymddiheuriad olaf a gei di, ti'n clywed?" meddai'n uchel wrth yr aer, gan sbecian yn sydyn ar y camera cylch cyfyng yng nghornel y stafell. Dychmygai'r porthor a'r ddynes â'r wefus flewog o'i desg y tu allan yn chwerthin arno.

Wrth feddwl amdanynt, sylweddolodd fod arno ysfa wirioneddol i fynd i'r tŷ bach. Gwasgodd y botwm coch a ddangosodd y ddynes iddo, ac aros yn betrus i rywun ymateb. Ddaeth neb. Gwasgodd y botwm unwaith eto. Roedd hi'n anodd canolbwyntio â phledren lawn, ond fe wnaeth ei orau, gan fynd yn ôl at ei ddesg a phalu ei ffordd drwy lu o fyfyrdodau nad oedd iddynt fawr o arwyddocâd. Ei farciau am draethawd Saesneg, ei theimladau cyntaf, cymhleth go iawn tuag at ferch, ei misglwyf a'i holl ddryswch, ac yna farwolaeth ddisymwth ei thad. Gwyddai fod arwyddocâd arbennig i'r darn hwn, wrth gwrs, gan fod y digwyddiad, mae'n rhaid, wedi newid pob dim iddi. Ond doedd ganddo mo'r amser i ddadansoddi'n fanylach yr eiliad honno, gan fod ei gorff yn dweud wrtho fod argyfwng yn nesáu. Gwasgodd a gwasgodd y botwm coch, edrych i fyw'r camera cylch cyfyng, ac ymbil am help. Yna, aeth at y drws a churo a churo a churo.

Arhosodd wrth y drws yn amyneddgar. Roedd yn rhaid iddo gredu y byddai rhywun yn ei ryddhau cyn hir; doedd e ddim am fynd i banig, fel roedd e'n dueddol o wneud. Ceisiodd beidio â meddwl am y troeon hynny pan wnaeth y panig ei feddiannu. Fel yr wythnos y bu Elena farw, wrth iddo gerdded i lawr Stryd Fawr Aberystwyth a gweld llygaid pawb ar y stryd yn troi i edrych arno, nes bod 'na fôr o amrannau yn ei amgylchynu. Doedd e ddim yn cofio'n iawn beth ddigwyddodd wedyn, na sut y daeth i fod yn sownd wrth bolyn lamp, a'r aer yn cael ei wasgu allan o'i ysgyfaint. Ac yna roedd ei ên yn erbyn y pafin, a rhywun yn chwerthin uwch ei ben. Yna dadebru'n araf, lygad yn llygad â gwylan gecrus, a golau glas yr ambiwlans yn bownsio oddi ar ei phlu.

Cofiodd hefyd am gydymdeimlad Niclas Gruffudd, ryw wythnos wedyn, ar stepen drws y Llyfrgell, wrth i hwnnw fynnu ei atgoffa am gerdd Eben Fardd.

"Cofia 'Tawedogrwydd'," meddai.

"Bardd ydwyf, heb air i'w ddywedyd
Na barn ar ddim yn y byd."

Bam, bam, bam, meddyliodd Eben, wrth i fwledi Dr Gruffudd ei hoelio i'r fan a'r lle.

"Yn amlwg roedd yr hen fardd yn llygad ei le. Bod yn wylaidd yw'r peth gorau, gan wybod mor anodd yw dweud unrhyw beth am y natur ddynol mewn gwirionedd. Paid â phoeni, Eben. 'Nest ti ddim byd ond tanlinellu hynny yn ei gwaith hi. Roedd Eben Fardd yn ddyn mawr, yn ffigwr pwysig. Nid yn unig roedd e'n fardd o fri, Eben, roedd e hefyd yn rhwymwr llyfrau, a rhwymwr rhai o drysorau'r iaith Gymraeg, decini. A phaid â meddwl bod dy enw di'n rhywbeth damweiniol. Mae gyda ni i gyd ddyletswydd i gario'n henwau fel y bwriadwyd iddyn nhw gael eu cario. Rwyt ti ac Eben Fardd yn un – mae'n bryd i ti sylweddoli hynny. Yn yr oes sydd ohoni, enw yw'r unig beth sydd ganddon ni sy'n perthyn i ni, ac i ni'n unig."

Ond chi newydd ddweud ei fod e'n perthyn i rywun arall, hefyd, meddyliodd Eben, a oedd wedi laru ar holl groes-ddweud yr Athro. Ond roedd rhywbeth a ddwedodd yn rhyw fath o gysur rhyfedd iddo. Roedd y syniad nad oedd e ar ei ben ei hun, a bod yna ryw arwyddocâd hanesyddol i'w enw, yn ddigon i wneud iddo fod eisiau dal ati'r diwrnod hwnnw, a phob diwrnod wedi hynny, er gwaetha'r ffaith iddo deimlo ei fod yn syllu i mewn i bydew enbyd, du. Y bore hwnnw, roedd wedi camu i mewn i'r Llyfrgell gan deimlo bod yn rhaid iddo wneud cysylltiad o ryw fath gydag Eben Fardd, petai hynny ond yn gwneud iddo sylweddoli nad oedd ar ei ben ei hun, ac y gallai wthio panig ei unigrwydd yn ôl i lawr, yn hytrach na gadael iddo godi ei ben bob munud.

Treuliodd oriau di-ben-draw yn chwilio am weithiau Eben Fardd, gan sganio sgriniau digidol y Llyfrgell fel dyn o'i go. Roedd wedi teipio pob cyfuniad i mewn: Eben Fardd. Ebenezer Thomas. Thomas, Ebenezer. Dim byd. Roedd wedi gofyn i'r swyddog ymholiadau ei gynorthwyo, ond dwedodd wrtho nad oedd hi erioed wedi clywed am Eben Fardd. Gofynnodd am weld y casgliadau o lyfrau prin y Llyfrgell, a chael gwybod nad oedd llyfrau prin yn bod mwyach – aethai'r rheiny ar goll rai blynyddoedd ynghynt. Dim ond yr hyn oedd ar y sgrin a fodolai go iawn, meddai'r swyddog surbwch. A dim ond astudiaeth o'r deunydd digidol fyddai o unrhyw werth i'r cyhoedd erbyn hyn, beth bynnag, ategodd hithau, gan sugno hufen ei choffi fel cwmwl i'w cheg.

Ac yna fe deimlodd drachefn yr hen banig yn codi yn ei frest. Os bu erioed fardd o'r enw Eben Fardd, yna roedd e wedi'i ddileu o gof y genedl. Efallai fod Dr Gruffudd, a oedd yn nesáu at ei bedwar ugain, yn gwybod pwy oedd e. Ond unwaith y byddai ef a'i deip yn marw, yna fyddai'r un gronyn o dystiolaeth ar gael yn brawf iddo fodoli. Teimlai Eben ei frest yn tynhau. Os nad oedd Eben Fardd yn bodoli, hwyrach na fyddai yntau'n bodoli ymhen dim. Teimlai ei gorff yn cael ei ddileu yn y fan a'r lle, fel geiriau'n cael eu diddymu oddi ar y sgrin. Ymhen dim roedd e ar y llawr drachefn, yn gwasgu ei wyneb i mewn i fwsogl y carped coch, ei lygaid yn llawn fflwff, a'r llyfrgellwraig yn galw'r heddlu.

Roedd e'n well am reoli'r panig erbyn hyn, er bod rhyw olion arswydus ohono o hyd yn cerdded dros bob rhan o'i gorff. Roedd y rhyddid i gael mynd i'r tŷ bach yn rhan allweddol o'r broses o reoli'r panig hwnnw, gan mai'r fan honno oedd y man lle teimlai'n fwyaf diogel. Câi edrych arno ef ei hun yn y drych, gweld pethau fel roedden nhw, dal pen rheswm ag ef ei hun. Ymhen hanner awr, roedd e'n dal i ddisgwyl. Erbyn hyn roedd hi'n argyfwng. Dechreuodd chwilio ym mhob twll a chornel o'r stafell dywyll am rywbeth y medrai ei ddefnyddio i ddal ei ddŵr, ond gwelodd yn ddigon sydyn nad oedd yno ddim byd. Roedd yr archif hon islaw'r ddaear, ac felly doedd dim ffenest i biso allan drwyddi – dim ond basged ysbwriel. Ond fe fyddai hynny'n siŵr o gael ei ystyried yn sarhad ar eiddo'r Llyfrgell – a oedd hefyd yn eiddo'r Senedd, wrth gwrs – ac wrth ystyried fod llygad y camera cylch cyfyng arno ym mhob ongl o'r storfa, roedd e'n debygol o'i ffeindio'i hun ar y we cyn iddo hyd yn oed ddod allan o'r stafell.

Ac felly fe wnaeth yr unig beth y gallai wneud. Bu'n

rhaid iddo sefyll yn ei unfan, a phiso yn ei drowsus, fel y gwnaeth un o ddisgyblion ysgol Nant-y-cadno, yn ôl Elena Wdig, 'nôl yn y flwyddyn 1978.

ANA A NAN

WEDI I NAN nesáu at y swyddfa, tisiodd i mewn i'w hances. Dyma oedd yr arwydd a fyddai'n dangos i Ana fod pob dim wedi mynd fel y dylai, ac y gallai adael y swyddfa fechan roedden nhw'n ei rhannu gyda'r tair arall. Fel y gwnaethon nhw ymarfer gannoedd o weithiau cyn hynny, cyrhaeddodd Ana'r drws yn union yr un pryd â Nan, yn cario twr o e-ddarllenwyr a ymestynnai hyd at ei thrwyn. Tarodd y ddwy yn erbyn ei gilydd, gan beri i fynydd o ddeunyddiau dasgu ar y carped coch. Yn y dryswch a'r chwerthin a'r ailgasglu, llwyddodd Nan i drosglwyddo'r lleian fach i bentwr Ana, yn ogystal â rhoi'r hyn oedd ganddi yn y bag du yn llaw ei chwaer. Edrychodd Nan i fyny ar Ana ac amneidio tuag at y camerâu diogelwch. Edrychodd Ana 'nôl arni mewn penbleth. Roedd Nan yn ysu am y cyfle i ddweud wrthi am Dan, ac nad oedd neb yn eu gwylio wedi'r cyfan, ond methodd gyfleu neges ei llygaid. Cerddodd Ana i'r cyfeiriad arall gan edrych yn ddryslyd ar ei hôl, ac aeth Nan yn ôl at ei desg.

Roedd Nan yn gwybod yn iawn beth oedd ei rôl hi nawr, sef cadw'r tair drogen – Gwelw, Haf, a Petal – yn eu seddau o fewn y swyddfa fechan, a'u rhwystro rhag crwydro oddi yno, rhag ofn iddyn nhw weld yr hyn a wnâi Ana yn y coridor. Pur anaml y byddai'r tair yn symud fel arfer, beth bynnag, gan eu bod yn gaeth i rythmau'r Llyfrgell. Te am un ar ddeg, cinio am un, coffi am dri, a'r dydd yn batrwm o disian, ochneidio, a thorri gwynt yn dawel ac yn ddiedifar, fel anadlu. Roedd Haf fel drycin, ei llygaid ar goll tu ôl i'w sbectol drwchus, Petal yn chwyslyd ac amhersawrus, tra bod Gwelw yn fochgoch o frwd am bob dim. Roedd Nan yn dueddol o fod ar gyrion eu sgyrsiau; gwrando wnâi hi, yn fwy na chyfrannu, a dros y misoedd diwethaf, roedd wedi astudio'u symudiadau, ac wedi synnu wrth weld pa mor rhagweladwy oedden nhw.

Ond nid gorchwyl hawdd oedd rhag-weld pob dim, chwaith, y dyddiau hyn, gan fod Gwelw wyth mis yn feichiog, ei bol yn falŵn dros ei throwsus, a phen y babi'n ymchwyddo yn ei hymysgaroedd. Yn y pen draw, pan fynnodd Gwelw fod yn rhaid iddi fynd i'r tŷ bach, ac na fedrai aros funud yn hwy, bu'n rhaid i Nan roi'r arwydd i Ana symud o'r golwg cyn i gamau hwyaden Gwelw agosáu ati.

"Dwi ddim yn anabl, sdi," meddai Gwelw wrth wasgu ei ffigwr chwyddedig drwy fframyn y drws. "Does dim angen i ti ddod efo fi i'r tŷ bach bob tro."

"'Wy'n gwybod," meddai Nan, gan geisio peidio â gwrando ar raeadrau Gwelw yn taro'r fowlen. "Ond dwi jyst isie bod yn gefen i ti. Rhag ofn i rywbeth ddigwydd. Rhag ofn byddi di angen help."

"Wel, dwi ddim," meddai Gwelw, a'i hwyneb yn fyrdd o liw wrth iddi bwffian ei ffordd tuag at y sinc. Edrychodd yn hir arni hi ei hun yn y dyfnderoedd arian, ac fe wnaeth Nan hynny hefyd, gan geisio dychmygu sut deimlad oedd cael rhywbeth y tu mewn iddi, rhywbeth a fynnai chwarae o gwmpas gyda phob dim, gan deyrnasu dros ei horganau, a'u gwthio o'r ffordd. Meddyliodd yn sydyn am ei mam, yn cario'r ddwy ohonyn nhw ar yr un pryd, ar yr union gyfnod hwn yn ei bywyd. Y ddwy efaill yn ymbil am le, heb fod yn ymwybodol eu bod nhw tu fewn i berson o gwbwl, heb fod yn ymwybodol fod unrhyw un yn bodoli o gwbwl, heblaw amdanyn nhw. "Does 'na neb yn agosach na ni'n tair, nag oes e?" chwarddodd ei mam, wrth ddwyn i gof ei misoedd beichiog, "a does 'na ddim hyd yn oed ryw Dad annifyr i ddod rhyngddon ni, chwaith." Roedd ei mam wastad mor falch o'r ffaith honno. Ei bod wedi penderfynu peidio â beichiogi yn y ffordd arferol. Nad oedd hi wedi gadael i'r un dyn ei chyffwrdd erioed. Mai rhif oedd eu tad, ystadegyn diwyneb mewn tiwb blastig.

Rhoddodd Nan ei llaw'n sydyn ar ei bol llonydd, gwag ei hun.

"'Di o ddim mor ffantastig â hynny, sdi," meddai Gwelw, gan geisio rhoi ychydig o finlliw ar ei gwefusau. Roedd hon yn un arall o ddefodau'r bore, ac mewn prin chwarter awr, fe fyddai'r minlliw ar gornel cwpan polystyren, ar ei dannedd, ar ei bysedd – ym mhobman ond ar ei gwefusau.

"Nag yw e?" holodd yn nerfus, wrth glywed rhyw sŵn yn y coridor. Roedd Ana wedi gweld ei chyfle. Clywodd y pesychiad uchel a oedd yn arwydd iddi gadw Gwelw lle roedd hi am bum munud arall. "Sut deimlad yw e 'te, gwed wrtha i," meddai Nan, gan ymestyn ei llaw at y cylch cnawdol. Synnodd pa mor solet y teimlai.

"Ar y dechrau, mae o fel taset ti'n cael dy grafu o'r tu mewn gan bensel siarp," meddai. "Ac yna, o dipyn i beth, ma'r bensel yn colli ei fin ac yn dechrau tynnu ei luniau ei hun ar dy groth hi. Ella, os arhosa i'n llonydd am eiliad, weli di o."

Cododd Gwelw ei siwmper. Daeth y bol noeth i'r golwg. Teimlai Nan fod y bol yn edrych fel llygad enfawr, a hwnnw'n edrych arni'n gyhuddgar, fel tasai e'n gwybod am y cynllun ar droed. Yna'n sydyn, gwelodd ryw symudiad sydyn o'r tu fewn, siâp llaw'n ymddangos yn y cnawd.

Gwingodd Nan. Meddyliodd am y bensel fawr tu fewn, ei lygaid pren a'i draed rwber, pinc.

"Welest ti hwnna?" meddai Gwelw, yn hanner gwingo, hanner chwerthin. "Yli, mae o'n neud o eto!"

Y tro hwn daeth rhyw sbonc o'r pen arall, braich neu goes yn llamu'n driongl sydyn.

"Sut wyt ti'n ymdopi â hwnna?" meddyliodd Nan, gan sylweddoli'n sydyn ei bod hi wedi gadael i'w meddyliau basio heibio'i gwefusau.

"Wel, tuag at y diwedd fel hyn, mi rwyt ti 'di cyfarwyddo digon efo'r peth i deimlo mai fel hyn ma petha i fod. Wyt ti jyst yn derbyn efallai bydd o neu hi wedi naddu dy siâp di erbyn y diwedd. Wedi dy newid di'n gyfan gwbwl."

Clywodd Nan y pesychiad drachefn. Roedd hi bellach yn ddiogel iddyn nhw symud, ond roedd yn rhaid gwneud hynny'n gyflym.

"Dere," meddai, gan gymryd braich Gwelw ychydig yn rhy sydyn.

"Aw!" ebychodd Gwelw. "Wyt ti i fod edrych ar f'ôl i," protestiodd.

"Ti wedodd nad wyt ti angen i neb edrych ar dy ôl di," meddai Nan, a'i llusgo tuag at y swyddfa.

Aeth Gwelw 'nôl at ei desg, ac fel y tybiodd Nan, roedd ei minlliw eisoes wedi dechrau ffurfio llwybr porffor at ei thrwyn. Roedd hi bellach yn wyth munud i un ar ddeg, a dyna pryd y byddai Haf yn gadael un ochenaid hir o grombil ei henaid. Saith eiliad yn union wedi hynny, fe fyddai Petal yn dechrau anesmwytho yn ei sedd, ac yn tynnu ei chardigan. Hanner munud wedyn, fe fyddai'n gwisgo'r gardigan unwaith eto. Ambell ddiwrnod, câi Nan ei chythruddo gan y patrwm hwn o ddigwyddiadau, ond ar ddiwrnodau eraill, bydden nhw'n ei chysuro. Ar ddiwrnod fel heddiw, roedd arni eisiau codi ar ei thraed a dweud wrthyn nhw am roi'r gorau i'w rwtîn, am unwaith. Roedd bywyd yn rhy fyr. Yn rhy fyr heddiw'n sicr.

★ ★ ★

Symudodd Ana'n gyflym. Roedden nhw wedi bod dros hyn droeon wrth gynllunio, sut y byddai'n digwydd; faint o amser fyddai ei angen arnyn nhw. Ugain munud i un ar ddeg, dyna pryd roedd pawb yn glanio 'nôl yn eu seddau wedi bod am y trip i'r tŷ bach i wastraffu amser tan amser coffi, ac yno y bydden nhw, nes byddai bys mawr y cloc yn hawlio ei le yn y canol drachefn. Gwelw oedd yr unig rwyg yn y patrwm, yr unig flerwch yn y cynllun twt. Doedden nhw ddim wedi rhag-weld y byddai hi'n mynd eto mor fuan. Doedd bywyd ddim mor rhagweladwy â hynny – fe welai'r sylweddoliad hwnnw yn llygaid ei chwaer, wrth iddi dywys Gwelw i'r stafell ymolchi. "Ond mae e, Nan fach," roedd arni eisiau'i ddweud wrthi. Mae hyd yn oed yr annisgwyl yn rhagweladwy.

Wedi iddi gloi drws pob swyddfa'n ddistaw bach, o'r tu allan, sbeciodd Ana drwy'r bwlch gwydr ar y staff y tu ôl i'w desgiau. Doedd ganddyn nhw mo'u hallweddi eu hunain i'r swyddfeydd hyn. Wedi dyfodiad y loceri, fe fu'n rhaid canfod ffyrdd newydd o roi cyfrifoldebau i'r porthorion, ac roedd cloi ac agor y swyddfeydd yn un o'u defodau dyddiol, yn ogystal â chloi pobl i mewn, pe byddai'n rhaid. Cofiai Dan yn dweud: *"tase 'na rywbeth gwirioneddol wael yn digwydd, gallet ti wastad ddibynnu ar y ffaith fod 'na ryw ionc yn mynd i drio bod yn arwr mawr, a gwneud pethe ganwaith yn waeth i bawb arall. Dyna pam ma'n rhaid eu cloi nhw i mewn; alli mo'u trystio nhw.'* Meddyliai Ana am lais addfwyn Dan gyda phob clic a wnaeth. Teimlai'n agos ato, ar adeg fel hon. Fel tasen nhw rywsut wedi toddi i'w gilydd.

Gwasgodd ei hwyneb yn erbyn y gwydr, fel y gwnaethai droeon yn ystod y cyfnod ymarfer. Ac yn gwbwl ragweladwy, edrychodd neb yn ôl arni – yn union fel pob tro cynt. Roedden nhw oll yn canolbwyntio gormod ar y darn ola o waith roedd ganddyn nhw i'w gwblhau cyn y caen nhw gwpaned o goffi. Chwythodd Ana siâp cylch ar y gwydr. Yna, â'i bys tynnodd siâp rhywun yn gwenu. Doedd hynny ddim yn rhan o'r cynllun ond roedd hi'n teimlo'n heriol, a gwyddai fod gwên yn drysu pobl. Fyddai 'na ddim amser coffi, na rhagor o dripiau i'r tŷ bach – dyna oedd y wên honno'n ei ddweud. Arhoswch lle rydych chi a bydd pob dim yn iawn. Gwnaeth yr un peth gyda phob un drws ar y coridor hwnnw. Clic, a naddu gwên. Clic, a naddu gwên.

Teimlodd y lleian fach yn bowld yn ei llaw – gwyddai fod ganddi hi, drwy feddiannu'r teclyn hwn, fwy o rym na'r un person arall yn yr adeilad. Ond roedd hi ychydig yn amheus o'r ffaith iddyn nhw gael gafael ynddo'n gynt na'r disgwyl. Roedd Nan i fod ei ddwyn o'r ddesg ffrynt, lle byddai Dan yn ei adael yn ddiofal. Ond bu Ana'n cadw golwg ar y ddesg drwy'r bore – a doedd Dan ddim wedi dilyn yr un patrwm y diwrnod hwnnw. Ymhen rhyw awr ar ôl iddo gyrraedd, aeth oddi yno, gan fynd â'r teclyn gydag e. Dyna ni, meddyliodd Ana – roedd y cyfan ar ben eisoes. Ond rywsut, llwyddodd Nan. Ymddangosodd y lleian fach yn ei dwylo. Doedd dim pwynt i Ana holi sut roedd hi wedi cael gafael arni, roedd yn rhaid iddi fodloni ar y ffaith eu bod nhw wedi llwyddo. Roedden nhw eisoes yn dechrau gwahanu, meddyliodd, a mynd eu ffyrdd eu hunain, ac roedd hynny'n ei phoeni. Efallai fod Nan yn barod i chwarae'r gêm, ond roedd ganddi hi ei rheolau ei hun.

Wedi iddi orffen cloi'r swyddfeydd, roedd yn rhaid iddi frysio tuag at y fynedfa. Gwyddai mai hyn a hyn o amser oedd ganddi cyn y byddai'r gweithiwr cynta'n ymestyn am fwlyn y drws a sylweddoli bod rhywbeth mawr o'i le. Ac roedd yn rhaid iddi felly gau'r drysau mawrion, a datgysylltu'r trydan a'r ffonau. Cymerodd gipolwg ar sgriniau'r system cylch cyfyng ar ei chyfrifiadur poced i weld a oedd Dan yno. Dyna ble roedd e, yn ymddangos yn gwbwl effro, yn sefyll wrth ei ddesg, ac yn edrych yn wyliadwrus am unwaith. Ebychodd Ana. Roedd hyn yn flêr. Edrychai Dan fel pe na bai am symud o'r fan a doedd ganddi ond pum munud o amser yn weddill.

Teimlodd y panig yn codi ynddi'n sydyn iawn. Pe na lwyddai i gau'r drysau mawrion hynny, byddai'r cyfan ar ben cyn iddo ddechrau. Ni fyddai'r cynllun mawr yn ymddangos yn ddim byd mwy na thric bach ffôl. Roedd yn rhaid gwneud rhywbeth. Ac roedd hi'n barod i wneud unrhyw beth, meddyliodd, wrth frasgamu'n frysiog ar hyd y carped coch, tuag at yr awyr agored. Gwnâi unrhyw beth. Rhoddai ei chorff iddo, hyd yn oed, yn y fan a'r lle pe bai'n llwyddo i gau'r drysau mawrion. Wrth gyrraedd y ddesg ffrynt, sylweddolodd yn sydyn iawn, ei bod yn wag. Tynnodd ei chyfrifiadur poced allan i weld y sgriniau cylch cyfyng unwaith eto. Nid breuddwydio oedd hi. Dyna ble roedd e – yno, ar y sgrin, yn eistedd wrth y ddesg. Ac eto, hi oedd yno'n nawr. Edrychodd o'i chwmpas yn sydyn. Ai cynllwyn o ryw fath oedd hyn? I'w dal hi? Doedd neb o gwmpas. Neb i'w weld yn unman. Cododd ddau fys ar y camera yng nghornel y nenfwd uwchben y ddesg. Ond wrth daflu ei llygaid yn ôl tuag at gyfeiriad y sgrin gwelodd mai Dan oedd yno o hyd, yn syllu'n syth o'i flaen.

Yn sydyn, gwenodd. Roedd Dan wedi cwblhau'r rhan

olaf o'r cynllun drostyn nhw. Roedd pob un o'r sgriniau yma yn ffics, oherwydd mewn prin ddwy funud, roedd e wedi diflannu o'r ddesg ac roedd i'w weld yn cerdded ar hyd rhyw goridor yn agor a chau'r drysau, yr union ddrysau y gwyddai Ana eu bod eisoes dan glo. Yn sydyn roedd y cynllun yma'n hollol bosib. Fyddai neb yn gweld yr hyn a wnâi hi a Nan y diwrnod hwnnw. Pan fydden nhw'n edrych 'nôl dros y ffilm, y cyfan fyddai i'w weld fyddai un dyn bach yn cerdded yn ôl ac ymlaen ar hyd coridorau ffug ei fywyd, gan esgus gwarchod rhywbeth a oedd eisoes wedi'i gymryd oddi arno, mewn gwirionedd. Sylweddolodd yn sydyn beth roedd Nan yn ceisio'i ddweud wrthi am y camerâu.

Aeth Ana ati i gloi'r drysau ffrynt mawrion, â'r cryndod yn ei llaw wedi troi'n osteg llyfn. Roedd hi'n gwybod yn sydyn iawn y gallai wneud yr hyn a fwriadai, a bod y cyfan bellach wedi'i drefnu'n dwt. Roedd hi'n cau'r byd allan, fel roedd hi wedi breuddwydio am ei wneud ers cyhyd. Gwyliodd awyr las Aberystwyth yn cael ei wasgu'n ddim rhwng y drysau, a'r cymylau'n marw'n araf rhwng y pren. Yn sydyn, rhewodd yn y fan a'r lle. Ychydig lathenni oddi wrthi, roedd Dan. Roedd e wedi cerdded ychydig gamau y tu allan i'r drws ffrynt er mwyn rolio mwgyn, gan osod ei hun, yn ddiarwybod iddo, tu allan i rwyd y cynllun. Roedden nhw wedi gobeithio, yn wreiddiol, y byddai Dan y tu mewn ac yn gymorth iddyn nhw. Ond sylweddolai Ana'n nawr ei bod hi'n haws peidio cynnwys Dan. Yn fwy diogel. Doedd hi ddim eisiau iddo gael ei dynnu i mewn. *Hi* fyddai yn ei ddiogelu *e*, am unwaith.

A chyda hynny, gwthiodd y drysau mawrion ar gau, gan sicrhau, drwy gymorth y lleian fach, eu bod ar glo. Roedd y gwaith ar ben. Doedd dim arwydd bod Aber nawr yn bodoli o gwbwl. Roedden nhw'n ddiogel o'r diwedd, meddyliodd

Ana, a doedd dim angen poeni'r un iot am y rheiny mewn swyddfeydd cyfagos a'i clywai'n cau'r drysau'n glep. Doedd 'na ddim ffordd allan iddyn nhw bellach, a doedd dim troi'n ôl iddi hithau, chwaith.

DAN

ROEDD HI BRON yn un ar ddeg, ac roedd Dan wedi cael digon. Fel pob diwrnod arall, fe fyddai'r bore'n llusgo'n ddi-ben-draw, wrth wneud ei daith malwen ar hyd y carped coch. Teimlai'n noeth heb y lleian fach, rywsut, a wnaeth e ddim sylweddoli tan heddiw gymaint roedd yn dibynnu arni i ladd amser: ei mwytho yn ei boced, ei rhincian ar draws y ddesg wrth y fynedfa; clician y drysau ar agor ac ar gau, ar agor ac ar gau, nes bod yr hen ferch wrth y ddesg groeso yn dweud wrtho am roi'r gorau iddi ac nad tegan oedd y teclyn diogelwch i fod. Doedd ganddo ddim byd i'w chythruddo heb y lleian, a threfn arferol ei ddiwrnod yn rhacs. Diflannodd ei holl bŵer mewn eiliad, ac roedd e'n casáu gweld yr olwg o foddhad ar wyneb ei elyn, wrth iddi feddwl mai hi oedd wedi llwyddo i'w ddarbwyllo o'r diwedd. Teimlai fel mynd draw ati a gwneud rhywbeth arall i'w chythruddo, chwibanu'n uchel yn ei chlust, efallai. Ond feiddiai e ddim. Roedd yn rhaid iddo gadw proffil isel heddiw. Meddyliodd yn sydyn am yr Archborthor a'r porthorion eraill. Fe fydden nhw ar fin cyrraedd Caerdydd erbyn hyn. Meddyliodd am y sgrin fawr a fyddai'n cael ei pharatoi yn un o stafelloedd cynadleddau'r Senedd. Roedd e'n dychmygu'r ocheneidiau a'r ymagweddu cadarnhaol a fyddai'n dod o du'r Brif Weinidoges ac Aelodau Seneddol eraill wrth ei weld yn defnyddio'r teclyn bach du a gwyn. Diolch byth, meddyliodd, nad y diwrnod go iawn hwn roedden nhw'n ei wylio'n gegrwth, neu fe fyddai hi wedi canu arno erbyn hyn.

Roedd e'n ddigon ffyddiog y câi'r teclyn 'nôl. Efallai mai rhyw gêm fwriadol oedd hi ar ei rhan i sicrhau y câi fwy o sylw ganddo. Fe fyddai'n rhaid iddo fynd i chwilio amdani – mae'n amlwg mai dyna oedd ei bwriad, chwarae rhyw gêm wyrdroëdig i wneud yn siŵr ei fod yntau wastad yn awchu amdani. Ond roedd e'n mynd i gymryd mantais o'r ffaith nad oedd ganddo bellach gyfrifoldeb yn y byd, drwy fynd am ei sbliff boreol – a hynny awr yn gynharach na'r arfer. Gadawodd glydwch ei ddesg ac aeth allan i'r awyr iach.

Cerddodd i lawr y grisiau tuag at ochr yr adeilad. Roedd 'na gilfach berffaith yno i smocio, ac os oedd e'n iawn, dyma'r union adeg y byddai'r porthor ar y ffilm yn cerdded tuag at y llecyn hwn hefyd. Fyddai hwnnw – y Dan parchus, artiffisial – yn gwneud dim byd ond edrych yn wyliadwrus o gwmpas y gofod hwn, gan roi rhyddid perffaith i'w ddwbl – dair wythnos yn y dyfodol – i gael gwneud fel y mynnai, a rholio sbliff yng ngolau dydd, reit o dan drwyn y camera.

Roedd y sbliff yn un hir a phersawrus. Teimlodd Dan y ffrwydrad cyntaf o fwg yn ei ysgyfaint, yn siarp i ddechrau, ac yna'n meddalu, cyn setlo fel poen melys yng nghefn ei wddf. Dychmygodd y mwg yn gwau drwy gawell ei asennau, yn sleifio i mewn ac allan, ac yna'n diflannu i ddüwch ei fol. Gyda sbliffs da fel hyn, wedi'u creu o'r gwair perffeithiaf, prin oedd y mwg a ddeuai'n ôl allan o'i geg. Roedd e wedi meddwl droeon i ble byddai'r mwg hwnnw'n diflannu. Yn sicr doedd e ddim yn dod allan y pen arall. Neu oedd e? Efallai mai dyna oedd yn gyfrifol am yr holl stêm yn y stafell molchi yn y bore. Chwarddodd Dan. Chwarddodd neb yn ôl. Ysai am gael rhannu'r meddyliau hanner pan hyn gyda rhywun, ond doedd 'na neb. Neb ond y brigau, a'r rheiny'n byseddu'r aer.

Anadlodd i mewn eto, gan gerdded ychydig lathenni

ar hyd y cae y tu hwnt i'r maes parcio. Trwy fwlch bach yn y berth, gallai weld y brif fynedfa a'r prif faes parcio'n berffaith glir. Tasai'r Archborthor yn digwydd dod yn ôl, fe fyddai ganddo ddigon o amser i neidio dros y weiren bigog (gan wneud yn siŵr na fyddai'n rhwygo ei drowsus), sleifio i mewn drwy ddrws ochr y cantîn, a rhedeg 'nôl i fyny'r grisiau. Erbyn i'r Archborthor lusgo'i ben-ôl deugain stôn i fyny'r grisiau fe fyddai e 'nôl wrth ei ddesg. A hyd yn oed petai e'n drewi o ganabis fyddai 'na ddim byd y gallai'r Archborthor ei wneud. "Edrychwch ar y ffilm os nad y'ch chi'n 'y nghredu i" – dyna fyddai ei ddadl.

Ond hyd yn oed pe na bai'n llwyddo, doedd fawr o ots ganddo. Roedd cael y sac yn fwyfwy atyniadol y dyddiau yma, y syniad o dreulio'i ddyddiau nid yn crebachu tu ôl ryw ddesg ond yn gwneud rhywbeth mwy defnyddiol o lawer. Ysai am gael dychwelyd at ei hen grefft o ddwyn manylion banc oddi ar y we. Bu e'n giamstar ar wneud hynny, ac yn ystod y cyfnod prin hwnnw pan fu'n llwyddiannus – cyn iddo gael ei ddal – roedd e wedi teimlo bod 'na wir bwrpas i'w fywyd. Doedd e 'mond yn targedu'r bobl hynny y credai eu bod yn haeddu'r fath drosedd – y rheiny â hen ddigon o arian yn eu cyfrif. Ac am fisoedd lawer, mwynhaodd fywyd hyfryd; roedd e'n gallu rhoi arian i'w fam, yn gallu sbwylio pob cariad a gawsai yn y cyfnod hwnnw. Roedd e'n gallu esgus, wrth fynd i fwyty crand ar y promenâd, ei fod e'n rhywun arall, llawer mwy llwyddiannus, ac am gyfnod byr, roedd ganddo bopeth oedd ei angen arno mewn bywyd. Pob dim.

Rhyfedd sut roedd ffawd yn gweithio. Tasai e ddim wedi cael ei ddal, ni fuasai wedi gorfod gwneud y gwaith cymunedol yn y Llyfrgell yn y lle cynta. Ond hyd yn oed nawr, ac yntau mewn swydd, roedd e'n dal i esgus bod yn rhywun arall. Roedd e wedi ffeindio ffordd o ymddangos yn gallach, yn fwy cyfrifol. Yn fwy o ddifrif.

Cymerodd ddrag hir arall o'i sbliff a'i ddal i mewn yn hir, hir, nes bod y byd o'i gwmpas yn troi. Yn sydyn iawn, roedd y gwyrddni gwan o'i flaen yn sgleiniog a newydd, yn codi o'r ddaear i gyfarfod â'i lygaid. Daeth ton ar ôl ton o harddwch pur i olchi ei lygaid, nes ei fod yn teimlo'n lân, mor lân â'r byd. Caeodd ei lygaid a gadawodd i'r teimlad ei feddiannu. I ffwrdd ag e a'r tywyllwch yn powndio yn erbyn caead ei amrannau. Agorodd ei lygaid. Erbyn hyn, roedd yr haul wedi llithro oddi yno, a'r cae'n llwydaidd drachefn. Teimlodd ryw dristwch anesboniadwy'r foment honno. Ysai am i'r haul ddychwelyd unwaith eto, a dangos prydferthwch y byd iddo unwaith yn rhagor. Ond fe'i llethwyd gan y teimlad fod yr hyn a welsai yn anghynaladwy, fod harddwch yn rhywbeth amhosib ei sicrhau, ac roedd arno eisiau crio. Yna, teimlodd yn grac ei fod eisiau crio. Tasai fe yma yng nghwmni rhywun nawr, fe fyddai'r foment honno wedi ymddangos yn ddifyr, yn ddoniol hyd yn oed. Ond doedd hi ddim yn ddoniol bellach. Doedd bod ar ei ben ei hun ddim yn ddoniol. Doedd y ffaith fod dau ohonyn nhw'n cerdded o gwmpas y lle 'ma, drwy'r dydd – un porthor real, ac un afreal – ddim yn ddoniol. Roedd y mwg wedi sugno'r holl ddoniolwch allan ohono.

Dyna oedd y broblem wrth smocio ar ei ben ei hun y dyddiau hyn; roedd yr holl feddyliau 'ma'n tueddu i lenwi ei feddwl; rhai anghynnes, brawychus – nid fel y rhai breuddwydiol, lliwgar yr arferai eu cael pan oedd e'n iau. Meddyliau doedd e ddim yn gyfarwydd â nhw. Meddyliau doedd e ddim yn gyfforddus yn eu cwmni, fel tasen nhw wedi dod o ymennydd rhywun arall – efallai'n wir o ymennydd y porthor dychmygol a greodd. Yn sydyn iawn, diffoddodd y sbliff ar wal gyfagos. Fe fyddai'n rhaid iddo ffeindio rhywrai i rannu gweddill y sbliff â nhw. Fe fyddai'n rhaid iddo geisio hudo'r llipryn a siaradodd ag e'r bore hwnnw.

Llamodd dros y weiren bigog a dechrau ar ei daith 'nôl tuag at y Llyfrgell. Roedd hi'n ddiwrnod tawel heddiw, heb braidd neb yn mynd a dod. Teimlai'r llonyddwch yn ei gwmpasu, ac yn arafu ei galon. Teimlodd ei amrannau'n crebachu'n fach, fach a cheisiodd eu gwthio ar agor drachefn.

Penderfynodd fynd i mewn drwy'r drws ffrynt. Gallai esgus iddo fod yn cadw golwg ar faes parcio'r adeilad. Camodd i fyny'r grisiau, gan gadw golwg barcud ar ei gamau, yn rhy ymwybodol o lawer o sŵn ei draed yn erbyn y concrid. Gam wrth gam. Clip. Clop.

Ac yna, gwelodd nad oedd modd iddo fynd dim pellach. Roedd e wyneb yn wyneb â'r drysau mawrion hynny y bu yr ochr arall iddyn nhw'r bore hwnnw. Ac roedden nhw ar glo.

E B E N

R OEDD E WEDI'I gau mewn byd o bersawrau annymunol: piso dyn canol oed a thudalennau dynes farw, mewn stafell heb ffenest. Erbyn hyn, roedd e wedi cyrraedd 1981, ac roedd y staen ar ei drowsus wedi dechrau pylu. Yr arogl yn unig a'i bradychai – y chwerwder myglyd hwnnw, y math o chwerwder a fyddai'n debygol o daro ffroenau rhywun yr eiliad yr agoren nhw'r drws. Pryd bynnag fyddai hynny. Doedd e ddim wedi clywed smic o'r tu allan ers bron i awr nawr. Roedden nhw wedi anghofio amdano, ac roedd wedi caniatáu i hynny ddigwydd, wedi'r digwyddiad anffodus. Edrychodd o'i gwmpas. Roedd y stafell yn un hollol gaeedig. Uwch ei ben roedd rhyw fath o dwll awyru, ond gwagle bychan iawn oedd e. Gallai ei gyffwrdd petai'n sefyll ar y ddesg. Cododd ei gaead ac edrych i weld faint o le oedd yno. Ond yna, sylweddolodd pa mor hurt oedd meddwl am geisio dianc. Dim ond dynion mewn ffilmiau oedd yn gwneud pethau felly. A doedd e ddim yn gaeth, ddim yn wystl, wedi'r cyfan. Llyfrgellwyr oedden nhw, nid terfysgwyr.

Agorodd glawr pinc shiffon 1989. Dyma'r flwyddyn y dechreuodd Elena weithio ar ei nofel gyntaf – *Y Trwbadŵr*. Gwelodd y syniad yn blaguro o flaen ei lygaid:

Ambell waith, fe fydd rhywun yn cael ei arteithio a'i arswydo gan air. Ddiwrnod ar ôl i mi weld y gair hwn am y tro cyntaf, fe ddaeth i'm hymwybyddiaeth mewn degau o ffyrdd gwahanol. Fe'i defnyddiwyd mewn sgwrs â mi wrth imi fynd am dro, ac fe deimlais y gair unwaith eto'n llamu oddi ar wefus y person, a'm taro ar fy nhalcen. *Drannoeth, ro'n i'n darllen y papur, a dyna ble roedd y gair unwaith eto, yn syllu'n bowld arna i oddi ar y penawdau. Y noson honno, fe ddaeth y gair eto o enau'r radio. Fe'm lloriwyd gan hynny, ac fe fu'n rhaid i mi eistedd a dechrau ysgrifennu. Weithiau fe fyddai gair yn hawlio sylw, a byddai'n ymbil arnaf i gymryd sylw manylach ohono. Roedd hi felly gyda'r trwbadŵr. Unwaith i mi ddeall pam roedd y gair yn cael ei gyflwyno imi, fe dyfodd i fod yn berson o gig a gwaed.*

Chwarddodd Eben. Roedd fel petai Elena'n gwybod y byddai e'n darllen y geiriau hyn ryw ddiwrnod, fel y byddai hi drwy gyfrwng y geiriau hyn, unwaith eto'n fyw o flaen ei lygaid, yn chwerthin am ei ben. Roedd y ddau ohonyn nhw'n gwybod yn iawn pwy oedd y trwbadŵr a roddodd sail i'r nofel honno – sef Ffrancon, a'i holl ymdrechion aflwyddiannus i sgwennu – ac eto roedd fel petai Elena'n benderfynol o osgoi gadael unrhyw dystiolaeth ar ei hôl a fyddai'n cydnabod, neu'n profi hynny. "Ond galla i brofi hynny," meddyliodd Eben yn chwerw. Dyma fy swydd i, wedi'r cyfan. Darllen rhwng dy linellau di. Creu naratif bach i mi fy hunan. Fe ddaw pawb i wybod, heb ystyried a wyt ti eisiau iddyn nhw wybod ai peidio.

Teimlai unwaith eto'r llygaid yn llosgi i mewn iddo o ben draw'r stafell, ac fe'i trawodd gan y ffaith nad oedd Elena wedi marw o gwbwl. Roedd hi'n hollbresennol. Yn fwy ac yn rymusach yn ei marwolaeth nag y bu yn ystod ei bywyd. Nid yn unig yn yr ystafell hon, ond ym mhobman, erbyn hyn, oherwydd ei marwolaeth ddisymwth. Noson ei marw, roedd tîm cynhyrchu wedi rhuthro i roi rhywbeth at ei gilydd, rhyw becyn dogfennol yn para rhyw ddwy awr. Bu'n rhaid iddo wylio noson gyfan o raglenni teyrnged iddi, nes ei fod wedi teimlo'n sâl. Roedd hyn fel y stynt gyhoeddusrwydd fwyaf erioed.

Roedd 'na ragor o sgribls digon di-nod am y trwbadŵr – ac yna, rai misoedd yn ddiweddarach, cafwyd rhyw ffug syndod yn rhyfeddu pa mor llwyddiannus y bu'r nofel honno. *Mae'r* Trwbadŵr *yn cael ei hystyried yn un o brif nofelau athronyddol yr ugeinfed ganrif,* ysgrifennodd. *Er mawr syndod i mi,* aeth ymlaen, *y mae'r gair di-nod wedi tyfu'n un o rai mwyaf arwyddocaol fy mywyd.*

Oedd, roedd Eben yn cofio'r holl hw-ha a fu adeg cyhoeddi'r *Trwbadŵr.* Ac roedd e hefyd yn cofio'r plot gwan, y sgwennu barddonol, ffuantus, y benthyca cyfrwys a wnaeth hi oddi ar feirdd fel Rimbaud a Baudelaire. Ond doedd neb yn gweld hynny, nag oedd? I'r rhai na ddarllenodd y gweithiau hynny roedd y nofel hon am anallu un dyn pitw i ysgrifennu unrhyw beth o werth (ond gan gredu fod pob dim a wnâi ac a ddywedai yn werthfawr ac yn soniarus) yn rhywbeth cwbwl gyffrous. Roedd y ffaith fod dynes wedi gallu sgwennu rhywbeth o'r calibr hwn yn fwy o syndod byth. Fe lwyddodd yr adolygiadau gwenieithus i lenwi sawl tudalen ym mhob cyfnodolyn roedd ef yn tanysgrifio iddyn nhw bryd hynny. Ac yn waeth byth, fe enillodd wobr goffa Petra Watcyn-Parry am y nofel gynta orau gan fenyw a oedd yn byw yng ngorllewin Cymru, a chael cildwrn go sylweddol fel rhan o'i gwobr.

Teimlai Eben yr un hen wenwyn yn dechrau corddi ynddo unwaith eto. Elena Wdig. Roedd hi yno o hyd, yn gwneud iddo deimlo'n sâl, yn gwneud iddo genfigennu wrthi. Fe fyddai'n rhaid iddi *hi* farw'n ddramatig, a llwyddo i wneud hynny'n *iawn.* Meddyliodd Eben gydag arswyd am ei oriau tywyllaf yntau – pan hawliodd Elena gymaint o sylw fel nad oedd tamaid o sylw ar ôl i ddiawl o neb arall. Roedd e gymaint o ddifri am y peth fel y penderfynodd y byddai'n rhaid iddo ladd ei hun nid unwaith, ond ddwywaith. Safodd ar ben cadair yn barod, gan baratoi cwlwm yn y rhaff. Yna, stwffiodd yr holl dabledi i'w geg yn barod i'w llyncu. Yr eiliad honno torrodd un o goesau'r gadair dan ei bwysau gan achosi iddo hedfan ar draws y stafell. Cydiodd yn y rhaff er mwyn sadio'i hun ac fe ddaeth honno'n rhydd gan dynnu haenau o blastr ar ei ben, ac wrth iddo daro'r llawr tasgodd y tabledi yn gawod o belenni gwyn o'i wefusau. Ac yn eu mysg, un o'i ddannedd. Fe dreuliodd Eben y noson honno nid mewn morg ond yng nghadair y deintydd.

Methodd hyd yn oed â lladd ei hun yn iawn. Ond llwyddodd hithau, wrth gwrs, i dynnu sylw'r holl fyd ati hi unwaith yn rhagor.

Aeth ymlaen â'i ddarllen. Roedd y nawdegau yn llawn o ryw harmoni graslon iddi. Cynigion yn ei chyrraedd o bob cwr o'r byd, y gwaith yn cael ei gyfieithu i ieithoedd eraill. Hithau'n symud y tu hwnt i gylch cyfyng Cymru ac i wledydd na wyddai'r rhan fwya o'r Cymry ddim amdanynt. Cafodd *Y Trwbadŵr* ei gwneud yn ffilm lwyddiannus, a chael ei henwebu am Oscar ar gyfer y ffilm dramor orau. Disgynnodd llun ohoni o'r dudalen, a dyna lle roedd hi unwaith eto, ei llwyddiant yn gwenu arno o'i ffrog laes, werdd, a'i gwefusau ysgarlad yn powndio. Chafodd hi mo'r Oscar bryd hynny wrth gwrs, a bu hynny'n siom enfawr iddi. *Heno, daw dagrau tawel fy methiant i,* ysgrifennodd, a'r geiriau hynny wedi'u staenio ar hyd y dudalen gan ddiferion ei dagrau. Ond dim ots am hynny, meddyliodd Eben, a oedd eisoes yn gallu rhag-weld y flwyddyn 2002 – pan fyddai ei nofel epig, *Miriwen yn fy Meddwl*, yn cael ei throi'n ffilm ac yn cipio'r wobr.

Edrychodd ar y cloc. Roedd hi bron yn un ar ddeg o'r gloch ac roedd ei fol yn bloeddio am baned o goffi. Roedd e wedi gobeithio ffonio Ffrancon a'i gyfarfod yn y cantîn, er mwyn iddo gael siarad yn gall gydag ef, am unwaith, ond doedd dim signal ar ei ffôn. Prin roedden nhw wedi torri gair ers marwolaeth Elena, a byddai'n rhaid ceisio adfer y sefyllfa, yn enwedig os oedd e am gael cefnogaeth Ffrancon i'r cofiant. Gwasgodd y botwm coch unwaith yn rhagor, gan obeithio y deuai'r porthor ato o'r diwedd. Roedd e wedi penderfynu nad oedd yn mynd i gwyno am y ffordd y cafodd ei drin a'i gloi i mewn y bore hwnnw, rhag i'r newydd am ei ddamwain ledaenu drwy'r Llyfrgell.

Ond ddaeth 'na neb. Fel pob tro cyn hynny, clywai'r gloch yn canu yr ochr arall i'r drws, heb i neb ddod i'w achub. Roedd fel petai'r lle'n hollol wag, ac yntau'r unig un ar ôl ar wyneb daear – fel petai e mewn byncer, a'r byd wedi chwalu. Efallai, pan gâi'r drws ei agor, y byddai'n gweld bod yr adeilad wedi dymchwel o'i gwmpas, ac mai ef oedd yr unig un i oroesi'r ymosodiad.

Naill ai hynny, neu roedd e wedi marw yn barod. Pa well haeddiant iddo, yn ôl rhai, na chael ei gondemnio i'r uffern rhyfedd hwn, lle mai'r unig beth a gâi i'w ddarllen oedd gwaith Elena Wdig?

Ond doedd e ddim wedi marw, roedd rheswm yn dweud. Roedd ganddo byls. Roedd y gwaed yn dal i chwyrlïo o gylch ei galon, ac roedd ganddo, ar gyfartaledd, tua deugain mlynedd o fywyd ar ôl – yn dibynnu ar faint o siwgr fyddai e'n barod i fyw hebddo dros y blynyddoedd nesaf, yn ôl y doctor.

Fe allai fyw heb siwgr tra bod ganddo lyfr i'w sgwennu, meddyliodd. Fe fyddai'n rhaid i'r llyfr hwnnw fod yn rhyw fath o siwgr iddo, gan roi pwrpas ac ystyr i'w fywyd. Roedd hi ar ben ar Elena, ond ar fin dechrau roedd ei fywyd e. Bellach roedd ganddo siawns i ailysgrifennu, nid yn unig ei hanes ei hun, ond ei hanes hi hefyd. Cawsai'r cyfle i wneud yr hyn a fynnai o'i bywyd, ei gwneud mor ansicr, mor bathetig, mor israddol ag roedd e'n mynnu, gan droi ei geiriau ffuantus ben i waered. Ac fe allai wneud hynny mewn ffordd a fyddai'n gwneud iddo edrych fel rhyw fath o ymddiheuriad, er ei fod e'n gwybod nad dyna oedd e o gwbwl. Y gwrthwyneb i ymddiheuriad ydoedd, beth bynnag oedd hynny.

Yn fwy na dim, ffordd o wneud yn siŵr na fyddai *yntau'n* cael ei anghofio ydoedd mewn gwirionedd. Doedd e ddim eisiau bod fel Eben Fardd, yn gyfan gwbwl wedi'i ddileu o hanes, wedi suddo dan dirwedd amser a hanes nes nad oedd yn bodoli heblaw ar wefusau rhywun fel Niclas Gruffudd. Roedd e eisiau gwneud yn siŵr y byddai ei enw'n parhau, ac na fyddai modd ei ddileu – byth bythoedd. Allai e ddim dibynnu ar neb – doedd ganddo neb – i gadw'i enw'n fyw ar ei wefusau ac yn ei sgyrsiau. Roedd hyd yn oed Ffrancon wedi'i ddiarddel. Na, roedd yn rhaid iddo fodoli yn yr unig ffordd y gallai rhywun fodoli'r dyddiau hyn, sef o fewn y system anferthol yna o eiriau yn y peiriant. Yn syml, roedd yn rhaid iddo sicrhau y byddai ffeithiau ei fywyd yn sefyll ar eu pennau eu hunain. Doedd e ddim eisiau i'w fywgraffiad fod yn un fyddai'n canolbwyntio ar ei fethiannau: "Eben Prydderch 1972 – awdur aflwyddiannus a greodd gryn stŵr 'nôl yn 2019 drwy fod yn bennaf gyfrifol, o ganlyniad i gyfres o adolygiadau didostur, am hunanladdiad yr awdur Elena Wdig." Na, roedd e eisiau newid ffeithiau ei fywyd nes y byddai'r bywgraffiad yn falm i'r glust: "Eben Prydderch – awdur yr astudiaeth gyntaf o fywyd Elena Wdig, y cofiant cyntaf i ennill gwobr e-lyfr y Senedd, 2021." Wedi'r cyfan, roedd bod yn gyntaf yn bwysig yng Nghymru, a byddai hwnnw'n gyntaf *dwbl*.

Ana a Nan

Gwyliodd Nan fys mawr y cloc henffasiwn yn y cornel yn hwylio i'w le, a hynny fel tasai'n creu'r swn mwyaf byddarol erioed, fel petai'r haearn yn sgrechian yn ymdrechgar wrth i'r bys mawr grafu dros y bys llai. Pum munud i un ar ddeg – yr unig adeg pan fyddai'r un ar ddeg a'r un ar ddeg yn cydorwedd, yn gymesur perffaith, yn efeilliaid cytûn. Yr unfed awr ar ddeg. Yr awr pan fyddai pob dim yn newid.

Cododd Nan ar ei thraed. Roedd swn gwaed yn cythru trwy ei chlustiau. Arhosodd eiliad neu ddwy i'r foment basio, gan sadio'i hun yn erbyn y ddesg.

Yna, fe'i clywodd. Melodi ysgafn yr uchelseinydd yn llifo i grombil y stafell.

"A wnaiff y staff i gyd ymgynnull yn y brif Ystafell Ddarllen, os gwelwch yn dda?" meddai llais Ana dros yr uchelseinydd. "Ymarfer diogelwch. A wnaiff pob aelod o'r staff wneud ei ffordd i'r Ystafell Ddarllen ar unwaith?"

Ochneidiodd Haf, Petal a Gwelw gyda'i gilydd, yn gorws o anadliadau sur ar draws y stafell.

"Dewch," meddai Nan, gan geisio rheoli cryndod ei llais. "Mae'n well i ni fynd."

"Dwi ddim yn gweld pam," ebe Haf, a'r haul yn marw yn ei llygaid. "Mae'r ymarferion 'ma wastad yn wastraff amser pur."

"Ydyn," tuchodd Petal. "Ma hi bron yn amser coffi. Sdim pwynt. Allan nhw fyth fod o ddifri os y'n nhw 'di gofyn i Ana neud y cyhoeddiad. Dyw Ana byth yn neud cyhoeddiade. Bydde'r Brif Lyfrgellwraig yn ei neud pe baen nhw o ddifri."

"Dyw'r Brif Lyfrgellwraig ddim 'ma, ydy hi?" meddai Haf, heb gymryd ei llygaid oddi ar y sgrin. "Ma hi yng Nghaerdydd. Ma hi wastad yn bali Caerdydd. Cyfarfod pwysig yn y Senedd neu rywbeth. Un arall."

"Yn ymwneud â'r system ddiogelwch, ia?" meddai Gwelw, a oedd yn pori dros e-bost. "Ddanfonish i neges ati'r bore 'ma a ges i hwn 'nôl. *Nid wyf yn y swyddfa heddiw, gan y byddaf yn mynychu cyfarfod gyda'r tîm diogelwch yn y Senedd.* Dwi'm yn gweld llawer o bwynt i ni gael ymarfer diogelwch heb y tîm diogelwch, 'dach chi?"

"Dwi ddim yn clywed fawr o neb arall yn ystwyrian," meddai Petal, ac un clust wedi ei droi i gyfeiriad y coridor. Roedd Nan wedi gobeithio na fydden nhw'n sylwi ar y distawrwydd hwnnw a oedd yn drwch ar hyd y coridorau. Ychydig a wyddai'r merched mai neges bersonol, jyst iddyn nhw, oedd hwn ac i griw'r cantîn yn unig. Nhw oedd yr unig rai a oedd yn dal i fod â'u traed yn rhydd yn yr adeilad.

"Wel, dwi'n bendant ddim yn mynd," ebe Gwelw, gan fwytho'i bronnau. "Fiw i mi ddringo'r grisiau 'na yn y stad 'ma. Ma angen rhybudd diogelwch ar 'y mronna i – ma nhw fatha casgenni."

"Allwn ni fynd yn y lifft," meddai Nan, ychydig yn rhy frysiog. Trodd y tair i edrych arni. Gwelodd Nan y syndod yn eu llygaid. Doedd Nan byth yn dweud gair. Doedd hi'n sicr byth yn mynnu eu bod nhw'n gwneud dim byd, nac yn gwrthwynebu dim byd. Iddyn nhw roedd hi'n llai na dim byd.

"Twt, twt," meddai Haf. "Dyw hynna ddim yn dilyn y canllawiau diogelwch! Tasai argyfwng, y peth diwetha ti isie yw bod yn styc mewn lifft. Wyt ti ddim 'di bod yn gwrando ar ddim byd ma nhw'n gweud wrthon ni?"

"Ond do's 'na ddim argyfwng," meddai Nan yn araf. Roedd yn rhaid iddi ymddangos yn fwy llonydd. Yn fwy rhesymol. "Holl fwriad yr ymarfer yw osgoi argyfwng, ontefe, dyna pam ei bod hi'n bwysig ein bod ni'n mynd."

"Ma'r holl beth yn wleidyddol, os ti'n gofyn i fi," meddai Petal, gan estyn am fisged yn nrôr gwaelod ei desg. "Achos yr holl fusnes terfysgol 'ma sy wedi digwydd yn ddiweddar, yn sydyn iawn ma nhw'n gorfod gwneud yn siŵr fod pob sefydliad yn y byd yn gwybod beth i'w wneud. Fel y gallan nhw dicio'r bocs a dweud iddyn nhw wneud yr ymarfer, bod yr adeilad yn 'dechnegol ddiogel' neu ryw nonsens fel 'na. Ond ni i gyd yn gwbod bo ni ddim o dan fygythiad. Os ti'n gofyn i fi, rhyw fath o siew yw hon ar gyfer y criw yng Nghaerdydd. Ma'n siŵr eu bod nhw i gyd yn ein gwylio ni, isie profi pwynt neu rywbeth."

"Fedri di byth ddeud ein bod ni'n gwbwl ddiogel, 'dan ni i *gyd* o dan fygythiad terfysgol," meddai Gwelw. "Peth fel 'na ydy o. 'Di o ddim yn elitaidd. I'r gwrthwyneb. Ma nhw'n dewis rhywun rhywun, bron yn gwbwl fympwyol. Mi fuasa fy lladd i, a'r babi 'ma," meddai, gan roi ei dwylo ar ei bol, "yn ffordd lot mwy dramatig o ddangos i'r byd fod 'na anghyfiawnder na buasa lladd, dudwch, y Brif Lyfrgellwraig. Mi fydda hynny'n ennyn cydymdeimlad, a ffieidd-dod. Ac mi fuasa yn ei dro yn tynnu sylw at anghyfiawnderau'r byd – yn troi'r ffocws yn ôl at y pwerau mawr."

"Sneb yn mynd 'i gael 'i ladd yn Aberystwyth, oes e?" meddai Petal, a'i bisged sinsir yn glwstwr brown rhwng ei dannedd. "Dod yma i farw ma nhw, nid i gael 'u lladd."

"Do's neb yn mynd i farw," meddai Nan yn ddistaw, heb fod yn siŵr o hynny.

"Tasen ni *yn* mynd i farw," meddai Haf, "faint o help fydde ymarfer diogelwch i ni, mewn gwirionedd? Ydy e i fod i'n dysgu ni sut i farw'n well, neu beth? A hyd yn oed taset ti'n gwrando ar bopeth ma nhw'n gweud, nelet ti ymateb fel rwyt ti fod i neud mewn argyfwng? Mae e fel y deilema gyda'r tarw."

"Anghofia am y blincin tarw," meddai Nan, a oedd wedi clywed y ddadl hon o'r blaen, ac yn ymwybodol eu bod nhw'n colli amser, wrth siarad. "Ma isie i ni symud."

"Y tarw?" meddai Gwelw, a'i haeliau'n codi. "Pa darw?"

"Os yw tarw yn dechre rhedeg tuag atat ti, y peth gore alli di neud, ma'n debyg, yw sefyll yn stond o'i flaen. Ac mae'n debyg fod hynny i fod ddrysu'r tarw, a gwneud iddo stopio, a'i atal rhag ymosod arnat ti, achos mae'n gweld nad o's arnat ti ei ofn e. Mewn gwirionedd, fyddet ti'n fodlon sefyll yn stond o'i flaen e? Ma'n ormod o risg, on'd yw e? Ond y siawns yw – os nelet ti redeg, a thrio dianc, neith e dy ladd di p'run bynnag. Ac, a bod yn onest – weden i fod naw deg y cant o bobl gall yn mynd i redeg, dyna'r peth greddfol i neud. Ond... wel... allet ti byth redeg gyda'r bol 'na," ochneidiodd Haf, gan brocio bol Gwelw yn ysgafn. Erbyn hyn roedd y chwys yn rhaeadru i lawr wyneb Nan. Er i'r bore fod yn llafurus o araf, erbyn hyn roedd amser ar garlam, fel tarw nerthol yn anelu'n syth rhwng ei llygaid.

"Pan o'n i'n fach, o'dd 'da fi darw, fel anifail anwes," ategodd Petal, er mwyn trio ysgafnhau'r awyrgylch. "O'dd e'n mynd i bob man gyda fi. Dy'n nhw ddim hanner mor ffyrnig â ma pobl yn 'i feddwl."

Tic-toc, tic-toc. Erbyn hyn fe fyddai Ana wedi cyrraedd yr Ystafell Ddarllen ac yn methu deall ble roedden nhw. Efallai byddai hi'n mynd i banig, ac yn meddwl bod Nan wedi cael ei dal. Gweddïodd y byddai ei chwaer yn addasu'r cynlluniau ac yn pwyllo, heb fynd i banig.

"Yr ymarfer," meddai Nan, unwaith eto. Roedd yn rhaid iddi roi un cyfle arall iddyn nhw cyn iddi orfod gweithredu. Efallai mai perswâd oedd ei angen, rhywbeth addfwyn a meddal, rhywbeth na fyddai'n tynnu gormod o sylw.

"'Dan ni ddim yn mynd," meddai Gwelw. "A ddylsat ti ddim chwaith. Trepsio rownd y lle 'ma jyst er mwyn i'r Brif Lyfrgellwraig gael rhoi tic yn y bocs – ar ddiwrnod pan 'di hi ddim hyd yn oed o gwmpas. Toes 'na ddim bygythiad, siŵr iawn!"

"Falle bod 'na," meddai Haf. "Falle taw 'na *pam* dyw hi ddim 'ma."

"Gwaeth byth, felly," meddai Gwelw. "Gadael y staff i ddelio â'r bygythiad terfysgol drosti. Pwy ma hi'n feddwl ydy hi? Geith hi stwffio'i ymarfer diogelwch."

A chyda hynny aeth y tair ohonyn nhw yn ôl at eu sgriniau, yn barod i glic-clician eu ffordd tuag at amser coffi.

Doedd dim amdani, felly, ond estyn o dan ei desg at y peth hwnnw a oedd yn ei bag, y peth a fu'n boendod onglog rhwng ei phigyrnau drwy'r bore, ei sleifio allan o'r gofod du, a'i anelu i gyfeiriad Petal, Haf, Gwelw.

Syrthiodd bisged Petal – plop – i'w diod. Edrychodd Gwelw yn goeglyd arni, gan feddwl mai rhyw fath o jôc oedd y cyfan.

"Y… y… y…" meddai Haf, gan godi ei dwylo'n araf i'r awyr.

★ ★ ★

Roedd Nan yn hwyr. Doedd dim golwg ohoni. Yn waeth na hynny, roedd Ana wedi teimlo mor hyderus y deuai Nan drwy'r drysau unrhyw funud fel ei bod hi wedi dechrau annerch y dorf a oedd wedi ymgynnull o'i blaen, rhag iddyn nhw aflonyddu, neu golli diddordeb, neu'n waeth – drio gadael y stafell ac yna'r adeilad, 'mond i ganfod fod y drysau i gyd ar glo. Tra na fydden nhw'n gwybod eu bod nhw'n gaeth, yn union fel y rheiny mewn swyddfeydd uwch eu pennau ac oddi tanynt, byddai pob dim yn iawn. Roedd pob dim yn berffaith, o leia mewn theori.

Ond gan nad oedd golwg o Nan, roedd hi wedi dechrau paldaruo, i ladd amser.

"Reit 'te, bawb," meddai, gan orfodi ei llais i esgyn i ryw donfedd hyderus, newydd. "Diolch i chi i gyd am ymgynnull yn y fan hyn."

Roedden nhw'n dal i fân siarad o'i chwmpas, a'u lleisiau'n codi uwchben ei llais hi. Rhaid iddi weithredu. Roedden nhw'n eu boddi, a'i llais yn mynd ar goll. Cydiodd mewn cadair a sefyll arni. Gwelodd gerflun Syr John Williams yn y pellter, ei ddwrn yn dynn yn ei frest fel pe bai'n barod i ymuno â hi, ond â'i lygaid yn ei chondemnio.

"Os ga i'ch sylw chi am eiliad, plis!" Llwyddodd i dawelu pob llais arall yn y stafell. Ychydig o uchder ac roedd hi'n berson newydd.

Edrychodd ar yr wynebau llonydd o'i blaen. Gwelai fod rhai ohonyn nhw, fel y fyfyrwraig wallt melyn yn y ffrynt a'i chariad â'i sbectol, yn ystyried hyn fel difyrrwch pur. Doedden nhw ddim eisiau bod yma'n gweithio, ta beth. Iddyn nhw, hi oedd yr unig liw yn eu diwrnod, fel y bydd cantores mewn cartref hen bobl. Doedd ambell wyneb arall ddim mor hapus. Ambell ddarlithydd ar sabothol ar dân i orffen darn pwysig o ymchwil. Roedd ei llais hi wedi torri ar ryw feddylfryd pwysig, rhyw ganfyddiad efallai, a fyddai wedi gallu dwyn ffrwyth. Yn awr, doedd y ffrwyth hwnnw yn ddim byd ond llysnafedd ar y carped.

"Nawr 'te, bawb," meddai Ana, gan ddechrau credu yn awdurdod ffug ei llais ei hun. "Os y'ch chi'n fodlon gwrando arna i am un eiliad. Ie, hyd yn oed ti, fan 'na yn y cornel."

Dilynodd y dorf linell anweledig ei bys tuag at y dyn yn y cornel, a oedd yn dal wrthi'n ceisio gwneud nodiadau. Aeth chwarddiad ysgafn drwy'r dorf. Da iawn fi, meddyliodd Ana, gan fod tynnu sylw at un person yn gwneud i'r gweddill ohonyn nhw anghofio eu bod nhw'n unigolion. Roedd ganddi dorf go iawn bellach, ac fe ddylai fod yn haws gwneud iddyn nhw weithredu fel un.

"Ymarfer bach yw hwn," meddai Ana, gan ddal i edrych yn betrus tuag at y drws. Ceisiai siarad ac aildrefnu'r cynllun yn ei phen ar yr un pryd. Wedi'r cyfan, dim ond tair oedd dan orchymyn Nan, ac roedd ganddi hi dorf i gael gwared arnynt. Fe allen nhw ddelio â'r tair drogen wedyn. Roedd yn rhaid iddi fwrw ati, heb help Nan, a chael y dorf allan o'r adeilad, trwy'r drws cefn, er mwyn gallu cloi'r drws drachefn ar eu hôl.

"Ry'n ni'n dychmygu nawr," meddai Ana, "fod yr adeilad i gyd dan warchae."

Chwarddodd yr un yn y ffrynt a wisgai sbectol.

"Llyfrgell, dan warchae," meddai, gan chwerthin drachefn, nes i'w gariad benfelen ei bwnio yn ei asennau.

"Peidiwch â meddwl am y lle fel llyfrgell," parhaodd Ana, gan synnu mor reddfol roedd ei haraith yn datblygu, o ystyried ei bod yn crafu am y cynnwys oddi ar dop ei phen, fel croen tenau ar ben hufen. "Meddyliwch amdano fel sefydliad cenedlaethol, yr un pwysicaf oll. Mae'n symbol o'r wlad, o'r diwylliant sy'n gwneud y wlad yr hyn ydyw. Ac felly, pe bai rhywun eisiau ymosod ar Gymru – dyma'r man lle bydden nhw'n dechrau ar eu hymgyrch. Mae grym

Cymru i gyd yn yr adeilad hwn."

Roedd y gosodiad hwnnw'n eithafol, meddyliodd Ana a theimlai ei bod yn crwydro oddi ar y llwybr. Nid dy fam wyt ti – clywodd rhywun yn dweud yn ddwfn yn ei hisymwybod.

Yn ôl y disgwyl dyma ddynes y ddesg groeso'n dweud: "Beth am y Senedd? Nage dyna fydde'r man cychwyn?"

"Mae hynny'n rhagweladwy," meddai Ana. "Gadewch i ni fodloni ar y ffaith eu bod nhw wedi dewis…"

"Pwy ydyn *nhw?*" meddai dynes y ddesg ymholiadau, rhwng tameidiau o'i hafal. "Ma hynny'n ddigon amlwg pan y'ch chi'n sôn am ymosodiad o'r Dwyrain ar y Gorllewin, neu fel arall – mae gennych ryw syniad. Ond i ymosod ar Gymru – pan nad yw Cymru'n fygythiad i neb arall – pwy fydden *nhw?*"

"Y Cymry eu hunain," atebodd dynes y ddesg groeso. Tonnodd y chwarddiadau o ddesg i ddesg.

Ochneidiodd Ana. Roedd hi'n dechrau colli gafael ar y sefyllfa. Rhaid iddi fynd 'nôl at y manion ymarferol; roedd yn rhaid cael pawb mas, dyna oedd y nod. Rhaid iddi lynu at y cynllun a rhoi dim byd mwy na chyfarwyddiadau moel iddyn nhw.

"Ry'n ni'n mynd i ymateb felly, fel petai 'na derfysg ar droed," meddai Ana, gan geisio gwneud yn siŵr fod ei thraed yn glynu'n dynn yn y gadair. "Ac mae'r drysau ffrynt ar gau. Mae cyfnod byr – rhyw bum munud, cyn i'r terfysgwyr dychmygol hynny lanio yn y stafell hon. Yn y cyfamser, wrth weithio fel tîm, ac fel torf unedig, mae digon o amser i ni i gyd allu sleifio allan o 'ma, trwy ddrws ochr. A dyna ry'n ni am ei wneud nawr. Os hoffech chi 'y nilyn i."

Llamodd oddi ar y gadair, a dyna pryd y clywodd rywun yn ebychu'n uchel.

"Does 'na ddim terfysg go iawn," meddai, gan geisio ysgafnhau ei llais. "Does dim angen i neb boeni. Fyddwn ni allan o'r adeilad ymhen dim."

Safai'r dorf a'u cegau ar agor. Roedd Ana'n ymwybodol fod y drws wedi agor, a rhywun wedi dod i mewn. Taerodd iddi weld mwstás marmor Syr John Williams, hyd yn oed, yn cynhyrfu.

Ma hi wedi canu arnon ni, meddyliodd Ana'n sydyn, gan ddychmygu Dan yng nghornel y stafell, neu'n waeth byth y Brif Lyfrgellwraig, wedi dychwelyd yn gynnar o'i hymweliad â Chaerdydd.

Ond nid dyna pwy oedd yno. Trodd ei phen a gweld fersiwn ohoni hi ei hun – yn camu i mewn i'r stafell gyda Gwelw, Haf a Petal. Cerddai Nan yn araf y tu ôl iddyn nhw, gan bwyntio gwn at ben Gwelw.

Ebychodd Ana hefyd, yr eiliad honno, gan edrych ar ei wats. Doedd hynny ddim yn rhan o'r cynllun. Ddim o gwbwl. Unwaith eto, roedd Nan wedi cyrraedd ddeuddeng munud ar ei hôl hi, ac mewn deuddeng munud roedd hi wedi troi'r cynllun wyneb i waered.

DAN

ROEDD DAN YN chwys oer erbyn hyn, a hwnnw'n batrymau blêr ar hyd ei grys. Gwelodd fod drws ffrynt y Llyfrgell ar glo – sylweddolodd gymaint â hynny, wedi sawl ymgais i geisio cerdded i mewn trwyddo, gan obeithio mai rhywbeth a greodd ei feddwl niwlog wedi'r mwgyn ydoedd, rhyw rith o ddrws nad oedd yn ddim byd ond aer a golau mewn gwirionedd. Ond na. Roedd y drws cloëdig yn rhywbeth real, rhywbeth oedd yn *bod,* roedd hynny'n ddigon amlwg iddo bellach, petai dim ond am y boen sicr a deimlai ar ei dalcen wrth hyrddio ei hun yn erbyn y pren. Trodd yn ôl, i wynebu'r maes parcio gwag, tawel, a gweld y môr yn wincio arno o'r pellter, yn ddirmygus. Roedd y môr wedi gweld yr hyn a ddigwyddasai; ei donnau aur yn diferu o gyfrinachau.

Roedd y mwg yn creu niwl yn ei feddwl, ac yn ei gwneud hi'n anos fyth i weld y sefyllfa'n eglur. Petai'n agor drysau ei ddychymyg (roedd pob dim yn ddrws erbyn hyn, naill ai'n gilagored neu'n glep ar gau), fe fyddai pob math o bethau anffodus yn ymddangos – gwelai fwystfilod tu ôl i'r drysau, a therfysgwr yn bygwth lladd pawb yn yr adeilad. Dechreuodd feddwl hyd yn oed mai ef ei hun oedd wedi cloi'r drysau, mewn munud anghofus wrth fynd am ei sbliff – cyn iddo gofio nad oedd y lleian fach ganddo mwyach, ond bod ei leian bwerus ganddi hi. Ac er nad oedd e am gydnabod hynny, roedd yn rhaid, drwy reswm, fod drws pob drygioni yn arwain ati *hi,* a neb arall (a phob un ohonyn nhw ynghlo). Nid ei fai e oedd hyn. Roedd hi wedi ei gloi allan o'r adeilad yn gwbwl fwriadol. Rhaid ei bod hi'n ceisio dweud rhywbeth wrtho, trwy gyfrwng y drws caeedig. Roedd e wedi hen arfer â drysau'n cau yn ei wyneb.

Ond yna digwyddodd rhywbeth. Agorodd drws yn ei ben. Drws a ddwedodd wrtho am chwilio am ddrysau eraill, am ffenestri, am unrhyw ofod posib a allai ganiatáu iddo wasgu ei hun yn ôl i mewn i'r adeilad. Yn sydyn iawn, doedd 'na ddim byd pwysicach iddo na chwilio am yr un agoriad hwnnw. Er gwaetha'r ffaith ei fod yn casáu ei swydd, yn casáu ei fywyd, ac yntau nawr, yn sigledig ar ei draed, a'r drysau oll ynghau, doedd dim byd yn bwysicach na chamu'n ôl i mewn i'w fywyd. Roedd pob annifyrrwch a fu'n gysylltiedig â'i swydd wedi toddi'n ddim – yn sydyn, yn ei absenoldeb, hon oedd y swydd orau erioed, ac ysai'r eiliad honno am allu profi ei hun fel gwarchodwr gwacter, fel archofalwr y dim byd mawr.

Aeth i sbecian drwy ffenestri bychain y cantîn. Wrth edrych ar ei wats a gweld ei bod hi'n un ar ddeg, roedd e'n synnu o weld fod y cantîn yn gwbwl wag. Disgleiriai'r gofod lliwgar hwnnw'n llawn o'r bwydydd hynny a âi â bryd pob llyfrgellydd boliog, ond doedd neb yno i'w hawlio. Teimlodd Dan rywbeth yn cyniwair yn ei stumog yntau, erbyn hyn – awch newydd am fwyd. Gwasgodd ei wyneb yn agosach eto at y gwydr gan lafoerio ryw fymryn dros gynnwys y rheseidiau siwgrllyd o bethau doedd neb angen eu bwyta, ond byddai pawb yn eu stwffio p'run bynnag, a'r siwgr hwnnw'n ychwanegu croen morlo dan eu siwtiau a dyfai flwyddyn ar ôl blwyddyn fel na fydden nhw'n adnabod eu hwynebau eu hunain yn y drych ymhen degawd.

Ychydig uwchben y bwyd, pwysai Dora, y brif gogyddes. Roedd ei chorff fel amgueddfa o fwydydd y gorffennol, a phob un pryd a fwytaodd hi erioed wedi dal ei dir yn ei chnawd; yn parhau i gynnal arddangosfa rhwng gên a gwasg. Yno hefyd roedd Cenfyn, ei chynorthwyydd bum troedfedd nad oedd yn edrych yn hŷn na deuddeg (er ei fod yn ôl pawb, o leiaf yn ddwy ar hugain), yn plygu yn erbyn y cownter segur, ei wallt albinaidd fel talp o hufen iâ ar ei ben. Cnociodd Dan yn ffyrnig ar y ffenest. Fe allen nhw ei adael i mewn, siawns, drwy ddrws cefn y cantîn. Fe ddylen nhw, roedd yn ddyletswydd arnyn nhw. Yr unig broblem oedd bod Dora'n fyddar fel postyn. Ddwywaith yn olynol roedd wedi gofyn iddi am gacen ond tatws stwnsh gafodd e ar ei blât. Cenfyn oedd ei unig obaith, felly. Daliodd Cenfyn ei lygaid am ennyd, ac amneidiodd Dan tuag at y drws. Cododd Cenfyn ddau fys arno, a cherdded oddi yno, yn chwip o wallt lloerig. Cofiodd Dan yn sydyn i Cenfyn ei glywed yn ddiweddar yn ei alw, mewn sgwrs ag un o'r porthorion, 'yn hen fwbach mewn napi'. Roedd y drws hwnnw ar glo iddo hefyd, felly.

Aeth at ddrws ochr y cantîn a chnocio unwaith eto. Ddaeth neb. Dechreuodd gicio'r drws â'i holl nerth, nes iddo wneud marc bach yn y pren, a marc hyd yn oed yn fwy ar ei esgid. Yn sydyn, llamodd y drws ar agor. Edrychai'r Cenfyn blin o'i flaen y foment honno fel rhyw fath o angel a'r golau'n diferu o'i gysgod. Sylweddolodd Dan ei fod yn dal yn chwil beipen o ganlyniad i'r mwgyn a gawsai ynghynt.

"Beth ffyc ti'n meddwl ti'n neud?" ebe Cenfyn yn ei lais gwichlyd. "Ti 'di neud marc ar y drws. Gobitho bo ti'n bwriadu talu am hwnna, gw'boi."

"Ma rhaid i fi ddod 'nôl i mewn," meddai Dan, gan geisio gwthio heibio iddo. Fe'i synnwyd gan nerth y corff bychan a'i wthiodd yn ôl.

"Chei di ddim," meddai Cenfyn, gan gydio mewn brwsh

i'w ddefnyddio fel arf ychwanegol. *Efallai'n wir 'mod i wedi marw,* meddyliodd Dan yn sydyn, ac mai dyma'r corrach sydd yn gwarchod gatiau uffern. Po fwyaf yr edrychai ar Cenfyn, mwyaf yn y byd y sylwai ar nodweddion isfydaidd, rhyfedd. Ai cyrn oedd ar ochr ei ben, neu glustdlysau?

"Paid jyst â sefyll 'na fel slej, 'nei di, jyst gwed wrtha i be ffyc ti'n moyn! Sgraps? Odi 'ddi mor llwm â 'ny arnot ti?"

"Fi'n moyn dod i mewn," meddai eto, ac am ryw reswm anesboniadwy, wnaeth e ddim trio gwthio heibio'r tro hwn. Roedd ei feddwl bellach yn credu fod rhyw bŵer gan Cenfyn, fod trothwy'r drws yn gwbwl sanctaidd, ac na fyddai modd mynd gam ymhellach nes bod Cenfyn yn rhoi ei fendith iddo. Yn y cefndir, clywai Dora'n hymian yn isel ac yn ddi-diwn, a holl arogleuon bendigedig y danteithion nas bwytawyd yn cael eu llyncu gan aer y gaeaf.

"Dim ond staff sy'n cael dod i mewn ffor hyn," meddai Cenfyn yn ffyrnig.

"Dwi *yn* staff," meddai Dan yn bwdlyd.

"Ddim yn staff y gegin, ti ddim."

"Drycha 'ma gw'boi, ry'n ni'n dou ar yr un lefel fan hyn, reit – sdim rheswm 'da un ohonon ni i fod yn hoiti-toiti," meddai, gan ddechrau colli ei amynedd.

"'So ti ar yr un lefel â fi, gw'boi,' ebe Cenfyn drwy ei ddannedd. "Ma 'da fi dystysgrif Seneddol mewn coginio, a dwi 'di bod ar y teledu, a dwyt ti ddim."

"Cenfyn, y'n ni yng Nghymru – *callia* – ma *rhywun* yn gallu bod ar y teli,' meddai gan biffian chwerthin.

"O leia dwi'n onest – dwi ddim jyst 'di landio 'ma trwy drugaredd rhyw lys barn – slipo i mewn drwy'r drws cefen fel 'nest ti," ebychodd Cenfyn yn sbeitlyd.

"Ie, wel – yn gwmws. Man a man i ti adael i fi slipo i mewn drwy'r drws cefen nawr 'te."

"Ddim nes dy fod ti'n gwisgo'r menig glendid," meddai Cenfyn, a gwên yn goleuo'i wyneb.

"Paid â bod yn sili, Cenfyn, 'sa i 'ma i drafod bwyd, ydw i?"

"Iechyd a diogelwch, rheol 668," meddai Cenfyn, gan estyn pâr o fenig rwber iddo. "Sneb yn cael dod i mewn heb 'u gwisgo nhw. Fydde'r Brif Lyfrgellwraig ddim yn gadael neb i mewn i'r archifau heb wisgo'r menig gwynion 'na, nawr, fyse hi? *Rheole.*"

Syllodd Dan ar y bwndel plastig yn nwylo Cenfyn. Cydiodd yn bwdlyd ynddo a gwthio'i ddwylo i'r tyllau gwichlyd. Edrychai ei fysedd fel selsig sgleiniog.

"Alla i ddod mewn nawr 'te?" Chwifiodd Dan ei ddwylo plastig yn yr aer.

"Na," meddai Cenfyn, gan chwerthin, a dechrau cau'r drws drachefn. Collodd Dan ei dymer. Gwthiodd heibio iddo, aeth y ddau ohonyn nhw'n un cawdel mawr o gymalau ar stepen y drws.

"Hei hei hei!" meddai llais yn sydyn tu ôl iddyn nhw. "Beth sy'n mynd mlân fan hyn? Gad e i fod, 'nei di. Rhag dy gywilydd di!"

Fe'i gwthiwyd e'n ôl nes ei fod ar ei gefn ar lawr. Roedd breichiau Dora amdano fel dau foncyff garw. Cododd Dan ar ei eistedd. Gwelodd Cenfyn yn gwenu'n faleisus arno, gyda Dora fel rhyw fam dylwythen deg yn ei warchod, a'i ffedog dros ei hysgwydd fel cnu amddiffynnol.

"Paid ti â meiddio ymosod arno fe 'to, ti'n clywed? Rhag dy gywilydd di! Riff raff y'ch chi'r porthorion i gyd, ry'n ni i gyd yn gwbod 'na. Bant â ti."

"Arhoswch," meddai Dan, mewn llais bach. Roedd Dora wedi'i fwrw oddi ar ei echel, ac wedi gwasgu pob anadl ohono. "Ma 'da fi broblem gyda'r drws ffrynt. Dwi angen dod mewn ffor 'ma."

"Ble wyt ti'n gweud ma pawb 'te?' meddai Dora, gan feddalu'n sydyn. "Achos, smo ni 'di clywed smic wrth neb ers y cyhoeddiad diogelwch 'na. Wyt ti'n meddwl mai 'na ble ma nhw i gyd? Ma'r trydan 'di mynd bant ers hanner awr. Shwd odw i fod i goginio cinio, gwed, heb drydan? Lwcus bo fi 'di neud y pice ar y maen 'ma cyn y cyhoeddiad, ontefe?"

"Pa gyhoeddiad?" meddai Dan, gan godi ei ben drachefn. Oedd 'na ymarfer diogelwch i fod? Unwaith eto, roedd e naill ai wedi anghofio pob dim am rywbeth y dylai wybod amdano, neu roedd rhywbeth mawr o'i le. Meddyliodd am y sgriniau diogelwch yn dal i fflachio mewn stafell yng Nghaerdydd. Oedd yr Archborthor wedi trefnu ymarfer diogelwch er mwyn ei ddal?

"Da'th cyhoeddiad fod pawb i ymgynnull yn yr Ystafell Ddarllen," meddai Dora.

"Pam ry'ch chi'n dal fan hyn 'te?" gofynnodd. Erbyn hyn roedd Cenfyn wedi camu ychydig y tu ôl i Dora, fel petai e'n synhwyro fod y cryfder yn dechrau dod 'nôl i ddwylo Dan.

"Ow! Smo ni byth yn mynd i bethe fel 'na, odyn ni Cen?" meddai hi wrth ei chysgod pum troedfedd. "Pan ma nhw'n cyhoeddi pethe fel 'na, wel smo nhw wir wedi cael eu creu ar 'yn cyfer ni, odyn nhw. Ma nhw fwy ar gyfer y bobl bwysig, y bobl fydde nhw isie achub eu bywyde nhw tase 'na ryw fath o argyfwng, y bobl sy isie achub eu hunain. Fel y Brif Lyfrgellwraig."

"Dyw'r Brif Lyfrgellwraig ddim 'ma," meddai Dan, er ei fod e'n dechrau ofni nad oedd hynny'n wir. Efallai mai un tric mawr oedd hyn, gyda Dora a Cenfyn yn chwarae eu rhannau'n berffaith.

"Nadi, 'wy'n gwbod," meddai Dora, "pwy erioed glywodd am ymarfer diogelwch pan ma hanner staff y lle bant, gwed?"

"Ond Dora," meddai, gan gamu'n nes ac yn nes at y drws, "fyddech chi ddim isie achub 'ych hunan? Ma hawl gyda chi gael 'ych achub fel pawb arall. Fel porthor," meddai, gan feddwl mai'r syniad gore ar yr eiliad hon oedd seboni, "fydden i byth yn meddwl gwahaniaethu rhyngoch chi a'r Brif Lyfrgellwraig. Yr un yw pawb yn llygaid y porthor, a bywyd pawb mor bwysig â'i gilydd. Rheol 865 yn y llawlyfr."

"Ow na... ma rhai bywydau, t'weld, smo nhw'n werth eu hachub. Fydde'n well i rywun fel fi jyst neud yr hyn allen i i helpu. Pe bydde rhywbeth yn digwydd mewn lle mowr fel hyn, wel siawns na fydde pawb yn dal isie rhyw rôl gaws neu rywbeth – fydde rhaid i rywun fwydo'r rheiny sy ar fin marw, achos dyw'r pethe 'ma ddim jyst yn digwydd ar unwaith, odyn nhw. Jyst fel pan ath y *Titanic* i lawr, rodd isie rhywun i ddal i chwarae'r miwsig pert 'na, ac i rywun gredu na fydde'r diwedd byth yn dod."

Daeth rhyw lanw bychan i lygaid Dora, a gwelodd Dan ei gyfle. Roedd wedi dechrau sobri digon erbyn hyn i weld mai dau beth yn unig oedd yn sefyll rhyngddo fe a mynediad i'r Llyfrgell – hen wraig wallgo a ffigwr cartŵn bum troedfedd. A chan gydnabod y sefyllfa o'i flaen am yr hyn ydoedd, o'r diwedd, cerddodd yn syth heibio i'r ddau ac i mewn i'r gegin, er mwyn dechrau ar y gorchwyl o agor un drws yn unig: drws y dirgelwch mawr.

EBEN

ERBYN HYN ROEDD e wedi dechrau colli amynedd, ac wedi llamu mlaen at 2013. Roedd e eisiau gweld drosto'i hun y prosesau emosiynol honedig a oedd wedi arwain at ei hunanladdiad. Prin y gallai'r fath brosesau fod mor uniongyrchol ag yr honnai pawb, a phrin mai dim ond ef ei hun a achosodd ei hiselder. Doedd y peth ddim yn dal dŵr, rywsut, ac roedd am ddadansoddi'r myfyrdodau hyn drosto'i hunan. Dyna lle roedden nhw, mewn du a gwyn:

Daeth copi o'r Byd *i'm blwch e-bost heddiw, dyma minnau'n sgrolio i lawr, yn ôl fy arfer, i'r dudalen olaf i weld yr adolygiadau. Beth oedd yno, yn hytrach na'r clwstwr o adolygiadau byr, arferol, oedd un adolygiad hir am* Miriwen yn fy Meddwl, *gan Eben Prydderch. Fe'm rhybuddiwyd gan fy nghyhoeddwr am hyn. Dwi wedi'i weld e mewn sawl darlleniad. Mae e'n eistedd yn y blaen, yn pigo'i drwyn, a'i fol yn gorlifo dros ei drowsus, yn esgus ei fod e'n sengl ac yn hapus, ond ry'n ni i gyd yn gwbod ei fod yn hoyw ac yn yfed sieri coginio rhad bob nos am ei fod e mor unig. Fe fydd e'n gofyn cwestiynau chwithig am foesau'r cymeriadau – gan gymryd mai fi yw pob un cymeriad yn fy nofelau, mai fi sydd i'w feio am bob dim a ddigwydd iddyn nhw – fy mod yn tra-arglwyddiaethu drostynt, neu ryw nonsens felly. Ef yw un o'r dynion hynny sydd yn gwrthwynebu'r ffaith imi ymwrthod â dynion yn llwyr, ac felly bydd e'n honni fod* Miriwen *yn wan. Mae Miriwen i fod yn gwbwl wan, dywedaf wrtho – dyna pam mae Miriwen yn bod yn y meddwl yn unig. Cyn diwedd y darlleniad fe fydd, heb os, wedi gadael y stafell, ac*

fe fydd rhyddhad mawr yn llenwi'r stafell, cyn i bawb ddechrau
edrych ar ei gilydd, a chwerthin yn uchel.

Oedodd Eben uwchben y geiriau hynny, gan deimlo'r gic
yn siarp yn ei ben-ôl. Doedd e ddim yn cofio dweud hynny.
Doedd e'n sicr ddim yn cofio pigo'i drwyn. Ac roedd e'n
gadael i fynd i'r tŷ bach, yn amlach na pheidio, oherwydd y
bledren wan 'ma oedd ganddo. Roedd yn gas ganddo sieri
o bob math, hefyd; cognac oedd ei leddfwr unigrwydd e.
Teimlai fel mynd â beiro coch dros y sylwadau a sgwennu ei
fersiwn ei hun o'r digwyddiad. Ond rhywbeth o'r gorffennol
pell oedd beiro coch – dim ond mewn rhithffurf roedd y
fath beth yn bodoli bellach, yng nghornel y sgrin. A doedd
gan feiro coch rhithiol ddim yr un grym, rywsut.

"Roeddet ti'n siarad trwy dy het y nosweth honno, ta
beth," meddai yntau wrth y llun yng nghornel y stafell. "Pwy
o't ti'n meddwl o't ti'n defnyddio rhyw enwau gwneud
fel Miriwen, ta beth?" Chlywodd e erioed y ffasiwn enw.
Mae'n debyg ei fod e'n gyfuniad o Miriam a Lynwen, dwy
fenyw y cafodd hi berthynas â nhw yn ei dyddiau coleg. Yn
waeth na hynny, roedd yr enw wedi cydio, wedi dechrau
troi'n enw poblogaidd ymysg y Cymry ifanc. Roedd e
eisoes wedi clywed am Miriwen Evans, Miriwen Llywarch,
Awel Miriwen Aur ap Rhobert; nhw oedd Demis a Kylies y
Gymru gyfoes. "O, ac mi rwyt ti'n un da i siarad, on'd wyt
ti, *Eben,*" meddai llygaid Elena o gornel y stafell.

Meddyliodd yn sydyn am Eben Fardd, am yr hyfdra o
dorri enw fel Ebeneser yn ei hanner fel 'na. Ond doedd hyd
yn oed Eben Fardd ddim wedi ceisio creu rhyw enw hanner
call a dwl allan o enw rhywun arall. Doedd e ddim wedi trio
ail-greu ei hun fel Ebenydd, Ebenon, Ebenysteg. Roedd
Eben Fardd yn gwybod sut i greu enw urddasol iddo ef ei
hun, enw a oedd yn creu ei synnwyr ei hun, enw a oedd

yn llwyddo, enw a oedd yn *llifo*. Doedd 'na ddim llif yn perthyn i Miriwen. 'Mond Elena Wdig allai fod wedi'i greu. Cofiodd yn sydyn mai dyna pam y gadawodd y darlleniad yn gynnar. Am fod yr enw ei hun yn gwneud iddo deimlo'n sâl.

Aeth ati i ddarllen yr hyn oedd ganddi i'w ddweud am ei adolygiad. Doedd hi ddim wedi'i phrintio y tro hwn – fel y gwnâi gyda'r adolygiadau da – ond yn hytrach wedi adolygu'r adolygiad, yn ei ffordd bigog ei hun.

Mae'n amlwg fod Eben Prydderch wedi penderfynu o'r cychwyn cyntaf nad oedd am fwynhau Miriwen yn fy Meddwl, a bod ganddo agenda. Yn un peth, mae e'n ffrindiau gyda'r ionc yna, Ffrancon Emlyn, nad yw erioed wedi ysgrifennu unrhyw beth o werth yn ei fywyd, ond sydd nawr, drwy ryfedd wyrth a sawl gwydraid o wisgi yng nghwmni'r frawdoliaeth, wedi cael ei benodi'n rheolwr-gyfarwyddwr e-bapur Y Byd. *Ond, yn fwy na hynny, mae'n debyg fod Eben P yn gyw nofelydd, felly mae hyd yn oed fwy o reswm ganddo i gasáu unrhyw un sy'n cael ei dderbyn gan y sefydliad fel nofelydd o werth. Yn ei farn e, roedd Miriwen yn fy Meddwl yn 'orlenyddol', ac yn 'ddogma wedi'i gorchuddio mewn dillad dafad', yn 'ymgais aflwyddiannus i briodi'r oes ffeministaidd a'r oes ôl-ffeministaidd' ac ar wahân i hynny yn rhyw 'romp aflednais gyda gormod o athronyddu'. Honna hefyd y buasai'n fiolegol amhosib i unrhyw ddyn ysu am fod yn ferch – menywod sy'n ysu am gael bod yn ddynion, medde fe, ac nid yw'r nofel wedi deall y cymhelliad hwnnw. Ond dwyn fy ngeirie i mae e'n 'i wneud fan 'na, gan i mi fy hunan ddweud mewn cyfweliad, wedi genedigaeth yr efeilliaid, a hynny'n chwareus, mod i wedi cyflawni'r 'biolegol amhosibl' drwy eni dwy o ferched heb ymyrraeth dyn, a chan gadw fy hun yn bur, yn wyryf, fel y Forwyn Fair. Dyna sy'n ei gorddi go iawn – mae pawb yn gwybod hynny. Neu... pwy a ŵyr – efallai mai ei had e a ddefnyddiwyd yn y clinic y diwrnod hwnnw!*

Doedd Eben ddim yn meddwl fod hynny'n ddoniol. Cofiodd iddo gael ei arswydo gan y ffaith fod Elena wedi beichiogi tua blwyddyn ar ôl iddo gyfrannu ei had i'r clinic lleol. Llanc ifanc, deunaw oed oedd Eben bryd hynny, a chafodd ei orfodi i wneud hynny gan ei fam, o bawb. Roedd e'n unig blentyn, a'i dad newydd farw'n ddisymwth, ac roedd ei fam wedi mynd i banig dwl, yn pallu gadael iddo fynd mas o'r tŷ rhag ofn i rywbeth ddigwydd iddo. Yn y pen draw, cytunodd y câi adael cartref a mynd i'r coleg, ond dim ond ar ôl iddo gymryd y camau angenrheidiol i sicrhau ei barhad. Dyna oedd yn gyfrifol am y trip i'r clinic. "Fel hyn," meddai, "os digwyddith rhwbeth i ti, o leia bydda i'n gwbod bod siawns 'da fi o gael Eben bach arall."

Bob tro byddai Eben yn gweld cip o'r efeilliaid yn rhywle, ni allai osgoi peidio ag edrych am nodweddion tebyg i'w rhai e. Ond hyd yma doedd e ddim wedi sylwi ar ddim byd. Yn ei dyb ef, roedd eu nodweddion yn edrych yn debycach i rai Ffrancon.

Aeth Eben ati i ddarllen. Parhâi Elena i ymosod ar ei ymosodiad ef:

Wedyn, mae'n mynd ymlaen i nodi pob un o anghysonderau Miriwen mewn modd cwbwl arwynebol, ac anneallus: ni fyddai rhywun fel Miriwen yn gwisgo 'ffrog laes' mewn protest wleidyddol; ni fyddai rhywun fel Miriwen yn dewis mynd gyda merch o'i gwirfodd; ni fyddai Miriwen yn debygol o siarad â'r fath huodledd ar ddiwedd y nofel a hithau wedi bod yn gymaint o lygoden fach cyhyd (ymddengys nad yw Eben Prydderch cweit yn deall pa mor hanfodol yw datblygiad cymeriad mewn nofel) ac, ar ben hynny, mae e'n barnu fod y nofel hon o leiaf 60,000 o eiriau yn rhy hir (a 70,000 o eiriau yw hyd y nofel!) Wedi iddo orffen fy llusgo drwy'r mwd, gerfydd fy ngwallt, yn fy ffrog laes orau, wedyn mae e'n ddigon hael i nodi y gallwn, serch hynny, ymfalchïo fod

gennym, yn ein plith, awdur 'diddorol' dros ben. A thrwy'r holl
adolygiad – dyw e ddim unwaith yn crybwyll nad yw Miriwen yn
bod o gwbwl, mai rhith yn nychymyg Malcolm, y prif gymeriad
ydyw. Fe fyddech chi'n meddwl y byddai teitl y nofel yn ddigon
o gliw iddo!

Trawodd Eben ei ben yn erbyn y ddesg. Roedd e'n
cofio'n rhy dda am y toreth o ymatebion a gafwyd i'r
adolygiad yn tanlinellu ei dwpdra nad oedd cweit wedi
'deall' y nofel hon. Cofiai iddo'i sgwennu ar ôl iddo hanner
sgimio'r cynnwys, wedi iddo glywed sibrydion Ffrancon
Emlyn nad oedd hi'n nofel o werth. Addawodd Ffrancon y
buasai'n prynu het iddo – yr un ffunud â'i het e – os âi ati i
ymosod yn giaidd ar Elena Wdig yn gyhoeddus. Ac roedd
Ffrancon wedi gwneud ffŵl ohono drwy ei annog i wneud
hynny, drwy wneud iddo ymhél â phwnc nad oedd yn ei
ddeall – a chafodd e fyth mo'r het, chwaith.

Ochneidiodd Eben unwaith eto. Doedd hi ddim wedi'i
gamddyfynnu, fel y disgwyliai iddi wneud, ond roedd 'na
rywbeth yn nhôn ei llais o ganlyniad i'r adolygiad hwnnw'n
oeraidd, bron. Doedd hi ddim fel petai hi wedi'i brifo,
chwaith, fel yr honnai pawb – roedd yr adolygiad fel petai
wedi bownsio oddi arni heb drafferth yn y byd. Roedd e'n
cofio darllen *Miriwen yn fy Meddwl* am yr eildro wedi iddo
gael ei lambastio, ac yn cofio iddo gael ei hudo gan Miriwen,
ei chyffwrdd gymaint ganddi nes iddo orfod stopio darllen
sawl gwaith er mwyn cyffwrdd ag ef ei hun. "Alla i ddim
bod yn hoyw, felly, na alla!" meddyliodd yn chwyrn, gan
gau'r llyfr yn glep, a thaflu'r dyddiadur o'r neilltu.

Ond fe fyddai Elena wedi dadlau mai Malcolm oedd ar
ei feddwl. Meddyliodd am y cymeriad hwnnw, y Malcolm
addfwyn, hynaws, a oedd yn diosg ei ddillad bob nos er
mwyn cael bod yn Miriwen. Aeth draw at y silff lyfrau

ym mhen draw'r stafell a chodi copi ohoni. Eto, daeth y wefr amheuthun drosto fod modd teimlo llyfr go iawn yn ei ddwylo, wrth iddo gyffwrdd ym mhigiadau bychain a phleserus y meingefn. *Typical mai ti fyddai awdur un o'r llyfrau go iawn olaf*, meddai, gan edrych ar ei lun yn gwgu'n sbeitlyd arno o'i wely papur. Darllenodd y paragraff cyntaf.

Bob nos fe fydd Miriwen yn dod ataf. Yn sleifio dan gynfasau, yn cyffwrdd fy nghnawd yn ysgafn, ysgafn nes bydd hwnnw'n binnau mân. Fe fyddaf yn cydio ynddi, yn ei chodi uwch fy mhen a gwylio rhythmau ei bronnau'n dawnsio uwchben fy nghorff. Ond fydda i ddim yn ei chyffwrdd, ddim ar unwaith. Dim ond gwylio. Gwylio'r ddawns sidan, a'r dillad yn nadreddu i'r llawr, bilyn wrth bilyn, yn bentwr gwyn. Ac yna, pan fydd pob dim wedi'i ddiosg, a dim byd ond y nos rhyngom ni'n dau, dyna pryd y byddwn ni'n uno, go iawn.

Hyd yn oed nawr, roedd Eben yn cydnabod clyfrwch y nofel. Yn y tudalennau cyntaf, cafwyd yr olygfa garu fwyaf tanbaid a honno'n mesmereiddio'r darllenydd, cyn dilyn hynt a helynt y ddau. Ac yna, roedd Miriwen yn diflannu. Roeddech chi'n sylweddoli mai dim ond Malcolm oedd yno, yn ymbleseru o flaen y drych, mewn dillad menyw, a'r minlliw mwyaf aflednais wedi dechrau staenio'r drych, lle y bu'n sefyll am yn hir, yn cusanu ei hun. Ac ym mhob pennod a'i dilynodd, gwelid Miriwen yn dod yn rhan o'i ymwybod fwyfwy, fel nad oedd yn siŵr ai Miriwen ydoedd ai peidio. Caeodd y llyfr yn glep. Roedd y fath beth yn dal i droi ei stumog. Elena, yn meddwl ei bod hi'n glyfar. Elena, yn trio meddwl fel dyn ac fel dynes ar yr un pryd.

Aeth at y sgrin yng nghornel y stafell. Penderfynodd wastraffu amser ar y we drwy logio ymlaen i fforwm trafod *Bardd Cas*. Bob diwrnod fe fyddai 'na lith wahanol yn dod o du cefnogwyr Elena yn dweud rhywbeth cwbl giaidd amdano, ac roedd hi'n obsesiwn ganddo i weld beth gâi ei ddweud amdano a gan bwy. Aeth ati i chwilio am y sylwadau diweddaraf. Cliciodd ar yr edefyn oedd yn dwyn ei enw, neu amrywiad ar ei enw, ta beth – teitl hynod ffraeth yr edefyn oedd 'Eben "Neb" Prydderch'. Cofiodd y sylwadau diwethaf a wnaed, gan ffeminydd hanner pan o Lanrhystud, (neu dyna ble roedd hi'n esgus byw, ta beth – Tina Tanllyd o Lanrhystud 67 oedd ei chyfrin-enw), sef bod: *bwriad diweddar Eben Prydderch i gyhoeddi cofiant Elena Wdig yn sarhad ar y genedl, ac ar y gymuned ffeministaidd ledled y byd. Os caiff y fath e-lyfr fyth ei gyhoeddi, bydd yn rhaid i ni fynd â'n bwyelli a dinistrio pob e-ddarllenydd sy'n ei ddal yn y fan a'r lle, tynnu'r gwifrau ohonyn nhw, a'i stwffio trwy flwch post Eben Prydderch yn ddarnau mân. Dyna'r hyn a wnaeth e i Elena, wedi'r cyfan, tynnu ei pherfedd hi gyda'i eiriau anwybodus.* Gwenodd Eben. Cofiodd feddwl ar y pryd ei fod e'n 'rhywun' wedi'r cyfan, os gallai ennyn y fath gynddaredd. Islaw'r sylwadau hyn roedd rhywun yn dwyn y cyfrin-enw Meagre Valise wedi sgwennu: *rheitiach o lawer fyddai iddo fynd i sgwennu am ddiflaniad ei gyd-persona-non-grata, Eben Fardd! Oes rhywun yn gwybod rhywbeth am hanes hwnnw? Dwi'n ymchwilio i feirdd y 19eg ganrif ac alla i ddim ffeindio unrhyw gofnod amdano o gwbwl. Hyd yn oed yn y Llyfrgell Gen! Byddwn i'n werthfawrogol petai rhywun yn gallu fy helpu!* Cofiodd Eben mai'r ymateb nesaf oedd: *Pwy?* gan rywun yn dwyn y cyfrin-enw Rêl-Rosser99.

A'r *Pwy?* hwnnw oedd yn dal i fod yno ar y sgrin o'i flaen, gyda neb wedi ymateb i'r edefyn ers pythefnos bellach. Tyrrai edefynnau eraill mwy diddorol uwch ei ben, ac roedd e bron â diflannu o'r sgrin yn gyfan gwbl. Un diwrnod arall ac fe fyddai'r edefyn hwnnw'n disgyn i ebargofiant y we am byth, ac fe fyddai Eben yn neb go iawn, drachefn. Dawnsiodd bysedd Eben yn yr aer uwchben yr allweddellau. Fel arfer, pan ddigwyddai hyn, fe fyddai'n ategu rhywbeth at ei edefyn ei hun, â'i gyfrin-enw Miriwen 2020 (er mwyn iddo gael ymddangos fel un o'r ffeministiaid, ond un a oedd yn llawer mwy craff a goddefol), fel y câi'r edefyn hwnnw neidio i dop y sgrin drachefn. Ond doedd e ddim yn siŵr iawn sut i ymateb i'r sylw diweddaraf, gan nad sylw ydoedd, ond cwestiwn. *Pwy?* Pwy yn wir, meddyliodd, gan benderfynu clicio 'nôl at sgrin chwilio'r Llyfrgell.

Er ei fod yn gwybod fod ei chwilio'n ofer, teipiodd enw Eben Fardd i mewn unwaith eto. Yr un ymateb a gafwyd: llais y Brif Lyfrgellwraig yn dod o'r cyfrifiadur yn dweud wrtho na chafwyd unrhyw gofnodion. Ac yna'n dweud wrtho, mewn tôn nawddoglyd ddigon, i edrych dros ei sillafiad o'r gair, neu geisio defnyddio termau, cyfystyron neu gyfieithiadau mwy cyffredinol. Ac yn anad dim, fe'i siarsiwyd i gofio, mewn llais diamynedd, nad oedd popeth ar gael yng nghatalog y Llyfrgell, ac y dylai droi at gronfeydd data eraill Llyfrgell Genedlaethol Cymru, neu ddefnyddio'r chwiliad allanol er mwyn chwilio drwy gatalogau llyfrgelloedd ac archifau eraill.

Ochneidiodd Eben. Cofiodd iddo wneud hyn droeon, a'r un oedd yr ymateb wrth ddefnyddio'r chwiliad allanol. *Ni chafwyd unrhyw gofnodion.* Ond roedd e'n byw mewn gobaith y byddai 'na rywbeth yn ymddangos rhyw ddiwrnod, ac felly teipiodd yr enw i mewn unwaith eto, gan gau ei lygaid y tro hwn, fel petai hynny'n debygol o ddod â lwc iddo. *Golau arall yw tywyllwch,* meddyliodd.

Agorodd ei lygaid yn ara deg. Er mawr syndod iddo, ni ddaeth llais o'r peiriant y tro hwn, a gwelodd ei fod wedi glanio ar dudalen wahanol. Tudalen wen, blaen, ac iddi logo'r Senedd yn y cornel. Yng nghanol y sgrin, roedd bocs deialog yn fflachio. Roedd hwnnw'n gofyn am gyfrinair a chod awdurdodi. Ac yna, mewn print mân ar y gwaelod, gwelodd y cwestiwn: *Oes gennych chi awdurdod i agor y ffeiliau hyn? Rhaid i'r weithred hon gael ei hawdurdodi gan Aelod Seneddol.*

Rhythodd Eben ar y sgrin. Doedd e ddim yn deall y peth. Un munud roedd e'n chwilio am y di-nod Eben Fardd a'r funud nesaf roedd e ar drothwy rhyw ffeiliau cyfrinachol. Ac yna gwelodd beth roedd wedi'i deipio i mewn i'r sgrin. Â'i lygaid ar gau, roedd e wedi teipio nid Eben Fardd ond Eneb Draff. A dyna deitl y sgrin hon hefyd: E–NEB, Ffeil Ddrafft.

Triodd ei lwc. Teipiodd glwstwr o rifau ar y sgrin yn gwbwl fympwyol. Fel cyfrinair, defnyddiodd Eben Fardd, wrth gwrs, gan obeithio y byddai 'na arwyddocâd i'w enw o'r diwedd. Ond fflachiodd y sgrin yn goch wedi iddo wneud hyn, a dechreuodd larwm seinio ohoni. Cliciodd Eben ar bob botwm posib i geisio gwneud i'r sgrin dewi, ond doedd dim yn tycio. Roedd y sain yn fyddarol, a llais y Brif Lyfrgellwraig yn ailadrodd yn fygythiol: *Rydych yn ceisio tresmasu ar ddogfennau Seneddol, mae hyn yn drosedd. Nid ydych wedi eich awdurdodi i wneud hyn. Rydych yn ceisio tresmasu ar ddogfennau Seneddol, mae hyn yn drosedd. Nid ydych wedi eich awdurdodi i wneud hyn.* Aeth Eben i banig, roedd e'n teimlo'n sâl. Gorweddodd ar y llawr pren caled gan geisio anwybyddu'r sŵn, er ei fod erbyn hyn yn boddi'r stafell. Dyna pryd y gwelodd fod plwg y cyfrifiadur nid nepell oddi wrtho. Estynnodd amdano, a'i dynnu'n ffyrnig allan o'r soced. Ddigwyddodd dim byd. Parhâi'r llais. Roedd y cyfrifiadur yn rhedeg ar fatri. Ond ymhen dwy funud, bu'r llais a'r batri farw'n ddisymwth yn yr aer, ac aeth y lle'n gwbwl ddistaw.

Dyna pryd y sylweddolodd Eben ei fod wedi rhoi taw

ar yr unig beth a allai dynnu sylw ato, wedi lladd ei unig obaith.

E-neb. Atseiniai'r gair yn ei glustiau, fel cyfrinach.

ANA A NAN

AN I NAN wyrdroi'r cynllun, doedd dim dewis gan
Ana ond mynd i nôl ei gwn hithau, hefyd. Fe gytunon
nhw'r noson cynt mai rhywbeth i'w ddefnyddio mewn
argyfwng oedd y gynnau, ac roedd Ana'n methu credu ei
bod hi wedi troi'n argyfwng arnynt yn barod. Roedd y dorf
yn gwbwl fud o'u blaen. Ond anodd trystio tyrfa fud. Efallai
fod y stafell yn dawel ond roedd pob un â'i feddyliau'n
orlawn o gerddorfeydd swnllyd. Pob un yn meddwl am
ffyrdd o ddianc. Ac er nad oedd hi'n bosib iddyn nhw
ddianc i ryddid yr awyr iach tu allan, roedd hi'n berffaith
amlwg fod 'na ffyrdd i rywun ddianc o'r Ystafell Ddarllen
hon pe bai'n ddigon cyflym, ac yn ddigon cyfrwys, felly
roedd angen gwneud yn siŵr fod pawb yn aros yn union lle
roedden nhw. Dyna pam roedd angen gwn arall. Ceisiodd
Ana adennill ychydig o'i hawdurdod drwy fynnu bod Nan
yn camu ychydig yn nes at Gwelw, a'i bod yn pwyntio'r gwn
yn syth at ei bol. Ebychodd y dorf. Chwaraeodd Gwelw ei
rhan yn berffaith, gan wingo'n ferthyrol fel y Forwyn Fair ar
drothwy artaith yr enedigaeth, heb ddweud gair, a chyda un
deigryn perffaith, crisial, yn glynu wrth ei boch.

Gwelodd Ana ei chyfle. Carlamodd i lawr y coridor
gan geisio ymgyfarwyddo â'r syniad yn ei phen – roedd
hi'n mynd i ddod 'nôl yn cario gwn. Roedd pob dim
wedi newid nawr; terfysgwraig *oedd* hi, doedd dim pwynt
iddi feddwl bellach fod yr hyn a wnâi hi a Nan yn gwbwl
ddiniwed, fel y credai wrth sefyll ar y gadair yng nghanol

yr Ystafell Ddarllen. Doedd hi ddim yn orhyderus y gallai hi ddefnyddio'r peth pe bai'n rhaid, chwaith. Roedd byd o wahaniaeth rhwng saethu pobl a saethu colomennod clai, fel y bu Nan a hithau yn ei wneud bob penwythnos ers rhyw chwe mis. Hi oedd wedi mynnu y dylen nhw wneud hynny, hefyd – fel eu bod nhw'n barod i wynebu unrhyw sefyllfa, pe bai pethau'n mynd o chwith – ond wnaeth hi erioed ystyried fod Nan wedi cymryd yr holl beth gymaint o ddifri. Wedi meddwl, cofiai'r pleser mawr a gâi Nan wrth chwalu'r colomennod yn gawod binc yn yr awyr, gan droi at ei chwaer â gwên foddhaus ar ei hwyneb bob tro y llwyddai. Roedd hi'n arbennig o falch ohoni ei hun, tra oedd Ana'n methu'n glir â saethu unrhyw beth. Chwerthin wnaeth Ana ar y pryd; chwerthin wrth sylwi ar natur gystadleuol ei chwaer, chwerthin yn hael, gan feddwl ei bod yn well iddi fod yn raslon, a gadael iddi gael ei buddugoliaeth. Ond doedd hi ddim yn chwerthin bellach, a doedd neb arall yn chwerthin chwaith.

Wrth gerdded i lawr y coridor tawel, gallai Nan glywed ambell un yn dechrau anesmwytho o fewn y swyddfeydd caeedig, gan guro ar y drysau. Roedd e fel bod mewn ysbyty meddwl, meddyliodd, pob gwaedd wedi'i thawelu gan wydr trwchus, a mwy nag un yn gwasgu ei wyneb yn ei erbyn yn orffwyll, yn ymbil arni i'w gadael nhw'n rhydd. Fel y gwnaethon nhw ei ddarogan yn ystod y nosweithiau lu y buon nhw yma drwy'r nos, yn ymarfer, roedd ambell un yn codi'r diffoddydd tân ac yn ei hyrddio, fel taflegryn coch at y gwydr. Ond roedd y gwydr yn solet, gwyddai hynny. Doedd dim modd ei dorri. Gwelodd ei henw yn cael ei yngan yn fud y tu hwnt i'r haenau o wydr. Syllodd yn syth i lygaid ambell un – heb wên, heb ystum, heb ddim. Y peth gorau ydoedd peidio â dangos unrhyw emosiwn.

O leia roedd un rhan o'r cynllun yn gweithio. Gwelodd yr un wynebau hi'n dychwelyd, gwta ddwy funud wedyn, ond wrth weld y gwn yn ei llaw, ciliodd pob wyneb o'r drysau.

Yn ystod y tri deg eiliad oedd yn weddill o'i thaith 'nôl i'r Ystafell Ddarllen, ceisiodd ad-drefnu'r manylion yn ei phen. Roedden nhw wedi gobeithio cael pawb allan o'r adeilad mewn modd di-drais, a chau'r drws ar eu holau. Roedden nhw wedi tybio mai delfryd oedd hynny, ac y byddai'n rhaid defnyddio grym – dyna pam y buon nhw'n ymarfer cyhyd am flwyddyn, bron, er mwyn gallu ymgodymu â'r posibiliadau eraill. Roedd yn rhaid ymatal rhag mynd i banig. Dim ond ychydig o bwyll roedd ei angen, ac fe fyddai hi'n dal yn bosib iddyn nhw gael gwared ar y dorf, eu gwthio allan i'r stryd yn gyflym, a chau'r drws ar eu hôl. Cofiodd fod y camerâu diogelwch oll yn dangos rhywbeth arall, a theimlai ryw anwyldeb sydyn at Dan, at y modd roedd ei ddrwgweithredoedd yntau wedi'u hasio'n berffaith wrth eu rhai nhw. *Ond nid er dy fwyn di y gwnaeth e hyn,* atgoffodd ei hun yn sydyn. Bob tro roedd hi'n meddwl am Dan, collai ffocws. Roedd meddwl amdano'n awr yn codi chwant arni i redeg drachefn at y fynedfa, a'i adael 'nôl i mewn. Cyrhaeddodd at y groesfan o lwybrau coch: y naill yn arwain 'nôl at yr Ystafell Ddarllen a'i holl helbulon, a'r llall at y fynedfa, yr unig beth rhyngddi hi a Dan. Ond aeth yn syth ymlaen, yn ôl tuag at yr Ystafell Ddarllen. Fedrai hi ddim gadael Nan ar ei phen ei hun; nid nawr.

* * *

Weithiau dim ond gair bach y byddai Nan yn ei golli o'i meddwl, rhywbeth syml fel *esgid,* neu *gadair.* Fe fyddai'r geiriau hynny'n syrthio i ffwrdd, yn union fel y gwnâi ambell lythyren oddi ar allweddell ei chyfrifiadur pan fyddai hi'n teipio'n rhy gyflym, ac fe fyddai ei hymennydd, fel yr allweddell, yn edrych yn rhyfedd iddi, yn anghyfarwydd braidd. Gan adael bylchau, lle nad oedd bylchau i fod. Ac fe fyddai'n cymryd amser iddi allu glynu'r llythrennau hynny, y geiriau hynny, yn ôl i'w priod le. Gwyddai fod y cychod bach lledr ar eu nodwyddau main i fod i fynd am ei thraed, yn yr un modd ag y gwyddai fod y pren onglog hwnnw wrth y bwrdd yn cynnig ysbaid iddi wneud hynny'n gyfforddus, ond doedd hynny ddim yn ddigon. Wrth eistedd, neu wrth wasgu'i throed i mewn, roedd y profiad yn anghyflawn. Heb air; heb ddim.

Y cyfan roedd angen iddi wneud, yn ôl yr arbenigydd yn yr ysbyty, oedd ffeindio llwybr yn ôl at y gair drwy gyfrwng y gwrthrychau eraill o'i chwmpas. Roedd hi'n meddwl fod ei ddefnydd o'r gair 'llwybr' yn ansensitif ar y pryd, wrth ystyried fod angen rhywbeth am eich traed i droedio llwybr yn y lle cyntaf. Ond buan y daeth Nan i feistroli'r grefft o wneud hynny. Nesaf at y drws roedd y grisiau, ac i lawr y grisiau yr âi hi yn ei meddwl, nes ei bod ar y llawr gwaelod. Ymlaen wedyn i'r stryd yn ei theits dychmygol, a thros yr heol tuag at y môr. Erbyn hynny, roedd hi'n gweld cannoedd ar filoedd o'r pethau dienw hynny ar wasgar dros y tywod i gyd fel broc môr, a'r twristiaid hapus yn eu taflu'n ddiofal o'r neilltu er mwyn bracso'u bodiau yn y dŵr. Dyna pryd y gwyddai Nan ei bod wedi cyrraedd pen y llwybr. *Esgidiau, esgidiau, esgidiau*, cofiodd, a'r gair yn orfoledd tawel. Ac yna – yn ddamweiniol, bron – roedd hi'n gweld rhesi lliwgar wrth eu hymyl ac yn cofio'r gair arall a fu ar goll iddi – *cadair* – yn chwip o gynfas streips yn y gwynt.

Ond fel hyn y byddai pethau o hyn ymlaen. Dyna ddwedodd yr arbenigydd wrthi. Y byddai'r peth yn ysbeidiol i ddechrau, ac yna'n gwaethygu. *Fel cawod fer yn cael ei dilyn gan ysbeidiau heulog, ac yna ambell ddiwrnod cymylog, ac yna'r haul eto, ac yna'n troi'n storom,* meddai, gan edrych yn hiraethus allan drwy'r ffenest, fel pe bai'n disgwyl gweld y geiriau coll yn arnofio heibio.

Ond ambell ddiwrnod arall, fel heddiw, roedd yn waeth na hynny. Doedd 'na ddim haul, dim cwmwl, dim awyr. Sgrin oedd ei meddwl, dim byd ond gofod gwyn. Dyna ddigwyddodd pan estynnodd am y gwn. Doedd 'na ddim byd yno o gwbwl; dim gair, dim bwriad, dim cynllun. Edrychodd ar yr arf dieithr yn ei dwylo. Un darlun oedd ganddi, sef colomennod clai yn ffrwydro yn yr wybren. Anodd gwahaniaethu rhwng y tair o'i blaen y foment honno, a'r gwrthrychau hynny a saethai mor ddiofal atynt yn yr aer. Ond buan y troediodd y llwybr yn ôl at y foment bresennol, at eu henwau, ac at eu bwriadau. Nid colomennod clai oedden nhw; nhw oedd ei chyd-weithwyr hi, ei chyfeillion hi, er gwaethaf y ffaith fod y cyfeillgarwch hwnnw mor denau, mor denau ag edafedd ei chof.

Ond er iddi gofio – jyst mewn pryd – doedd hynny ddim yn esbonio pam ei bod hi'n dal y gwn â chymaint o hygrededd, a pham nad oedd hi'n fodlon gadael Gwelw o'i golwg. Nac yn esbonio pam – wedi i Ana adael y stafell – y dechreuodd weiddi gorchmynion ar y dorf, a'u gorfodi i symud mewn parau cymesur, mewn llinell. Fel trefnu geiriau, yn ôl cyngor yr arbenigydd. Fel drôr sanau. Gallai adennill geiriau drwy eu paru, cofio'r rhai oedd fod i fynd gyda'i gilydd. Felly roedd hi gyda'r rhain. Yr Athro Niclas wrth ymyl Dr Lewys. Petal gyferbyn â Haf. Y ferch benfelen a'r bachgen gwallt tywyll. Dynes y ddesg groeso wrth ymyl dynes y ddesg ymholiadau. Cyn belled â'u bod nhw'n aros fel 'na, byddai pob dim yn iawn. Wrth dwtio torf wasgaredig fel y rhain i mewn i adrannau taclus, roedd hi fel petai wedi gosod trefn arbennig ar bethau. Cyn belled â'u bod nhw'n aros lle roedden nhw, fe fyddai pob dim yn iawn. Pobl fydden nhw drachefn, nid colomennod clai. Doedd ond gobeithio na fyddai'r un ohonyn nhw'n trio hedfan.

A daeth rhyw hyder newydd drosti'r foment honno. Gwelodd iddi gymryd yr awenau oddi ar ei chwaer, bron heb feddwl gwneud hynny, ac mai hi oedd yn rheoli pethau mwyach. Roedd hi wedi gweld y penbleth yn llygaid Ana wrth iddi fynd i chwilio am y gwn, ac am ennyd, cenfigennai wrthi. Roedd meddwl ei chwaer yn rhy gadarn, yn rhy solet; doedd hi byth yn anghofio dim. Doedden nhw ddim yr un ffunud â'i gilydd, felly, nag oedden? Doedden nhw'n ddim byd tebyg. Dyna roedd hi'n mynd i'w brofi heddiw, hyd yn oed petai'n ei lladd hi yn y diwedd. Roedd cofio pob manylyn bach weithiau'n golygu eich bod chi'n meddwl gormod. O wneud hynny, roedd hi'n anodd gwneud unrhyw beth yn iawn. Teimlai Nan y foment honno mai hi ddylai arwain pethau o hynny ymlaen, nid Ana. Doedd hi ddim yn ofni'r tyllau a adawai'r bwledi ar eu hôl; on'd oedd ei meddwl yn llawn o dyllau gwaedlyd felly?

Erbyn i Ana ddychwelyd i'r stafell, roedd Nan yn teimlo'n sicr drachefn. Pob un llythyren yn ôl ar allweddell ei meddwl. Gwyddai'r enw am bob dim yn ei meddiant, a phob dim yn y stafell. Cofiai hyd yn oed enw Syr John Williams, a hwnnw'n farmor difywyd yn y cornel pellaf. Cofiai'r rheswm pam y gwnaethon nhw lanio yn y stafell hon yn y lle cyntaf, a chofiai hefyd nad oedd gan Ana syniad pam roedden nhw yma, nid go iawn. Dwedodd Nan wrth Ana am fynd i gefn y llinell, ac er mawr syndod iddi, dyna a wnaeth.

Yr unig broblem oedd, er gwaethaf ei hyder newydd, ni fedrai Nan yn ei byw gofio beth oedd i fod ddigwydd nesaf.

DAN

NI FU DAN erioed mor falch o weld ei ddesg. Dyna lle roedd hi, yn tywynnu'n ddistaw wrth y drws ffrynt, ac yn hardd ar y carped coch, yn disgwyl amdano. Roedd Dora a Cenfyn wrth ei sodlau erbyn hyn, yn mynnu ei fod yn aros amdanyn nhw wrth i Dora bwffian ei ffordd i fyny'r grisiau ("fedrwch chi ddim mynd mewn lifft mewn argyfwng," arthiodd llais annifyr Cenfyn). Roedden nhw wedi'i ddilyn tu ôl i'w ddesg hefyd, gan graffu ar sgriniau'r camerâu cylch cyfyng gydag e, cyn iddo gael amser i esbonio.

"Sut alli di fod fan hyn, os wyt ti fan 'na?" meddai Dora, gan bwyntio at sgrin yn dangos Dan yn cerdded yn ôl ac ymlaen ar hyd Ystafell Ddarllen wag.

"A nawr ti fan hyn!" gwichiodd Cenfyn, gan bwyntio at sgrin arall yn ei ddangos yn cerdded yn ôl ac ymlaen tu allan i'r cantîn.

Newidiodd y sgrin drachefn i ddangos y ddesg lle roedden nhw nawr. Roedd Dan yno'n eistedd, yn gwneud gwaith papur. Estynnodd Cenfyn ei law at y camera ar y wal a chwifio arno, gan edrych yn ôl ar y sgrin fach. Doedd dim golwg ohono.

"Bobol bach, ry'n ni'n anweledig," meddai Dora. "Ydw i wedi marw?" Cododd Dora ei llaw i'w brest, fel petai hi'n ceisio cadarnhau ei bod hi'n dal i fodoli.

"Na d'ych Dora, ond mae gen i ryw syniad y bydd Dan fan hyn 'di marw pan geith yr Archborthor afael arno fe! Ers faint rwyt ti 'di bod yn neud hyn 'te?" gofynnodd Cenfyn, gan chwibanu ei eiriau drwy ei ddannedd bychain.

"Dwi ddim 'di *neud* dim byd, hen ddisg yw e, dyna i gyd, y'n ni'n ei roi e mlaen weithiau," meddai Dan, gan geisio newid y sgriniau yn ôl. Ond roedd hi'n job anoddach nag roedd e'n ei feddwl. Cymaint fu ei glyfrwch ei hun, roedd e wedi rhaglennu'r cyfan fel nad oedd modd gweld yr hyn a ddigwyddai 'go iawn' yn yr adeilad, a'r un llun a daflwyd 'nôl i'w lygaid dro ar ôl tro – sef ei wyneb gorddifrifol ef ei hun mewn amryw o ystumiau gwahanol. Bu'n poeni cymaint y câi ei ddal gan yr Archborthor fel ei fod e wedi diogelu'r system rhagddo ef ei hun. Roedd y system bellach wedi llyncu'r celwydd ac wedi derbyn mai'r dyddiad 20:02:20 oedd yr hyn a ddangosai. A fiw i neb dorri tystiolaeth diwrnod yn ei hanner. Roedd yn rhaid i'r diwrnod hwnnw gyrraedd ei derfyn cyn y gallai rhywun roi disg arall yng nghrombil y peiriant.

"O'n i'n gwbod mai un fel 'na oeddet ti," meddai Cenfyn yn sbeitlyd, o gornel ei geg. "Ddim yn gallu neud unrhyw beth yn iawn. Wastad yn trio dod mas o bethe. Wel, ma 'ddi 'di canu arnot ti nawr, on'd yw hi?"

"Ca dy ben, 'nei di," meddai Dan, gan wasgu clwstwr o rifau gwahanol i mewn i'r peiriant. Rhaid bod modd ailraglennu'r system. Byddai'n rhaid iddo roi pob dim yn ôl yn ei le, fel y gallai weld beth oedd yn digwydd. Ond roedd y rhifau'n drysu'r peiriant yn fwy fyth. Pwysodd yn ddamweiniol ar ddau rif ar yr un pryd ac aeth ei ddwbl ar garlam, i mewn ac allan o olygfeydd dychmygol, nes bod ei ben yn troi, a Cenfyn yn gwneud sŵn gwichiadau bach annifyr wrth bwyntio at y sgrin.

"Ti ddim yn gallu rheoli dy hun, wyt ti? Ha, ha! Sdim gobeth gyda ti i warchod y lle 'ma os na alli di reoli dy hunan, ti'n gwbod."

Llwyddodd i roi stop ar hyn yn sydyn drwy rewi'r cyfan. Dyna ble roedd e, ar saith sgrin wahanol, mewn ystum gwahanol ar bob un ohonyn nhw. Ond roedd rhywbeth yn wahanol. Yn un o'r ffilmiau, roedd rhywun arall. Ar un o'r tapiau – roedd *hi*. Doedd hi ddim yn gwneud fawr ddim, ond roedd ei cherddediad fel petai'n bwrpasol rywsut. Roedd hi'n ei ddilyn ar ei rowndiau, gallai weld cymaint â hynny. Astudiai beth oedd patrwm arferol ei ddiwrnod, pa ddrysau roedd e'n eu cloi, a sut. Roedd hynny'n hollol amlwg yn y ffordd yr edrychai hi i lawr ar bob un clo, cyn symud ymlaen. A'i llygaid yn oer, oer.

"Pam mae Nan Wdig yn dy ddilyn di?" gofynnodd Cenfyn yn sydyn.

Nan. Doedd e ddim yn gwybod mai dyna oedd ei henw. Teimlai'n siomedig fod ei henw mor fach, mor blaen rywsut.

"Dwi ddim yn gwbod," meddai Dan. "Ond dwi'n mynd i ffeindio mas."

Chwyrlïodd y ffilm yn ei flaen. Bobman yr âi e, roedd hi'n ei ddilyn, ddwy funud yn ddiweddarach. Ac roedd y ddisg yn llawer hŷn na'u perthynas, fe wyddai hynny. Dim ond ers pythefnos y bu'n mynd i lawr i'r gwaelodion gyda hi ar ôl gwaith, felly mae'n rhaid ei bod hi wedi'i ddilyn cyn hynny. Ei stelcio, efallai. Beth bynnag roedd hi wedi bwriadu'i wneud bu hi'n ei gynllunio ers wythnosau lawer ac roedd yn bwriadu ei wneud pan roddodd ei chorff iddo. Dyna *pam* y rhoddodd ei chorff iddo.

Diffoddodd y sgrin.

"Hei!" meddai Cenfyn. "O'n i'n dechrau enjoio'n hunan."

"Sdim byd mwy i'w weld," meddai. "Ma hi ar ben arnon ni nawr." Diffoddodd y gorffennol, fesul sgrin. Doedd ganddo ddim mantais i'w ennill bellach, dim mantais o gwbwl. Roedd e newydd sylweddoli ei gamgymeriad enbyd. Sut gallai fod mor esgeulus? Beth oedd e'n feddwl roedd e'n ei wneud, yn rhuthro'r ffilm yn ei flaen fel 'na? Edrychodd ar ei wats. Fe fyddai'r Archborthor yn ei wylio â'i archlygad yn rhywle yng Nghaerdydd. Yn fwy na thebyg, byddai yng nghanol ei gyflwyniad erbyn hyn, ac fe fyddai'r cyfan wedi digwydd o flaen cynulleidfa. Fe fyddai'r Archborthor yn sefyll yn falch o flaen y Brif Weinidoges ac yn dangos mor effeithiol oedd y dechnoleg newydd, y dechnoleg a oedd yn caniatáu iddo gadw llygad barcud ar bob man cyhoeddus yng Nghymru, dim ots ble roeddech chi. Ac wrth iddo yngan ei air olaf, dyna pryd – dychymygodd Dan – y byddai pawb ar y sgrin, pawb a oedd yn rhan o'r diwrnod honedig 'real' yma, yn dechrau carlamu o gwmpas y lle fel cath i gythraul.

Roedd unrhyw un yn ei iawn bwyll yn sywleddoli na fedrech chi rhuthro diwrnod yn ei flaen, dangos oriau nad oeddent eto wedi digwydd – dim ots pa mor aruchel oedd y system. Ciciodd Dan wal gyfagos. Roedd e wedi cawlo'r cyfan, wedi dad-wneud ei holl system soffistigedig mewn un foment amaturaidd, ac fe fyddai pawb nawr yn sylweddoli mai cofnod ffug ydoedd. Fe fyddai'r cast i gyd – yr Archborthor, y Brif Lyfrgellwraig, y porthorion, yn cael eu rhuthro'n ôl i mewn i'r fan wen ac fe fydden nhw oll ar eu ffordd yn ôl adref, yn barod i'w gondemnio.

Ond falle na fydden nhw. Cofiodd yn sydyn am Teleri, yr ysgrifenyddes. Hi oedd wedi lincio'r ffilm iddo, ac efallai fod modd iddi ei achub. Cododd y ffôn. Ond roedd y llinell yn farw. Triodd ei ffôn symudol ond roedd hwnnw'n farw hefyd. Roedd Nan yn amlwg yn gwybod sut i ddefnyddio'r cod diogelwch ar y lleian fach gan rwystro pob cysylltiad â'r byd tu allan, drwy dorri'r signal ffôn yn y fan a'r lle.

Mynnodd y Senedd fod Staff y Llyfrgell yn gwneud hyn; er mwyn gwneud yn siŵr na fyddai'r signal ffôn yn ymyrryd ag offer yr e-ddarllenwyr yn ystod y dydd. Ochneidiodd a diffodd ei ffôn.

"Wel?" meddai Cenfyn, gan chwifio'i freichiau'n ddiamynedd. "Wyt ti'n mynd i weud wrthon ni beth ddiawl sy'n mynd mlân 'ma, neu beth?"

"Dwi ddim yn gwybod," meddai Dan, a'i lais yn gwanhau. "O'n i'n meddwl mai fi oedd yn rheoli'r diwrnod 'ma. Ond dyw hynny ddim yn wir. Dwi'n meddwl falle... falle bod rhywbeth 'di mynd o'i le."

"Ti ddim yn gweud!" gwichiodd Cenfyn, gan ysgwyd ei ben. "'Sa i'n gwbod wir. Pwy erioed glywodd am borthor yn cael ei gloi mas o'r adeilad ma fe i fod i'w warchod. Ma'r peth yn hurt."

"Does neb fel petaen nhw 'ma. Sneb yn ymateb i ddim byd. Os nad oes neb 'di mynd o 'ma, lle ma nhw i gyd?"

Roedd y chwys yn rhaeadru ar ei dalcen ac yntau'n gymysgfa ryfedd o'r cyffur yn ei system a'r ofn yn ei grombil. Rhoddodd ei ben yn ei ddwylo, gan sylweddoli ei fod e'n crynu erbyn hyn.

"Dere, dere," meddai Dora, gan estyn i'w ffedog, a thynnu tair o bice ar y maen ohoni, wedi'u lapio mewn seloffen. "O's rhywun isie rhwbeth bach i fwyta. Beth am i fi fynd i nôl bobo ddisgled i ni – sdim pwynt bo ni lan ffor hyn pan ma cegin llawn bwyd lawr ffor 'na."

"Sdim isie dim byd i fwyta arnon ni, Dora," poerodd Cenfyn. "Ma isie i ni weithio mas beth sy'n mynd mlân yn y blincin lle 'ma, on'd o's e? A tase'r drong 'ma fan hyn yn neud 'i waith yn iawn, fydde rhyw fath o syniad 'dan ni. Sdim byd ar y sgriniau 'ma ond fe'i hunan!"

Roedd pen Dan yn hollti erbyn hyn. Ac roedd angen

iddo sobri. Angen iddo adnewyddu'r system cylch cyfyng. Angen gweld beth oedd yn digwydd o fewn stafelloedd eraill *go iawn*. Aeth yn ôl tuag at y ddesg a thrio eto. Gwyddai fod o leia un camera nad oedd e wedi ymyrryd ag e, yn syml iawn am nad oedd disgwyl iddo ofalu am y mannau hynny, sef y prif swyddfeydd. Cliciodd ar yr olygfa honno. Roedd 'na staff yn dal i fod yno, wedi ymgynnull mewn un man, a'u pennau'n isel, ond ar wahân i hynny, doedd e ddim yn gweld dim byd o'i le. Aeth i swyddfa arall – un y Brif Lyfrgellwraig. Roedd honno'n wag – roedd e'n gwybod gymaint â hynny. Ond, unwaith eto, doedd dim byd i'w weld o'i le. Neb wedi torri i mewn nac yn mynd drwy gyfrin bethau.

"O's rhywbeth i'w weld nawr 'te?" meddai Dora, gan gripian yn nes ato. Syllodd y ddau ohonyn nhw i berfedd y stafell wag o'u blaenau.

"Na, ma popeth i'w weld yn iawn," meddai. "Ond bydd rhaid ymweld â'r stafelloedd dwi'n methu eu gweld ar y sgrin. Yr Ystafell Ddarllen yn gyntaf. Arhoswch chi'ch dau fan hyn."

"Hei!" meddai Cenfyn, gan redeg ar ei ôl. "Ni'n dod 'da ti."

"Iawn, ond bydd rhaid i ni symud yn ara deg, iawn," meddai, wrthynt yn y diwedd, gan wneud yn siŵr ei fod yn ddigon ar y blaen i'r ddau i fod yn darian amddiffynnol, pe bai angen. Doedd e erioed wedi dychmygu mai nhw, o bawb, fyddai'r ddau y byddai'n dewis rhoi ei fywyd drostyn nhw mewn sefyllfa argyfyngus – rheol 556 – ond wrth ystyried ei holl gamgymeriadau y bore hwnnw, roedd hynny'n ymddangos fel y peth lleiaf y gallai ei wneud. Ymlaen â nhw yn ddistaw bach tuag at y pileri mawr gwynion ar hyd y coridor.

Oedodd ychydig cyn troi'r cornel. Roedd e'n meddwl iddo glywed lleisiau.

"Beth sy'n bod?" meddai Cenfyn, mewn llais isel. "Wyt ti'n gweld rhwbeth?"

"Pam ry'n ni'n sibrwd?" ebe Dora.

Gorchmynnodd i'r ddau aros lle roedden nhw tra byddai yntau'n cymryd cipolwg ar yr Ystafell Ddarllen. Gwelodd fintai'n dod i'w gyfarfod, gyda hi yn eu harwain. Amneidiodd â'i ben yn sydyn tuag at Dora a Cenfyn a'i gwthio i mewn i gilfach rhwng y pileri. Clywodd y criw'n martsio heibio iddynt, a thrwy un o'r drysau cefn. Clywai galonnau'r tri ohonynt yn curo a churo, yn gorws cnawdol. Ond welodd neb mohonyn nhw. Roedd *hi* fel petai mewn rhyw lesmair, y gwn yn ei llaw, a'r dorf yn ddistaw. Ac yna'n sydyn, taerodd iddo'i gweld hi eilwaith, yng nghefn y ciw. Rhaid mai'r cyffur yn ei system oedd e, meddyliodd, gan deimlo'r rhyddhad o'i gweld yn pasio heibio.

Clywodd y teclyn yn clicio'r drws ar agor a'r fintai'n mynd trwyddo. Clic clic clic. Ysai am deimlo'r teclyn hwnnw yn ei law drachefn, am gael y pŵer yn ôl.

Arhosodd y tri am ryw bum munud cyn dod allan o'u cuddfan. Ac wedyn, doedd neb yn siŵr iawn beth i'w ddweud wrth ei gilydd yn dilyn yr hyn a welson nhw. A chyn i un ohonyn nhw allu yngan gair am y sefyllfa, fe ddaeth cadarnhad real, swnllyd o'r perygl a oedd newydd fartsio heibio iddyn nhw.

Daeth sgrech, ac yna sŵn gwn yn tanio.

EBEN

DAETH SŴN I darfu ar ei feddyliau. *Bang,* yn gyntaf, ac
yna clindarddach rhyfedd, na fedrai fod yn siŵr beth
ydoedd. Rhedodd at y drws drachefn, a throi'r bwlyn, fel
petai'n disgwyl i'r ergyd honno fod wedi chwythu pob clo
ar agor. Ond roedd y drws yn dal ar gau. Roedd e'n dal
wedi'i gaethiwo mewn stafell ormesol yn llawn o feddyliau
Elena, heb gyfle i ddianc rhag ei llygaid, a'r rheiny bellach
fel petaen nhw'n ei ddilyn o gwmpas pob cornel o'r stafell.
Gwae ti, Eben, sibrydai wrtho. *Dwi wedi dy ddal di nawr.*

Hyd at y foment honno, sylweddolodd iddo ddod yn
gyfarwydd â'i gaethiwed. Mewn rhyw ffordd ryfedd, roedd
wedi mwynhau'r diffyg rhyddid, y diffyg dewisiadau. Roedd
colli rhyddid yn gallu bod yn fendith i rywun a oedd yn ansicr
beth i'w wneud ag e yn y lle cyntaf, ac roedd e'n ddigon hapus
i gerdded yn ôl ac ymlaen mewn gofod cyfyng, yn cyffwrdd
mewn llyfrau â'r menig gwynion, yn derbyn ei fudandod
llesmeiriol fel petai ar encil meudwyaidd. Ceisiodd beidio
â meddwl am yr E–Neb, a'r digwyddiad anffodus gyda'r
cyfrifiadur. Mae'n debyg nad oedd yr E–Neb ddim oll i'w
wneud ag Eben Fardd, ac y byddai'r ffeiliau hynny'n rhai
hollol fiwrocrataidd ac annarllenadwy beth bynnag. Roedd
hi'n fendith fod y cyfrifiadur wedi'i ddiffodd, gan ei rwystro
rhag pori dros *Bardd Cas* bob pum munud. Nid dyma pam
roedd e yma. Trodd ei sylw 'nôl at Elena. O leia roedd hi'n
bod – drwy gyfrwng ei llyfrau, beth bynnag – a cheisiodd
ymgolli yn ei gaethiwed rhyfedd o dan ei goruchwyliaeth,

gan wenu arni bob hyn a hyn yng nghornel y stafell. Roedd e'n dal i ddisgwyl gwên yn ôl.

Dechreuodd boeni fod 'na dân yn yr adeilad. Cyn pen dim roedd wedi dychmygu'r mwg yn llifo'n afon lwyd o dan y drws, ac yntau'n boddi ynddo. *Fyddet ti'n licio 'ny, on'd byddet ti?* meddai, gan droi i wynebu llygaid Elena. Meddyliodd iddo'u gweld yn symud ychydig i'r ochr.

Yr ail syniad a gawsai oedd fod 'na derfysgwyr yn yr adeilad, a'u bod nhw ar fin chwythu'r lle'n rhacs. Byddai Ffrancon wastad yn traethu am hyn, y ffaith mai'r Llyfrgell fydde'r targed perffaith i fudiad terfysgol. *Meddylia am y peth,* dwedodd wrtho unwaith. *Fydde fe'r lle hawsa yn y byd i gael pobl i wrando ar dy orchmynion di. Mae e'n llawn gweision sifil bach sy'n fodlon ufuddhau. Fydde hyd yn oed y porthorion ddim yn gallu dy rwystro di; bydden nhw'n rhy dwp. Bydde fe'r peth hawsa yn y byd i feddiannu'r lle, i gymryd cilfach i ti dy hun; meddylia am yr holl goridorau cudd 'na sydd yma, twneli bach terfysgol. A bydde'r Senedd yn cachu brics taset ti'n bygwth chwythu'r lle 'ma'n rhacs, achos wedyn sdim byd arall 'da nhw ar ôl tu fas i Gaerdydd – ma'r lle 'ma'n bwysig i ateb y cyhuddiade eu bod nhw'n canoli pob dim, ti'n gweld.*

Doedd e ddim cweit wedi cytuno ar y pryd, yn fwy nag oedd e'n cytuno ag unrhyw beth a haerai Ffrancon o bryd i'w gilydd, ond dyna ni, roedd e'n dechrau gweld rhesymeg hynny nawr. Doedd neb wedi ymosod ar y Llyfrgell ers y busnes 'na gyda Gwylliaid Glyndŵr, 'nôl ar ddechrau'r ganrif. A digon pitw oedden nhw mewn gwirionedd, jôc o fudiad. Beth tasai terfysgwyr go iawn wrth y llyw y tro hwnnw? Yn barod i aberthu pob dim? Dychmygodd Eben ei gorff yn cael ei chwythu'n gyrbibion gan y bom. A fyddai e'n teimlo rhywbeth? Unrhyw beth? Gwelodd gleren fach yn crwydro ar hyd ei ddesg ac fe'i gwasgodd yn ddim dan ei fys. Roedd e wastad yn meddwl mai rhywbeth felly fyddai'r profiad o gael ei chwythu gan fom – fel bys mawr yn ei wasgu'n ddim, cyn iddo hyd yn oed sylwi ei fod wedi digwydd.

Na, nid bom oedd e. Gallai sgrechiadau fod yn ganlyniad rhywbeth arall. Fel rhywun yn gollwng pentwr o lyfrau prin ar droed rhyw lyfrgellydd truenus nad oedd wedi gwneud y dwndwr lleiaf yn ei fywyd. Yn sydyn, fe fyddai hwnnw'n canfod ei hun yn sgrechian, ac yn mwynhau'r rhyddhad sydyn o greu sain gymaint nes ei fod yn parhau i sgrechian a sgrechian er mwyn cael yr holl flynyddoedd o dawelwch allan o'i system.

Ond doedd hyd yn oed hynny ddim yn esbonio pam bod y drws yn dal ar glo. Pam nad oedd porthor wedi dod yn agos at y lle ers bron i dair awr, a pham bod Eben Prydderch wedi gorfod piso yn ei drowsus ddwy waith, dan lygaid gwyliadwrus Elena Wdig. Erbyn hyn, roedd e wedi canfod un cornel bychan lle na fyddai'r camera'n gallu troi i'w ddal – a neb felly yno i'w weld. Neb ond Elena, hynny yw.

Aeth yn ôl at ei waith. Fel y soniodd y ddynes yn y ddesg ymholiadau, doedd 'na ddim cofnodion o gwbl ar gyfer 2014, sef y flwyddyn pan oedd e yn ei anterth yn sgrifennu ei adolygiadau milain, a Ffrancon yn bwydo'r cyfan iddo fel babi blwydd. Roedd ei hysgrifen yn annarllenadwy am ryw rheswm rhwng 2015-18 – ysgrifen rhywun ar ras wyllt. Agorodd ddyddiadur 2019. Roedd ei llawysgrifen wedi tyneru erbyn hynny, fel pe bai hi wedi canfod rhyw lonyddwch newydd. Ei dyddiadur olaf oedd hwn. Roedd yn rhaid iddo'i ddarllen, i weld a oedd yr hyn a honnai yn ei llythyr olaf yn wir, mai dioddefwraig o dan lach system y frawdoliaeth honedig oedd hi (doedd y fath beth ddim yn bodoli, fe wyddai Eben hynny. Roedd y frawdoliaeth i gyd yn casáu ei gilydd, ac ni fedrai'r peth, wedyn, yn ei hanfod, fod yn frawdoliaeth go iawn.) Roedd y flwyddyn newydd yno ar ddalen lân o'i flaen:

Diwrnod cynta'r flwyddyn, ac eto, y diwrnod olaf ydyw i mi mewn sawl ffordd: dyma'r tro olaf y byddaf yn gweld y cyntaf o Ionawr. Mae'r blynyddoedd olaf wedi pasio heibio mewn rhyw lesmair rhyfedd, mewn cylch dryslyd o dderbyn, anghofio, derbyn unwaith eto, a'm hysgrifen yn batrymau blêr yn ceisio cuddio'r gwir rhagof fi fy hun. Ond heddiw mae'n rhaid cael eglurder, mae'n rhaid i fy llaw ildio i'r gwir. Rhyw liain gwyn o ddiwrnod yw heddiw; nid fel y rhai gwynion y bydda i'n mwynhau gorwedd yn eu clydwch oer pan fydda i dramor, ond un rhychiog, llwydwyn, sy'n cael ei daflu ar y gwely'n ddifeddwl, a'r corneli'n datgysylltu mewn cwsg cythryblus. Corneli rhychiog fy mywyd i sy'n dechrau anesmwytho heddiw, a chyn pen dim fe fyddaf yng nghanol y gwely hwnnw, a'r gwynder yn donnau amdanaf, yn fy nhynnu i ddyfnder y düwch.

Roedd hwn fel agoriad un o'i nofelau: goreiriog, ffuantus, yn gofyn i bawb ymdrybaeddu ym mryntni ei hiaith. A brwnt ydoedd hefyd. *Hen dric tsiep*, meddyliodd, sgwennu rhyddiaith fel hyn; rhyddiaith mewn bŵts eira yn damsgen ar sliperi sidan barddoniaeth – fel y dwedodd rhywun amdani mewn rhyw adolygiad (allai Eben ddim cofio ai Ffrancon, ef ei hun, neu aelod arall o'r frawdoliaeth a benderfynodd ymosod y tro hwnnw). Gallai rhywun rhywun ysgrifennu rhyddiaith fel hyn. Ond doedd Elena ddim yn rhywun rhywun. Ac oherwydd cant a mil o bethau eraill – yr ymddangosiadau teledu, y datganiadau ymfflamychol, neu hyd yn oed dim ond y ffaith ei bod hi'n fenyw nad oedd arni angen dyn – roedd y ffaith nad oedd hi'n meddu ar y ddawn o sgwennu stori dda wedi mynd yn angof pur. Mae hi fel Simone de Beauvoir, medd un, ar ryw siop siarad hwyr y nos. Neu fel ein Sylvia Plath ni'r Cymry, ebe un arall. Fel tasai angen hynny, gwaeddodd Eben yn ôl atynt o glydwch ei soffa.

Sgimiodd fis Ionawr. Ers y dechreuad digon simsan, roedd hi fel petai wedi adennill ei nerth, wedi llwyddo i ddygymod â'r felan-flwyddyn-newydd. Ond dyma ni, unwaith eto, 23 Ionawr, roedd yna ddyfyniad arall ganddi.

Daeth yr ymylon yn rhydd. Dwi'n gwbod bod yr ymylon wedi corsennu fy nghalon innau unwaith ac am byth. Daeth geiriau heddiw. Geiriau i ddarfod pob dim. Geiriau na fedraf eu curo.

Gwingodd Eben wrth weld y geiriau. Roedd e'n adnabod y rhan yma o'r dyddiadur yn rhy dda, bellach. Roedd hwn wedi cael ei ddyfynnu ym mhob e-bapur a phob e-gylchgrawn ers ei marwolaeth. Bron na allai ailadrodd y gweddill wrtho'i hun fel petai'n rhyw fath o bader.

A'r geiriau hynny yn ordd yn fy mhen, yn fy mrest, yn fy ysgyfaint. Y geiriau hynny'n sgubo ymaith fy holl hyder.

Gwelodd y geiriau eto, a theimlodd rywbeth, rhywbeth yn ddwfn yn ei enaid. Efallai iddo ymosod yn giaidd, yn ddiangen. Dychmygodd eiriau ei adolygiad ciaidd olaf yn ei tharo, fel gordd yn ei phen, yn ei brest, yn ei hysgyfaint. Bod yn ddramatig, yn glwyfus roedd hi, wrth reswm, ond doedd hynny ddim yn awgrymu nad oedd hi wir wedi teimlo'r pethau hynny. Yn ddwfn ynddi. Bod y geiriau'r eiliad honno wedi agor y llifddorau, ac wedi'i llorio hi.

Onid dyna oedd dy fwriad di, Eben? meddai llygaid Elena o ben draw'r stafell. *Fy llorio i?*

Nid i'r fath raddau, cafodd ei hun yn ateb, cyn distewi drachefn. Roedd e wedi gobeithio gallu rhoi siglad iddi, tanseilio'i hyder damed bach, efallai. Gallai rhywun fel Elena Wdig gymryd cnoc. Byddai hi'n bownsio'n ôl yn gryfach bob tro ar ôl adolygiadau gwael. Roedd hi hyd yn oed wedi edrych i fyw llygaid y camera wrth gydnabod hynny ar ryw sioe neu'i gilydd, gan ddweud wrth ei hadolygwyr i roi'r gorau iddi, os oedden nhw am iddi dewi. *Sdim byd yn fwy tebygol o wneud i mi dewi nag adolygiadau da*, meddai. *Unwaith y bydd rhywun yn meddwl ei fod yn dda, bydd yn rhoi ei draed i fyny, am nad oes dim byd ganddo i brofi.*

Reverse psychology, dwedodd Ffrancon wrtho, rhwng sglaffio ei gnau mwnci ar y soffa gyferbyn ag ef. *Mae hi'n gwbod ein bod ni'n ei gwylio, ac yn meddwl ein bod ni'n dwp. Fel tase hi mor rhwydd â hynny i sicrhau bod y frawdoliaeth yn rhoi'r gorau iddi. Cheith hi fyth lonydd ganddon ni tra bydd hi ar dir y byw. Ddysgwn ni iddi hi. Mi dewith yn y diwedd.*

Ac roedd hi wedi tewi, meddyliodd Eben yn sydyn, gan deimlo'r arswyd drwyddo. Roedd hi wir wedi tewi erbyn hyn, a'i fai ef oedd y cyfan. Roedd yr *hi* a ddwedodd Ffrancon nad elai fyth o'i olwg wedi mynd o'i olwg, a hynny drwy ddau ddrws gwydr, un balconi, a thri llawr. Ac roedd Ffrancon yn gwrthod ymwneud ag Eben bellach. "Mi est ti'n rhy bell," medde fe. "Gyda'r adolygiad ola 'na, mi est ti'n rhy bell o lawer." Gan wrthod cydnabod am eiliad iddo roi sêl ei fendith ar yr adolygiad hwnnw ac iddo'i annog hyd yn oed. A'r drws pren yn cau drachefn amdano. Ffrancon yn sbecian arno drwy'r llenni lliw brwyn ac yn sibrwd wrth ei wraig: *mae e wedi mynd. Wedes i wrtho fe, wyt ti 'di mynd yn rhy bell.*

Dyna'r hyn a ddywedai'r wasg hefyd. Iddo fynd yn rhy bell. A phawb yn dyfynnu'r darn olaf yna o ddyddiadur Elena, hwnnw roedd e'n ei ddarllen nawr.

A'r geiriau'n gafael amdanaf ac yn fy nhynnu i'r dyfnder du, di-droi'n-ôl, a'r geiriau i gyd yn syrthio ymaith nes eu bod 'mond yn seinio un gair dolurus, un enw.

Cododd ei lygaid o'r dudalen a sylweddoli fod cei bach ei lygaid yn llawn. Gwthiodd y dŵr yn ôl o'r glannau cyn troi i wynebu ei enw ei hun yn ei dyddiadur. Un enw oedd yna – yn ôl y papurau i gyd. *Un gair dolurus. Un enw. Eben. Eben fydd yn fy lladd i. Eben sy'n drech na mi.*

Caeodd ei lygaid cyn troi at y dudalen, ac anadlodd yn ddwfn. Cofiodd eiriau'r doctor. Roedd yn rhaid wynebu'r hyn a wnaeth cyn y gallai ei dderbyn. A dim ond drwy dderbyn roedd atal rhywun rhag mynd i banig dwl. Dryswch ac ansicrwydd oedd yn achosi'r panig. Dryswch am nad oedd e'n deall y cyhuddiadau yn llygaid y bobl o'i amgylch. Dryswch a wnâi iddo orfod ymestyn am rywbeth mwy solet nac awyr, gan wneud i bob gwylan ymddangos yn rhywbeth llawer mwy nag ydoedd.

Roedd e eisiau newid, eisiau rhoi'r gorau i ddal ei afael mewn polyn lamp yng nghanol y stryd, a gweld y byd yn llithro oddi tano. Roedd yn rhaid iddo wynebu ei hun – yn ei holl danbeidrwydd – ar y dudalen oer.

Roedd e'n barod, felly, i weld ei enw'n tywynnu'n ôl arno mewn staen o inc go iawn y tro hwn. Eben. Dolur ei doluriau. Roedd e'n barod i weld, yn ei llawysgrifen hi, mai ef oedd wedi achosi ei gwewyr, ac wedi peri iddi ladd ei hun.

Ond nid ei enw ef oedd yno. Enw arall.

ANA A NAN

ROEDD NAN WEDI saethu rhywun. Nid jyst rhywun, chwaith, ond yr Athro Niclas Gruffudd, MBE. Doedd Ana ddim wedi gweld yn union beth ddigwyddodd, dim ond clywed y gwn wnaeth hi, cyn i bob un o aelodau'r dorf fechan daflu eu hunain ar y llawr. Roedd hi'n rhyfedd fel yr aethai pawb i lawr ar yr un pryd, bron fel petai'r fwled a aeth drwy ben-glin chwith Niclas Gruffudd wedi gwau ei ffordd drwy'r gweddill ohonyn nhw, wedi diddymu'r llinell o bobl mewn un eiliad daclus. Nid i'r gwn roedden nhw'n ymateb, chwaith, ond i'r ymarfer diogelwch ryw ddeufis cynt — pan ddwedodd yr ymwelydd o'r Senedd mai'r peth callaf i'w wneud ar ôl clywed sŵn gwn yn tanio oedd gorwedd yn llonydd ar lawr. Anfon neges glir nad oedden nhw'n fygythiad, eu bod nhw'n barod i gydymffurfio. Dyna lle roedden nhw nawr, a'u llygaid wedi'u hoelio ar y nenfwd, a'u hanadliadau'n isel ac yn betrus. Roedden nhw'n gwbod nad oedd diben rhedeg. Roedd pobl a redai'n cael eu saethu.

Dyna ddadl Nan, beth bynnag, yn achos Niclas Gruffudd. Griddfannai yntau mewn pentwr gwaedlyd.

"Roedd e'n trio dianc," meddai, gan edrych i fyw llygaid Ana. Yr olwg dywyll, ryfedd yna eto. "Mae'n rhaid eu dysgu nhw na chân nhw ddim anufuddhau."

Roedd tôn llais Nan yn llwyd, heb arlliw o liw yn perthyn iddo, a'i gwallt yn sgarlad bygythiol.

"Helpwch fi!" ebychodd Niclas Gruffudd, gan wasgu ei

goes. "Neu bydda i'n gwaedu i farwolaeth." Llifodd rhaeadr borffor o dan frethyn trwchus ei drowsus.

Edrychodd Ana i lawr ar y pwdel o waed. Roedd e'n gwaedu'n gyflym. Ceisiai gofio'r ychydig o hyfforddiant iechyd a diogelwch a gawsai. Beth oedd orau, codi'r goes, neu ei gadael ar lawr? Edrychodd i fyny ar Nan, gan obeithio gweld fflach o rywbeth – ofn, efallai, neu edifeirwch, ond roedd hi bellach wedi cerdded oddi yno, er mwyn crwydro o gwmpas y môr o gyrff, gan bwyntio'i gwn yn ddifeddwl at wyneb hwn, y llall ac arall, fel pe bai hi'n chwilio am esgus i saethu drachefn. Erbyn hyn, roedden nhw reit yng nghrombil yr adeilad, yn y gofod gwag hwnnw lle byddai'r llyfrgellwyr weithiau'n ymgynnull i yfed eu te ar soffas anghyfforddus. Pum munud arall ac fe fydden nhw wedi bod yn agos at ddrws tân, lle roedden nhw wedi bwriadu rhyddhau pawb. Roedden nhw mor agos, meddyliodd Ana, at gael pawb allan o'r adeilad yn ddiogel. Ond roedd Nan fel petai wedi gweld hynny, ac wedi mynnu sbwylio'r cyfan. Nawr roedd gan Ana waed ar ei dwylo, yn llythrennol – ac roedd hi wrthi'n betrus yn codi coes Niclas Gruffudd i'r awyr, a'i meddwl ymhell, bell o'i chynllun gwreiddiol.

"Oes 'na ddoctor?" holodd, gan weiddi ar draws y stafell. Clywodd y cryndod dieithr yn ei llais ei hun. Roedd 'na wastad doctor mewn sefyllfa fel hon, on'd oedd e? Roedd yn rhaid cael doctor. "Codwch eich llaw os ydych chi'n ddoctor."

Cododd ambell un ei law yn betrus. Yn bennaf am fod Nan nawr yn bygwth saethu unrhyw un a fyddai'n celu'r fath wybodaeth.

"Ti," meddai Nan wrth un a oedd wedi codi'i law. "Cer draw fan 'na."

Cododd dyn ifanc ar ei draed, a cherdded draw at Niclas. Griddfannodd y ferch benfelen wrth ei ochr pan wnaeth hynny, gan ymestyn ei llaw ato'n druenus, er mwyn ei dynnu'n ôl. Ysgydwodd ei llaw i ffwrdd, a chamu ymlaen.

"Dwed wrtha i beth i neud," meddai Ana. "Sgen i ddim syniad, ac mae'n colli gwaed. Gwna rwbeth 'nei di. Plis. Yn glou."

"Wel," meddai'r boi, â'i lygaid yn chwyddo dan ei sbectol, "rwyt ti 'di dechrau'n iawn − ma'n rhaid i ni godi'i goes e ychydig yn uwch. Fel hyn." Gafaelodd yng nghoes Niclas Gruffudd a'i gorffwys yn ddestlus ar ei ysgwydd. "Yna, mae'n rhaid i ni greu twrnicet i'w roi am y clwy − crys neu rywbeth. Cotwm yn ddelfrydol."

Amneidiodd at flowsen Ana ond ysgydwodd hithau ei phen. Doedd hi ddim am dynnu ei blowsen, yng nghanol yr holl bobl 'ma. Gofynnodd i Nan fynd i chwilio am rywun. Â gwên ar ei hwyneb, gorfododd Nan y flonden ar y llawr i dynnu ei chrys. Petrusodd honno, ond yn y pen draw doedd ganddi ddim dewis. Chwyrlïodd y crys fel baner wen uwch ei phen. Doedd ganddi ddim oddi tano ond bronglwm porffor, a thatŵ pilipala yn aflonyddu ar ei bron chwith. Llithrodd llygaid y dyn oedrannus wrth ei hymyl yn betrus tuag ati wrth iddi orwedd i lawr eto, nes i'r gwrid ffrwydro ar draws ei hwyneb. Roedd y bronnau crynedig mor amlwg yng nghanol y môr o liwiau hydrefol, fel dwy sglefren fôr.

Lapiodd y boi â'r sbectol y crys o gwmpas y clwy. Rhyfeddodd Ana pa mor hunanfeddiannol ydoedd. Roedd e'n edrych yn rhy ifanc i fod yn ddoctor. Ond roedd hi'n gweld fod yr hyn a wnaeth yn gywir. O fewn rhai munudau roedd anadlu Niclas wedi esmwytho, roedd ei law yn gafael yn dynn yn ei llaw hi, ac roedd e'n cryfhau, a bywyd yn llifo'n ôl i bedwar ban ei gorff.

"Yrrr," meddai Niclas.

"Peidiwch chi â phoeni, Dr Gruffudd," meddai Ana,

yn ei llais tyneraf. "Ma 'na ddoctor bach ifanc fan hyn yn edrych ar eich ôl chi."

Agorodd Niclas un llygad yn betrus. Gwelodd y boi â'r sbectol o'i flaen yn gwenu'n eiddgar arno.

"Hwn! Smo hwn yn ddoctor!" gwaeddodd, gan geisio ymbellhau oddi wrtho. Ond tynhaodd yntau ei afael ar y goes.

"Ydw, mi rydw i. Ond dim diolch i chi," meddai, gan wenu'n gam arno. "Tasech chi 'mond wedi 'mhaso fi'r tro cynta…"

"O'dd dy waith di ddim yn ffit, grwt!" meddai Niclas. Penderfynodd Ana beidio ag ymyrryd. Os oedd Niclas yn ddigon ffit i weiddi, yna roedd yn debygol o fyw. Tra bo dadlau, roedd 'na fywyd. "Astudiaeth o'r broses ddigideiddio 'ma oedd e – dodd ganddo fe ddim syniad am be rodd e'n siarad, nag o'dd wir. Dadlau bod ein cof ni'n cael ei erydu, fesul bardd, fod y Llyfrgell yn newid ein hunaniaeth ni drwy ddigideiddio, eu bod nhw'n dewis rhai beirdd ac nid eraill. Eu bod nhw'n newid trefn ein hatgofion ni. Ma'r peth yn nonsens pur. Crwt ifanc fel hwn yn methu gweld gwerth moderneiddio. Ma'n cof ni'n gryfach nag erioed, ma'n hunaniaeth ni'n gryfach nag erioed, ac wedyn ma 'da ti ryw foi surbwch fel hwn sy'n trio mynnu 'yn bod ni'n mynd sha 'nôl! Dyw rhwbeth fel 'na byth yn mynd i basio, nac yn haeddu pasio!"

"Wel 'na le y'ch chi'n anghywir, Dr Gruffudd. Dwi wedi pasio'r *viva* wthnos dwetha, mewn adran arall. Adran lot mwy gwerthfawrogol – yr Adran Hanes. Ma nhw dipyn yn fwy siarp yn yr Adran yna, ac ma nhw'n deall yr hypothesis. Felly dwi *yn* ddoctor. Sgen i ddim tystysgrif eto, ond mae'n swyddogol. Neith Dr Lewys dystio i hynny. Dr Lewys?"

Esgynnodd un llaw wen, grynedig o'r môr o gyrff i

gydnabod hynny. Hwn oedd y dyn a fu'n pipo ar fronnau'r flonden.

"Ydy, mae'r bachgen yn ddoctor," meddai, wedi i Nan roi caniatâd iddo siarad. "Roedd hi'n ddoethuriaeth benigamp yn fy marn i, Niclas. Ma'r cysyniad yn dal dŵr. Ma mwy nag un bardd sy heb ymddangos ar y system 'na. A beth am y llyfrau sy wedi bod yn mynd ar goll? Meddylia am y peth. Ma gan y bachgen bwynt. Ma'r Senedd yn trio rheoli'n cof ni, ma nhw'n trio dileu rhai awduron fel na fydd cofnod hanesyddol amdanyn nhw. Falle bo ti a fi'n cofio rhai ohonyn nhw, ond ar ôl ein dyddie ni…"

"Bydd dy ddydd di ar ben yn gynt nag wyt ti'n feddwl, os na wnei di gau dy ben!" sgrechiodd Nan o gornel y stafell. Diflannodd y frawddeg rhwng dannedd Dr Lewys. Estynnodd y flonden am ei law a'i gwasgu'n dyner. Ei dro yntau i gochi oedd hi wedyn.

"'Sa i'n becso oes ganddo bwynt neu beidio, dyw e ddim yn ddoctor meddygol, 'sganddo fe ddim syniad. Beth ddiawl ma fe'n neud yn trin 'y nghoes i?"

Gwenodd y doctor ifanc yn ddirmygus ar ei glaf. Rhuthrodd Ana draw.

"Pam ddiawl wedest ti bo ti'n ddoctor os nag wyt ti?" meddai hithau, gan ddal i ofni llygaid ei chwaer. "Sdim syniad 'da ti beth rwyt ti'n neud, oes e?"

"Allwch chi weithio fe i gyd mas, os y'ch chi'n gwylio digon ar y teledu," meddai. "Dwi'n meddwl taw codi'r goes oedd y peth gorau i'w wneud. Neu ife gadael y goes lle roedd hi oedd ore?"

Chwarddodd y ferch benfelen ar hyn, a'i chwarddiad yn chwyrlïo fel cusan tuag ato.

"Dim chwerthin!" gwaeddodd Nan o ben draw'r stafell, gan bwyntio'r gwn yn syth i gyfeiriad y ferch.

"Ma'n iawn, Nan," meddai Ana. "Mi wna i weud wrthi am beidio chwerthin."

Trodd yn ôl i wynebu'r ferch a gweld bod ei gwên wedi hen gilio i gorneli ei cheg. Amneidiodd ar y bachgen i barhau â'r gorchwyl o dendio ar yr Athro, a hwnnw bellach â'i goes fel ebychnod yn yr awyr. Ebychnod argyfyngus a oedd fel petai'n mynegi ei syndod fod y gweithredoedd tywyll hyn yn digwydd o fewn yr adeilad arferol dangnefeddus hwn.

"Ma'r poen yn annioddefol!" meddai Dr Gruffudd, gan udo'n ddolurus dros bob man. "Aw! Rhywun, plis. Arglwydd Dduw, gad i mi fynd i fyd sy well. Aw!"

"Beth am rwbeth bach i leddfu'r boen 'te?" meddai'r bachgen, gan dynnu sbliff o boced ei grys. Daliodd y stribed wen dan ei drwyn a'i arogli. "Ges i hwn 'da un o'r porthorion. Stwff da o'r Gorllewin fan hyn, Dr Gruffudd," meddai gan wenu.

"Gorllewin ble? Alli di ddim defnyddio term fel 'na'r dyddie 'ma, fachgen. Wyt ti'n sôn am *Y* Gorllewin. Gorllewin Cymru? Gorllewin ein meddyliau? Achos ry'n ni yn *Y* Gorllewin fan hyn, mewn dwy ffordd, on'd y'n ni, ry'n ni…"

Stwffiodd y bachgen y sbliff i geg Dr Gruffudd, a'i thanio. Daeth Nan draw gyda'r gwn.

"Dim ysmygu. Odych chi off y'ch pennau? Sneb yn smoco dyddie 'ma, be sy'n bod arnoch chi?"

Gwelodd Ana fod Nan ar fin tanio'r gwn unwaith eto ac aeth i sefyll o'i blaen.

"Nan, gad iddyn nhw," meddai'n ddistaw.

"Ond smoco, Ana! Dyddie 'ma? Ma'r peth yn…"

"Fydden i ddim yn cytuno gyda'r peth 'yn hunan, fel arfer," meddai Dr Gruffudd, gan gyfogi cwmwl glas o'i enau. "Ond o dan yr amgylchiadau…" Sugnodd ar y mwgyn unwaith eto, â'r bachgen yn gafael ynddo'n sownd. Ymhen dim, aeth pen Niclas yn llipa ym mreichiau'r llanc.

"Smocio goddefol ar ei orau," meddai yntau, gan wenu. Estynnodd am y sbliff a'i anelu at ei wefus ei hun.

"Na, ti ddim," meddai Nan, gan ei hyrddio i'r llawr â thrwyn ei gwn, a'i wasgu'n ddim dan ei sawdl. Cododd arogl rhyfedd o'r llawr, gwlân a chyffur yn llosgi'n un.

Syllodd Ana ar y patsyn du. Doedd hi bellach ddim yn trystio'r gwn yn ei llaw. Roedd hi'n fwriadol wedi dweud wrth Nan y byddai'n rhaid cadw'r bwledi yn y bag nes eu bod yn dod wyneb yn wyneb ag Eben. Roedd hynny'n rhan o'r cynllun, fel bod Eben yn eu gweld nhw'n llenwi'r gwn â'r bwledi. Gwneud iddo gredu ei fod e'n mynd i farw.

Ac os oedd Nan wedi llwytho ei gwn hi, yna rhaid ei bod wedi llwytho gwn Ana hefyd. Nid rhywbeth i dwyllo pobl fod ganddi rym a phŵer oedd y gwn yn ei llaw bellach, roedd e'n rhywbeth llawer mwy arswydus – rhywbeth a oedd yn bygwth dinistr. Yn llygaid y dorf, doedd hi ddim yn wahanol i'w chwaer; cyn belled ag y gwydden nhw, roedd hi'r un mor fympwyol, yr un mor beryglus. Ac roedd arni ofn am eu bod nhw'n ei gweld hi felly, y byddai hi'n ildio i'w rôl, yn hytrach na'i herio. Eisoes roedd ei gafael am y gwn yn fwy sicr. Eisoes roedd hi'n llygadu pawb er mwyn distewi'r rheiny oedd yn siarad; eisoes roedd arni ofn y byddai'n lladd rhywun.

Dyna pryd y sylweddolodd fod yn rhaid cael y gwystlon allan, mor fuan â phosib. Cyn iddi hi a Nan eu cael eu hunain mewn adeilad yn llawn cyrff. Roedd yn rhaid cyrraedd at Eben, a chyflawni'r hyn roedden nhw wedi bwriadu'i wneud.

Camodd Ana rhwng y cyrff llonydd. Gwnaeth hynny iddi deimlo'n annifyr – gan eu bod yn edrych fel petaen nhw wedi marw'n barod, a hithau'n teimlo fel y milwr olaf, crynedig ar faes y gad, yn ceisio'i gorau i beidio ag edrych i fyw y llygaid gwaedlyd. Gwyddai fod pob un ohonyn nhw'n fyw, ac am y tro cynta, o bosib, yn teimlo i'r byw y cynnwrf o *fod* yn fyw. Â phosibilrwydd arall yn hofran uwch eu pennau ar ffurf trwyn llwyd y gwn, roedd yn rhaid iddyn nhw wneud pob dim o fewn eu gallu i gadw'r galon yn curo'n uwch nag erioed, yr anadl fel llanw a thrai, yn cludo cychod bach eu cyrff i'r lan.

"Nan," meddai Ana'n betrus, nes bod ei llygaid duon wedi codi i gyfarfod â'i rhai hi. "Mae'n rhaid i ni gael pawb allan."

Petrusodd Nan am eiliad.

"Ond mae'n rhy hwyr," meddai. "Ma nhw wedi bod 'ma'n rhy hir. Bydd pobl yn gwbod 'yn bod ni 'ma."

Ochneidiodd Ana. Edrychodd ar ei wats. Gwyddai fod ei chwaer yn dweud y gwir. Roedd hi bellach yn ddeuddeg o'r gloch. Fe fyddai Dan wedi cael ei gloi mas o'r Llyfrgell ers awr bellach, ac fe fyddai hynny'n ddigon o amser iddo, hyd yn oed heb ei ffôn, allu cael gafael ar yr heddlu. Roedden nhw wedi anghofio am ymgynnull y ddau a weithiai yn y cantîn, a Duw â wyr ble byddai'r rheiny wedi mynd erbyn hyn. Roedd gweddill y bobl wedi bod yn gaeth yn eu swyddfeydd ers dros awr, ac er nad oedd modd iddyn nhw gysylltu â'r byd tu allan, fe fyddai 'na wastad un neu ddau (ac roedden nhw wedi rhag-weld hyn yn yr ymarferion gyda'r nos) a fyddai'n barod i geisio dianc drwy un o'r tyllau awyru. Roedd modd cyrraedd to'r adeilad drwy wneud hynny, a gweiddi am help; roedden nhw wedi rhag-weld y ddihangfa honno, wrth ddilyn y llwybr hwnnw i weld fyddai hynny'n bosib.

Roedd hi'n cofio perffeithrwydd y noson honno, y ddwy

ohonyn nhw ar do'r Llyfrgell yn syllu ar y nos ddi-sêr. Yn y pellter gwelent fflachiadau orenaidd y dref fechan, a'r môr yn lliwiau amryliw. Cymaint oedd y prydferthwch fel nad oedd modd iddyn nhw symud oddi yno nes i'r wawr a'i golau roi gwedd newydd ar bethau. Doedden nhw ddim ar eu pennau eu hunain, wedi'r cyfan, roedd tyrfa yn eu gwylio: ciwed fechan o wylanod wedi ffurfio'n gylch o'u cwmpas, yn syllu arnyn nhw drwy eu llygaid cam.

Edrychodd Ana ar ei wats drachefn. Erbyn un o'r gloch, roedd y cyfan i fod drosodd, dim ots pwy fyddai'n ceisio dianc, fe fyddai pob dim wedi'i wneud. Fe fydden nhw'n agor y Llyfrgell drachefn, ac yn derbyn eu cosb – roedden nhw wedi cytuno ar hynny. Ond doedd dim byd wedi'i gyflawni hyd yn hyn.

"Eben," meddai Ana. "Beth am Eben?"

"Eben?" meddai ei chwaer fel pe bai hi'n yngan yr enw am y tro cyntaf. "Dyw hyn ddim byd i neud ag Eben, odi fe?"

"Wrth gwrs 'i fod e'n ymwneud ag Eben," meddai, gan golli rheolaeth ar y sibrwd. Synhwyrodd lond cae o glustiau bychain wrth ei thraed yn ysu am glywed pob gair a ddeuai o'i genau. "Dwyt ti ddim yn bod yn deg nawr. Gad i ni drafod."

"Sdim byd i'w drafod. Ma'r rhein 'ma nawr. Allwn ni byth â'u gadael nhw mas neu bydd hi ar ben arnon ni. Nhw yw'n ffocws ni nawr."

"Ond..." teimlodd ei llais yn diflannu, fel aer yn dianc o falwn. Beth oedd y pwynt, os nad oedden nhw am ddial ar Eben? Man a man iddyn nhw ildio, derbyn eu cosb nawr. Doedd dim byd ar ôl i'w wneud. Doedd dim hawl gan Nan i wneud hyn, i drawsnewid y cynllun roedd hi wedi gweithio mor galed i'w berffeithio. Roedden nhw'n

mynd i ddial ar Eben, os mai dyna'r peth diwetha a wnâi.
Fe allai fynd, yr eiliad hon, doedd dim byd yn ei rhwystro
hi. Gorweddai'r gwystlon i gyd ar lawr a'u llygaid ar gau,
yn ufudd. Roedd y lle wedi dod i stop. Roedd coes Niclas
Gruffudd yn yr awyr a'r gwrid yn llifo 'nôl i'w fochau.
Gallai hi fynd. Sylweddolodd yn sydyn ei bod hi'n rhydd,
yn fwy rhydd nag y teimlodd ers i'w mam farw. Doedd dim
angen i'w chwaer fach fod gyda hi. Fe allai wneud hyn, ar ei
phen ei hun. Onid oedd hi wedi sgrechian a chreu twrw ar
ei phen ei hun am ddeuddeg munud cyfan cyn i'w chwaer
ddod i'r byd?

"Ble rwyt ti'n mynd?" meddai Nan yn sydyn.

"At Eben," meddai hi, gan wenu. "Gei di wneud yr hyn
a fynni di."

"Cer 'te, dilyn dy lwybr dy hun am unwaith," meddai
hithau.

Nid atebodd Ana. Doedd dim ots ganddi beth roedd
ei chwaer am wneud. Achub y sefyllfa, adfer ychydig o'i
chymesuredd – dyna oedd yn bwysig iddi nawr. Aeth heibio
pob un wyneb gan geisio peidio â meddwl am oblygiadau
gadael i'w chwaer ofalu amdanyn nhw. Gwrthododd dderbyn
y cyfrifoldeb; atgoffodd ei hun mai dieithriaid oedden nhw.
Cynigiodd ymddiheuriad dieiriau i bob un ohonyn nhw â'i
llygaid, gan daflu edrychiad olaf dros ei hysgwydd, i weld a
oedd Nan yn edrych arni.

Ond doedd hi ddim. Roedd Nan yn syllu i rywle arall,
ymhell o afael llygaid Ana. Ac roedd Ana'n gwybod, wrth ei
gadael yn syllu i'r gofod hwnnw, ei bod hi'n gadael deuddeg
bywyd ar y ffin denau rhwng byw a marw, rhwng bod a
darfod.

Ond fe aeth, serch hynny.

★ ★ ★

Pan aflonyddodd Niclas Gruffudd, yn llygaid Nan roedd e'n
golomen, a doedd ganddi ddim dewis ond ei saethu. Teimlai
fod y weithred yn un daclus. Os saethu, yna saethu'n iawn,
cyrraedd y targed, gwireddu bwriad. Doedd dim iws saethu
ei bwledi prin i unlle arall. Meddyliodd am rym y corff,
y gallu oedd ganddo i sugno bwled yn ddwfn i'w wead,
i'w derbyn fel cyfrinach ddu yn ei chrynswth coch. Gallai'r
fwled fod wedi teithio drwy unrhyw arwyneb arall yn
hawdd: pren, plastr, gwydr – deunyddiau brau'r byd. Gallai
rhywun chwalu seiliau rhywle yn rhacs, tynnu'r adeilad hwn
i lawr fel a wnaed gyda'r tyrau yna yn Efrog Newydd, ond
roedd 'na siawns go lew y byddai rhywun yn rhywle yn dal i
anadlu dan y rwbel i gyd, wedi i'r deunyddiau hynny ildio.

Cyrff oedd y pethau mwyaf cymhleth yn y byd 'ma,
meddyliodd Nan, gan feddwl am y daflen ecsbelydriad o'i
hymennydd roedd hi wedi'i gweld yn yr ysbyty, yn fflachio'n
arswydus o wyn yn erbyn ei chefnlen ddu. Anaml y byddai
rhywun yn ei weld ei hun fel hyn, tu chwith allan. Ond roedd
hi'n falch iddi gael y cyfle; rhoddodd bersbectif newydd iddi.
Dim ond gwythiennau ac esgyrn oedd pawb yn y diwedd.
Dilynodd daith y bys gwybodus unwaith eto drwy labyrinth
ei hymennydd. *Fan hyn ma'r broblem*, meddai'r doctor, gan
lanio yng nghornel chwith ei hymennydd. Edrychai'r man
gwag hwnnw iddi hi fel rhywle perffaith i guddio rhag y
byd, fel llannerch fechan rhwng brigau mân.

Gwyddai'n iawn nad oedd hanner y bobl o'i blaen erioed
wedi meddwl go iawn am yr hyn oedd yn digwydd yng
nghors eu cyrff, nac erioed wedi ceisio chwilota am yr holl
is-destunau a'r cyfeiriadau cymhleth o dan dudalennau'r
cnawd. Roedd yn well ganddyn nhw wastraffu eu dyddiau'n

chwilota am bethau nad oedd yn bod, go iawn. Yn pori drwy eiriau ar sgrin fechan, yn chwilio am wead neu batrwm o rywbeth nad oedd ganddo batrwm, heb fwriad o fath yn y byd. Doedden nhw ddim yn sylweddoli mai nhw eu hunain *oedd* y patrwm mwyaf diddorol mewn bod, fod 'na fwy o haenau i gorff nag y gallai fyth fod rhwng dau glawr. Gwenodd Nan. Sylweddolodd mai dyna pam y saethodd Niclas, a hynny yn ei goes – er mwyn ei dywys o'i feddyliau ei hun a'i atgoffa mai corff ydoedd, dim byd mwy, dim byd llai na hynny.

Doedden nhw ddim, chwaith, yn sylweddoli cymaint o rôl oedd ganddi hithau yn yr hyn roedden nhw'n ei ddarllen, ac roedd hi'n werth iddyn nhw gael eu hatgoffa nad 'mond ymddangos ar y sgrin o'u blaenau roedd yr holl weithiau yma; roedd rhywun wedi bod yn gweithio'n ddiwyd tu ôl i'r llenni am oriau di-ben-draw i baratoi'r testun, ac i sicrhau bod hynny'n digwydd. Gwelsai Nan dueddiad annifyr gan ymwelwyr i lawrlwytho'r llyfr ac yna ei droi i ffwrdd mor ddi-hid, heb feddwl am y gwaith na'r llafur o baratoi'r camau a arweiniai at y weithred syml honno. Dro arall, gwelai rhywun yn troi i siarad â'i ffrind wrth lawrlwytho llyfr, gan dynnu ei lygaid oddi ar yr hyn roedd hi wedi'i fwydo mor ofalus i'r peiriant, gan anwybyddu'r testun cymesur perffaith a wnaeth hi ei fireinio, gan sicrhau ei fod yn fwy apelgar at lygaid y darllenydd. *Ewn ni am ffag, ife?* byddai rhywun yn 'i ddweud, gan adael y ddogfen brin yn syllu ar neb ond arni hi ei hunan. Dyna pam y cynddeiriogwyd hi gymaint gan y mwg, y byddai'n well gan rywun sugno mwg i'w ysgyfaint na sugno'r wybodaeth hon i'w ymennydd.

Hi oedd prif brosesydd deunyddiau'r Llyfrgell, a chawsai ei dyrchafu i'r statws hwnnw yn hytrach na'i chwaer, er mawr syndod iddi. Cofiodd yr aeliau'n codi, y llais yn dweud – ddeuddeng munud ar ôl i hynny fod yn dderbyniol – *llongyfarchiadau*. Doedd hi ddim yn siŵr iawn pa fath o waith di-nod roedd Ana'n ei wneud yn ei phen hi o'r swyddfa, gan ei bod hi'n gyndyn i drafod ei gwaith gyda hi. Yn ôl y ddeddf, roedd hynny'n waharddedig beth bynnag, hyd yn oed o fewn aelodau o'r un teulu. Ond tybiodd Nan mai'r rheswm pam nad oedd Ana eisiau dweud dim wrthi am ei gwaith oedd am ei bod hi'n gwybod nad ydoedd o'r un statws aruchel â'i gwaith hi. Wedi'r cyfan, Nan fyddai'n cofnodi pob dim a âi ar system y Llyfrgell, ac yn cael gorchwylio testun pob un lawrlwythiad. Fe fyddai dogfennau pwysig yn cael eu hymddiried iddi fel y gallai eu golygu a'u trosglwyddo, a hyd y gwelai Nan, doedd 'na ddim byd ond pentyrrau o lyfrau digon di-nod yn glanio ar ddesg ei chwaer, llyfrau prin, hen ffasiwn na fyddai byth yn cyrraedd y system.

Hi, Nan oedd y person gorau ar gyfer y math yma o swydd, meddai'r Brif Lyfrgellwraig wrthi rhyw fore. *Mae dy feddwl di'n siarp, Nan, ry'n ni'n gwybod na wnei di golli 'run manylyn*, meddai. Teimlodd Nan rhyw bwl o euogrwydd wrth gytuno â hi. Roedd hi eisoes wedi colli pethau dros y misoedd diwethaf, ac yn gwybod pa mor anghyflawn oedd ambell ddogfen. Ambell un o ddewis, efallai, ond ambell un hefyd am ei bod hi'n sydyn yn anghofio beth roedd hi'n ei wneud, neu ble yn gwmws roedd hi wedi'i gyrraedd wrth sganio ac ailstrwythuro. Yn hytrach na gofyn i rywun, fe fyddai'n palu ymlaen, gan obeithio'r gorau. Yn hwyr neu'n hwyrach fe fyddai rhywun yn sylwi. Byddai bylchau ei meddwl yn dechrau ymddangos ar sgrin yr e-ddarllenwyr. Ac fe fyddai 'na bris i'w dalu am hynny.

Dyna pam doedd dim ots ganddi beth ddigwyddai o fewn yr oriau nesaf. Gorau po gyntaf yr âi rhywun â hi oddi yno.

Neu'n well byth, cipio'r gwn oddi ar ei dwylo, ei saethu yn y fan a'r lle, a'i chondemnio i'r llannerch honno yng nghilfach ei meddwl am byth.

Eben, dwedodd ei chwaer wrthi. *Eben*, ti'n cofio?

Dyw hyn ddim byd i'w wneud ag Eben, dwedodd. Eben. Swniai'r enw yn gyfarwydd ac yn anghyfarwydd rhywsut. Ond eto roedd yr enw'n canu yn ei meddwl yn rhywle. Gwelodd lythrennau ei enw o'i blaen, yn arnofio ar y sgrin, ac roedd ganddi ryw gof o wthio'r enw hwnnw i ryw ofod yn rhywle. I rywle nad oedd e'n perthyn iddo. *Ffeindia lwybr, Nan*, clywodd lais yn dweud. *Llwybr yn ôl at y gair.*

Ond yn hytrach na gwneud hynny, dwedodd wrth ei chwaer am ddilyn ei llwybr ei hun, ac arhosodd hithau yn ei hunfan.

DAN

ERBYN HYN ROEDD Dan, Cenfyn a Dora yn llechu yn eu cwrcwd ar goridor bychan heb barwydydd, uwchben y gwystlon. Pan ddaethon nhw i mewn drwy'r drws a gweld y dyrfa islaw, roedd Dan wedi gorfod gwthio'r ddau arall i'r llawr er mwyn gwneud iddyn nhw ddistewi. Glaniodd yntau'n chwithig ar ben y ddau, ond roedd e'n ddigon o gwmpas ei bethau i rag-weld yr ebychiadau a fyddai'n debygol o ddianc o'u genau, ac felly rhoddodd ei ddwy law dros eu cegau, gan wthio'r geiriau 'nôl i mewn. Cenfyn oedd ar waelod y pentwr, a dim ond ambell dwfftyn o'i wallt gwyngalchog i'w weld dan wasgfa corff Dora. Brathodd hwnnw law Dan, a bu'n rhaid i Dan roi clamp ei law dros ei geg ei hun. *Y diawl bach anniolchgar,* dwedodd wrtho, drwy gyfrwng ei lygaid. Trodd Cenfyn oddi wrtho'n bwdlyd, ac eistedd â'i gefn yn erbyn y balconi bychan. Roedd Dora'n fud o ddewis a'i llygaid oedrannus wedi gweld digon am un diwrnod. Er iddo geisio rhwystro'r ddau rhag edrych i lawr, gwyddai iddynt weld y gwaed ar y carped islaw.

Doedden nhw ddim wedi gweld Nan. Dim ond gweld cylch o gyrff yn gorwedd yn llonydd ar lawr ac un o'r rheiny a'i goes yn yr awyr. Golygfa annaturiol oedd hi, golygfa a oedd yn troi'r byd ar ei ben. Doedd y carped hwnnw ddim yn goch fel arfer – dim ond yn y mannau hynny lle byddai'r ymwelwyr, y bobl bwysig, yn ymweld â nhw roedd y fath foethusrwydd. A dweud y gwir, sylweddolodd Dan y foment honno pa mor ddi-liw oedd pob dim tu hwnt i'r mannau hynny mewn gwirionedd, ac mai dim ond yn y rhan ddisglair o'r adeilad y gwnaed unrhyw fath o ymdrech i gyflwyno'i brydferthwch i'r byd. Yn y rhannau o'r adeilad oedd yn perthyn i'r staff, carpedi tenau, llwyd a brown oedd yno a'r staff llwyd a brown hynny'n toddi'n un â nhw. Ond roedd y patshyn coch 'na'n newid pob dim. Er nad coch moethus ydoedd – ond rhyw belenni o borffor afiach yn gwasgaru'n flêr i seiliau'r carped – roedd e'n newid siâp y stafell, yn rhoi dimensiwn newydd i bethau, yn caniatáu iddo *weld* pethau'n gliriach. Ac roedd e wedi gweld fod 'na rywbeth mawr o'i le, ac wedi gwthio Cenfyn a Dora i'r llawr er mwyn eu harbed rhag y rhywbeth ofnadwy hwnnw.

Rhy hwyr. Roedd Cenfyn yn crynu ac anadliadau Dora'n anwastad ac yn bygwth dod i stop. Taenodd ei freichiau dros eu hysgwyddau yn ysgafn fel bwa plu, gan obeithio'u cysuro. Arogleuodd eu persawr rhyfedd, taffi a chwys, tato stwnsh ac amonia, ond roedd yn gysur iddo wybod, hefyd, ei fod yn dal yn gyfrifol am ddiogelwch dau. Yn hynny o beth, doedd e ddim wedi methu'n gyfan gwbwl. Wnaeth hyd yn oed Cenfyn ddim ymdrech i wthio ei fraich i ffwrdd, ond yn hytrach, ildiodd i'w afael, i'r tynerwch a gynigiwyd iddo yn y sefyllfa ryfedd hon.

Daeth llais Nan i dorri ar y tawelwch. Er nad oedden nhw'n medru ei gweld, roedd ei llais yn hollbresennol, yn frawychus o agos. Siaradai â'r gwystlon gan orchymyn hwn a'r llall ac arall i symud o gwmpas, neu i gau eu cegau. Dyna pryd y sylweddolodd Dan, gyda rhyddhad, nad oedd y cyrff a welsai'n gyrff meirw, wedi'r cyfan. Dim ond un oedd wedi'i niweidio. Gwrandawodd eto, gan geisio gwneud synnwyr o'r ffordd roedd hi'n siarad. Weithiau, roedd hi fel petai'n ddau berson gwahanol, yn gofyn cwestiwn ac yna'n ei ateb ei hun. Yr un llais a glywai, roedd e'n sicr o hynny, ond roedd hi fel petai wedi'i rhannu'i hun yn ddwy, er mwyn gwneud y dasg yn haws – lefel newydd o wallgofrwydd, hyd yn oed yn ei brofiad ef, meddyliodd Dan. Roedd e'n dueddol o ddewis menywod anaddas, dro ar ôl tro, rhai anodd eu trin, rhai a oedd yn licio chwarae gêmau, ond roedd e'n amlwg wedi rhagori'r tro hwn.

Ar ddiwedd un o'r deialogau â hi'i hun, lle roedd Nan fel petai'n dweud wrthi hi ei hun am adael y stafell, distawodd y cyfan. Distawrwydd pur, llethol – y math o ddistawrwydd fyddai'n gwyntyllu weithiau drwy grombil y llyfrgell. Bob tro y byddai Dan yn clywed y math hwn o dawelwch, fe fyddai'n ei atgoffa ei hun nad tawelwch go iawn ydoedd, ond tawelwch a nodweddai'r bwlch rhwng pobl, gan fod meddyliau pob person yn y stafell yn dal i droi, yn dal i swnian – 'mond ei bod hi'n amhosib i'r naill glywed meddyliau'r llall. Roedd 'na rywbeth amhosib am y tawelwch, rhywbeth gwarchodol. Ac felly roedd hi nawr. Y distawrwydd yn eu rhannu nhw. Ei feddyliau ef, Cenfyn, Dora. Meddyliau'r dyn a'i goes yn yr awyr. Meddyliau'r bobl hynny ar y carped. Pawb mewn byd swnllyd roedd wedi'i greu, ond na fyddai neb yn ei glywed byth.

Dim ond y corff a fradychai'r distawrwydd, nid y meddwl, meddyliodd Dan, wrth synhwyro bod Cenfyn, wrth ei ochr, ar fin tisian. Gwelodd y ffrwydrad hwnnw'n dod o bellter, yn glamp o disiad swnllyd a oedd yn ymgasglu'n gymylau aer yn ei fochau gwelw. Ac er gwaethaf ymdrechion Cenfyn i ddal y cyntaf yn ôl, fe ffrwydrodd un arall, un mwy swnllyd y tro hwn, gan chwythu llysnafedd gwyrdd dros bob man. Rhewodd y tri yn eu hunfan. Hoeliodd Dan ei sylw ar y llysnafedd ar y wal.

"O's rhywun 'na?" gwaeddodd Nan. Rhy hwyr.

Trodd Cenfyn a Dora i edrych ar Dan. Gwelodd y

disgwyliadau yn eu llygaid, y gobaith y byddai'n gwybod sut i ddatrys hyn, sut i'w diogelu fel y llwyddodd i'w wneud hyd yn hyn. Am y tro cyntaf y diwrnod hwnnw roedd ei feddwl yn gwbwl wag. Sylweddolodd mai 'mond eiliadau oedd ganddo i ddatrys y pos. Gallai godi ar ei draed, ildio, gan obeithio na fyddai hi'n ei saethu. Ond wedyn byddai'n rhaid i Dora a Cenfyn ddianc oddi yno ar eu pennau'u hunain, ac wrth wneud hynny byddai'n torri rheol 124 o'r llawlyfr diogelwch: 'mewn argyfwng terfysgol, peidiwch â gadael i'r sifiliaid edrych ar eu hôl eu hunain'. Gallai ildio Cenfyn yn unig, ond doedd e ddim yn siŵr a fyddai hynny'n gweithio gan na allai ddianc yn gyflym iawn gyda Dora'n llusgo ar ei ôl. Ac o ildio Dora'n unig, byddai hi'n debygol o gael trawiad ar y galon. Roedd yn rhaid i un ohonyn nhw ddianc. Roedd e fel y pos 'na o orfod croesi'r afon gyda'r cadno, yr iâr, a'r sach o rawn.

"Oes rhywun 'na? Atebwch fi!" gwaeddodd Nan unwaith eto. Roedd ei llais yn agosáu.

Y cadno, y sach o rawn, yr iâr. Dim ond un ar y tro yn y cwch bach. Beth oedd yr ateb i hynny? O fynd â'r grawn draw gyntaf, fe fyddai'r cadno yn bwyta'r iâr. O fynd â'r cadno gyntaf, fe fyddai'r iâr yn bwyta'r grawn...

"Oes!" meddai'n sydyn, mewn llais uwch na'r arfer, gan aros y tu ôl i warchodfa'r balconi. "Ma dau ohonon ni 'ma."

Trodd Cenfyn i edrych arno a'i lygaid ar dân.

"Beth wyt ti'n neud?" sibrydodd hwnnw. "Neith hi'n lladd ni!"

"Saf ar dy drâd," meddai'n sydyn wrth Cenfyn. "Saf ar dy drâd, a coda Dora gyda ti. Codwch eich dwylo yn yr awyr. Ma'n rhaid iddi weld nad ydyn ni'n fygythiad, neu bydd hi'n ein saethu ni."

"Beth amdanot ti?" meddai Cenfyn, a oedd, hyd yn oed ar y foment dyngedfennol hon, yn mynnu codi ffrae ag e. "Wyt ti eriôd yn mynd i ddianc, wyt ti, a'n gadael ni fan hyn?"

Poerodd y gair olaf i'w wyneb mewn sibrydiad sur, ond gwnaeth Cenfyn fel y gorchmynnwyd iddo wneud, sef codi ar ei draed, a chodi Dora, â'i bloneg sigledig, yn dyner ar ei thraed wrth ei ochr. Fel y dyfalodd Dan, roedd corff Dora yn y coridor cul yn ei gelu, gan roi tair eiliad iddo lusgo'i ei hun yn ôl, wysg ei din, ac i mewn i gilfach gyfagos wrth ddrws un o'r swyddfeydd. Clywodd Nan yn gorchymyn Cenfyn a Dora i ddod lawr y grisiau i ymuno â nhw.

"Fan hyn y'ch chi," clywai Nan yn dweud, mor ddihid â tasai hi wedi bod yn chwilio am y ddau i weini bwyd arni. "Gorweddwch gyda'r gweddill, a pheidiwch â dweud gair. Mae'n rhaid i ni i gyd fod yn ddistaw. Cyn belled ag y byddwch chi'n ddistaw, bydd pawb yn saff."

Clywodd y ddau yn syrthio'n swp ar lawr. Am bum munud cyfan, roedd y lle'n gwbwl dawel, ac roedd ar Dan ofn symud hyd yn oed y mymryn lleiaf, rhag iddo'i fradychu ei hun. Gwrandawodd ar anadliadau'r gwystlon – rhai'n isel, rhai'n betrus, rhai'n ddwfn, a'r rhai hŷn efallai, yn chwyrnu hyd yn oed. I rai, efallai mai cwsg oedd y cysur mwyaf mewn sefyllfa o'r fath, cael camu i fyd arall, a sicrhau rhyddid unwaith eto. Roedd 'na synau eraill hefyd, gan fod ambell un yn clecian ei wefusau am fod ei geg yn sych, ambell un arall yn rhoi ochenaid hir bob hyn a hyn, a thrwyddi draw, boliau'n griddfan mewn cynddaredd wrth gael eu hamddifadu o'u cinio.

Clywodd Dora'n dechrau crafu pesychiad o'i llwnc, ac roedd e'n gwybod beth oedd yn dod nesaf. Ymbiliodd arni i beidio â dweud dim. Doedd e ddim eisiau meddwl am

Dora â bwled yn ei choes, nac yn unman arall. Ond yn ofer, fe aeth y geiriau ffôl drwy goridor gwag ei meddwl ac allan drwy ddrws ei cheg.

"Falle…" dechreuodd Dora, "y gallen ni roi rhwbeth bach i'w fwyta i bawb," meddai, fel 'tai 'na ddim byd mwy brawychus wedi digwydd na thoriad yn y trydan.

Aeth y lle'n gwbwl dawel. Roedd Nan fel petai'n ystyried y cynnig.

"Mae bwyd, wel…" meddai Dora, a'i llais yn crynu. "Mae e'n gysur bach hawdd ar adeg fel hyn, on'd yw e…"

"Beth sy 'da chi?" gofynnodd Nan, wedi saib hir.

"Torth a phum pysgodyn!" meddai Dora gan chwerthin. Clywodd Dora'n chwilota ym mherfeddion ei ffedog ddiwaelod. "Wel, na, pice ar y maen. Dim ond bore 'ma 'nes i nhw a wel…"

"Rhowch nhw mas 'te," meddai Nan. "Geith e'ch helpu chi," meddai hi wedyn. Rhaid ei bod hi'n pwyntio at Cenfyn, nawr, meddyliodd Dan, gan ddychmygu'r smonach y byddai Cenfyn yn debygol o wneud ohoni, yn gwgu ar bawb wrth wthio'r cacennau i'w cegau agored. Os oedd rhywun yn debygol o achosi i bawb gael eu saethu, Cenfyn oedd hwnnw.

"Pawb ar eu heistedd!" meddai Nan, gan weiddi ar bawb i godi. "Efallai mai hwn fydd 'ych pryd olaf chi, felly gwnewch yn fawr ohono."

Clywyd ambell gri pan ddywedwyd hyn. Yn sydyn iawn teimlodd Dan yn euog am anfon Dora a Cenfyn i lawr y grisiau. Petai hi'n eu lladd nhw, fe fyddai'n rhaid iddo fyw gyda'r ddau wyneb hynny yn ei isymwybod am weddill ei oes. Ac fe fyddai hynny'n niwsans.

"Am heddiw, ta beth," clywodd Nan yn ychwanegu.

Fe drawsnewidiodd y gri wedyn yn ocheneidiau bychain

ar hyd y stafell, a lefel y sain yn codi'n raddol, fel pe baen nhw mewn te parti a phawb wrthi'n hanner sglaffio a hanner siarad. Gallai glywed ambell bwt o sgwrs, gan gynnwys Dora'n dweud, "'Na chi bach, 'co chi ddwy i chi, gan 'ych bod chi'n bwyta i ddau." Ymhellach eto, clywodd Dora'n gweud, "'Sa i'n becso fod e'n anymwybodol, mae pice ar y maen yn well nag unrhyw drip." Ond oddi wrth Cenfyn, chlywodd e ddim byd heblaw'r grwgnach a'r swnian arferol. Mewn nifer o ffyrdd, roedd e'n gwmws fel y twrw dyddiol yn y cantîn.

Wedi i'r sŵn gyrraedd lefel derbyniol, gwelodd Dan ei gyfle. Aeth ar ei bedwar a sleifio'n araf i lawr y coridor tuag at y drws pellaf, y drws roedden nhw wedi bod yn ceisio'i gyrraedd. Ar ei daith, bu'n rhaid iddo wynebu sawl wyneb gwahanol, wedi'i wasgu yn erbyn drysau gwydr y swyddfeydd.

Eben

Erbyn hyn roedd Eben yn camu ar hyd ei gell mewn panig o fath gwahanol – nid y panig hwnnw a wnâi iddo deimlo'n fychan neu'n ddi-werth, ond y math o banig a oedd yn gwneud iddo fod eisiau rhoi ei ddwrn drwy'r wal. Nid ei enw fe oedd yn y ddogfen wreiddiol. Roedd pob e-bapur wedi dyfynnu'r dyddiadur hwn o'r cofnodion digidol, a nawr roedd e wedi gweld y ddogfen wreiddiol â'i lygaid ei hun. Aeth i chwilio am enghreifftiau eraill yn y dyddiaduron a gawsai eu defnyddio gan yr e-bapurau, y rhai a ryddhawyd i'r wasg gan y teulu, a gweld, unwaith eto, fod yr union eiriad wedi cael ei newid. Pob un dim a ddywedwyd amdano, wedi cael ei newid, wedi'i wyrdroi mewn rhyw ffordd. Roedd rhywun yn amlwg wedi ymyrryd â'r copi digidol, a newid yr hanes. Ceisiodd ddarllen y dyddiaduron mwyaf diweddar unwaith eto, ac wedi iddo graffu'n fwyfwy ar ysgrifen y blynyddoedd olaf, roedd hi'n amlwg iawn mai rhywbeth arall oedd yn ei phoeni – y rhywbeth hwnnw a wnaeth iddi roi'r gorau i sgwennu yn 2014. Doedd gan Elena ddim taten o ots amdano fe, sylweddolodd. A dweud y gwir, wedi ambell sylw joclyd, roedd Elena fel petai wedi anghofio'n llwyr amdano.

Edrychodd ar ddyddiadau penodol o bwys, y dyddiadau hynny a oedd wedi eu serio ar ei gof ers iddo glywed am ei farwolaeth, ac aeth i chwilio drachefn am dystiolaeth. Doedd hi ddim wedi cymryd owns o ddiddordeb yn y llith a sgwennodd yn yr e-gyfnodolyn *Cynddylan* yn 2016, na chwaith yn y chwe thudalen ar hugain a gyfrannodd i'r e-gylchgrawn *Bardd Cas* yn rhacsio'i nofel arobryn yn yr Eisteddfod y flwyddyn honno. Yn ôl y straeon ar y newyddion wedi ei marwolaeth, roedd yr adolygiadau hynny wedi achosi iddi gael niwrosis a barodd tan ei dyddiau olaf, ac a oedd wedi cyfrannu'n sylweddol at ei phenderfyniad i ladd ei hun. Yn y dyddiaduron, doedd 'na ddim sylw o gwbwl wedi'i wneud o'r diwrnod pan aeth Eben ar raglen fyw i ddatgan nad oedd Elena Wdig yn ffit i fod yn cyhoeddi ei gwaith yn unman. Yr unig sylw oedd: *mae lliwiau'r hydref mor hardd, mor frawychus, yn llawn rhyw, trais a gwaed. Digon i'm lladd yn y fan a'r lle.* Roedd y papurau wedi'i dyfynnu gan ddweud: *Mae adolygiadau Eben Prydderch mor frawychus, yn llawn rhyw, trais a gwaed. Digon i'm lladd yn y fan a'r lle.*

Safodd Eben yn stond yng nghanol y gell, yn ceisio dygymod â'r ffeithiau o'i flaen. Roedd hi'n amlwg nad o'i achos ef y lladdodd Elena ei hun. Ac roedd hynny'n rhyddhad, yn ddi-os. Fe fyddai Ffrancon yn siarad ag ef eto, a châi ei dderbyn gan gymdeithas unwaith yn rhagor. Roedd hi'n amlwg fod Elena'n benderfynol o roi'r bai arno ef, o'r dechrau. Er nad oedd hi'n poeni blewyn amdano, roedd hi wedi penderfynu cael y gair ola ar bethau. A dyna i chi air olaf. Dedfryd arno yntau. Ac yna'r gic – yn gwybod y deuai i wybod, yn hwyr neu'n hwyrach. Yn sylweddoli faint o jôc oedd y cyfan, ac yn teimlo'n dwp iddo gael ei dwyllo. Oherwydd roedd y ffaith ei fod yma nawr, yn mynd drwy ei ddyddiaduron, yn syllu ar ei llun, yn profi ei bod hi'n iawn; *roedd* ganddo ryw obsesiwn amdani hi, roedd yn ei charu a'i chasáu ar yr un pryd. Fu e ddim erioed yn feirniad gwrthrychol, a'i unig fwriad oedd ei dinistrio hi. Gadawodd iddo gredu ei fod wedi llwyddo i wneud hynny, dim ond i daflu'r honiad hwnnw yn ôl yn ei wyneb unwaith yn rhagor. Hi gafodd y gair ola.

Ac wrth i gant a mil o bethau ruthro drwy ei feddwl – y llyfr, y modd y llwyddodd hi i wastraffu ei amser, a'i emosiwn – yn sydyn iawn, fe ddigwyddodd rhywbeth. Fe glywodd y drws yn cael ei ddatgloi. Doedd e ddim wir wedi disgwyl clywed y drws yn agor byth eto, felly fe gafodd sioc ei fywyd wrth weld y drws hwnnw'n cael ei wthio, gam wrth gam, ar agor. Yna, cafodd fwy o sioc wrth weld Ana, un o ferched Elena, yn camu i mewn i'r stafell, gan adael y drws yn gilagored. Llifodd aer newydd i mewn a theimlodd Eben ei ysgyfaint yn llawenhau. Doedd e ddim wedi sylweddoli tan hynny mor stêl oedd y stafell o'i amgylch, a'i anadl pydredig ei hun yn lladd yr awyr iach.

"Eben," meddai Ana, mewn llais datgelu-dim. "Dyma ni yma gyda'n gilydd, o'r diwedd."

Syllodd ar y ddynes o'i flaen. Roedd wedi'i gweld o'r blaen, wrth reswm, mewn amryw o luniau. Edrychai fel ei mam ond fersiwn a geid mewn drych yn y ffair, a gwaelod ei hwyneb fymryn yn dynnach am ei boch, a'i choesau fymryn yn fyrrach. Roedd ei gwallt yn syth, yn helmed crwn am ei phen, nid fel gwallt cyrliog, anystywallt ei mam. Ond roedd e'r un mor danbaid o goch. Roedd genynnau Elena'n sownd wrth ei rhai hi, doedd dim gwadu hynny.

Daliai ei llaw tu ôl i'w chefn, gan guddio rhywbeth. Efallai mai un dyddiadur olaf oedd ganddi, yn llawn o ddyfyniadau 'go iawn' Elena. Sylweddolodd yn sydyn ei fod e'n dal i obeithio fod y stori'n wir. Mewn ffordd wyrdroëdig roedd e eisiau credu bod Elena wedi lladd ei hun o'i herwydd e, ac roedd e am i'r dyddiaduron hyn roedd e newydd eu darllen fod yn rhai ffug. Roedd meddwl fod rheswm arall tu ôl i'w hunanladdiad yn tynnu oddi ar ei bwysigrwydd rywsut.

Efallai iddo orfod dioddef gweld y gymdeithas gyfan yn troi yn ei erbyn, ond bellach roedd e'n rhywun. Yn rhywun mileinig roedd ar bawb ei ofn. Y Bardd Cas gwreiddiol. Ni allai gael ei anfon i'r carchar am wneud yr hyn a wnaeth e. Er bod y fath beth ag achosi marwolaeth drwy yfed a gyrru, neu achosi marwolaeth drwy yrru'n beryglus, ond doedd 'na ddim y fath beth ag achosi marwolaeth drwy adolygu'n beryglus, oedd e?

Plis dwed mai jôc yw'r cyfan, ymbiliodd yn ei feddwl. *Gad i mi fynd 'nôl i sgwennu'n llyfr.*

Ond yn hytrach, wnaeth Ana ddim byd ond datgelu'r hyn oedd ganddi tu ôl i'w chefn, sef gwn.

"Wel, Eben, dyma ni'n dau gyda'n gilydd, o'r diwedd," meddai Ana. "'Sda ti rywbeth licet ti 'i ddweud wrtha i?"

Doedd e ddim yn gwybod beth i'w ddweud. Y cyfan a ddôi i'w feddwl oedd fod yn rhaid iddo osgoi'r farwolaeth a oedd yn ei wynebu. Pe byddai farw, fyddai 'na ddim llyfr. Dim mawredd. Fe fyddai'r hon o'i flaen, fel ei lofrudd, yn dod yn fwy enwog nag ef. Roedd yn rhaid achub y sefyllfa, seboni, gwneud rhywbeth a allai fod o gymorth iddo ddod mas ohoni.

"Dwi'n deall pam rwyt ti yma," meddai Eben. "Rwyt ti eisiau fy lladd i."

"Clyfar iawn," atebodd Ana. "Ac rwyt ti, yn ddiarwybod, wedi bod yn eistedd yn y gell 'ma'n aros i rywun ddod i dy ladd di," meddai hi, gan chwerthin. "Wyt ti'n deall sut deimlad yw hynny? Eistedd mewn cell a chael rhywun yn dod i dy fygwth di? Cael rhywun yn chwythu darnau ohonot ti dy hun i ffwrdd fesul gair, fesul adolygiad?"

"Dyw hynny ddim 'run peth," meddai Eben, gan feddwl y gallai ddianc drwy resymu. Roedd ganddo un llygad ar y twll awyru yn y nenfwd o hyd. Petai'n cael cyfle, dyna fyddai ei siawns orau o ddianc. Fe allai wasgu ei hun trwyddo, gydag ychydig o ymdrech. "Dyw adolygu ddim yr un peth â bygwth â gwn."

"Nag yw e?" meddai Ana, a'i bys bach yn tynhau ar y glicied. "'Sen i'n dweud ei fod e'n debyg tu hwnt. Rwyt ti'n dal gwn at wyneb y person ac yn dweud nad yw'r hyn mae wedi'i greu yn werth dim byd. Ac rwyt ti'n dweud wrth y person 'na i roi'r gorau iddi, neu y byddi di'n parhau i'w fygwth, drwy ei saethu o bell."

"Nid fel 'na oedd hi," meddai Eben. "A ta beth, doedd dy fam ddim yn becso beth rown i'n ei feddwl ohoni, achos…"

"O, nag oedd hi nawr?" meddai Ana, gan ddod â'r gwn yn nes ato'r tro hwn. "Dyna pam aeth hi dros y balconi 'na, ife?"

"Nath hi ladd 'i hunan achos ei bod hi'n…"

"Paid di â dweud wrtha i pam nath Mam ladd ei hun! Ti achosodd 'ny a neb arall."

Doedd y gwn ond rhyw fetr oddi wrth ei wyneb erbyn hyn, ac roedd e'n rhy ofnus i geisio rhesymu â hi nawr. Gallai weld y bwriad yn ei llygaid. Caeodd ei lygaid a gobeithio'n ddirfawr y byddai'n llwyddo i ennill rhyw fath o enwogrwydd yn sgil ei farwolaeth. O leiaf fe fyddai'n hawlio lle mewn hanes. Gwell hwyr na hwyrach.

Clywodd y gwn yn tanio, a chlywodd rywbeth – ei hun, fe dybiodd – yn chwalu'n ddarnau. Ac eto, teimlai ei fod yn dal i fod yn fyw. Agorodd un llygad yn betrus a theimlo'i gorff. Uwch ei ben roedd 'na dwll enfawr yn y nenfwd, ac roedd y slabyn nesa at y twll awyru wedi'i ddisodli, gan adael gofod dwbl ei maint.

Ar y llawr o'i flaen roedd Ana'n gorwedd ar ei hyd, gyda dyn – y porthor a agorodd fynedfa'r Llyfrgell y bore hwnnw – yn gorwedd ar ei phen, a hithau'n ceisio'i wthio o'r neilltu. Sgrechiai arno i godi oddi arni tra ceisiai yntau ei dal lle roedd hi. Yn y ffrwgwd, roedd y gwn wedi cael ei daflu i'r naill ochr ac wedi glanio'n swp wrth draed Eben. Heb feddwl rhagor, estynnodd amdano. Gan ei fod yn dal i wisgo'r menig gwynion, llithrodd yn syth o'i afael. Taflodd y menig o'r neilltu a theimlo'r gwn yn oer ac yn real yn ei ddwylo.

Gwelodd ei gyfle i ddianc, a rhedodd am y drws. Roedd hwnnw wedi'i gloi drachefn, wedi cau ar ôl i'r porthor ddod i mewn, a doedd dim allwedd i'w weld yn unlle, dim ond rhyw declyn siâp lleian yn gorwedd ar y llawr wrth ei draed a hwnnw wedi'i chwalu'n ddau ddarn.

Syllodd drachefn ar y nenfwd, gan weld ei enau du yn gwenu'n ôl arno, fel gwahoddiad.

NAN

WEDI I ANA adael y stafell, daeth rhyw lonyddwch mawr dros Nan. Sylweddolodd yn sydyn mai dyna oedd arni hi ei eisiau o'r dechrau, bron, rhyw ysbaid fach, cyfle i wneud pethau ar ei phen ei hun, ar ei thelerau ei hun, heb gael ei hefaill fel rhyw gysgod uwch ei phen. Ac roedd y cysgod hwnnw wedi mynd, a'r awyr fel petai'n ysgafnach, wedi i ffrwd o olau ddod o rywle a diferu rhyw des euraid dros yr olygfa. Wrth gwrs, gwyddai eu bod nhw islaw'r ddaear erbyn hyn, lle nad oedd ffenestri, na golau. Eto, fe deimlai wres y golau hwnnw dros ei hymennydd, gan oleuo'r man gwan hwnnw oedd ganddi, a pheri i'w chof fod yn fyw ac yn ddwfn unwaith eto.

Ers i Ana adael, cawsai hi'n anodd osgoi'r llygaid a oedd yn arnofio yn y môr o gyrff o'i blaen, yn ymbil arni i'w rhyddhau. Ni wnâi ambell un ddim byd ond syllu'n syth at ofod niwtral y nenfwd gwyn, ond roedd eraill, y rhai roedd hi'n eu hadnabod, fel Gwelw, Petal a Haf, bellach yn ceisio cyfathrebu brawddegau cyfan drwy gyfrwng eu llygaid. Roedd llygaid Petal yn ffrwd o lesni bob hyn o hyn, yn ymbil ar Nan i ildio'r gwn. Ond roedd rhywbeth awgrymog ynddyn nhw hefyd, wrth iddyn nhw symud i gyfeiriadau gwahanol ar draws y stafell, fel petai hi'n chwilio am ddihangfa – nid ar ei chyfer ei hun, ond ar gyfer Nan. *Ildia'r gwn, a cer o 'ma, mor glou ag y galli di* – dyna a ddarllenai yn llygaid Petal. Roedd hynny mor wahanol i'r olwg yn llygaid Haf, y llygaid a rythai arni, yn ceisio'i chondemnio yn y fan a'r lle. Ond rhythu'n ôl a wnaeth Nan, nes bu'n rhaid i Haf roi'r gorau iddi, wedi i Petal sylwi, a thynnu Haf yn ôl yn dyner ati hi. Rhyfeddodd Nan at y ffaith eu bod nhw'n gorwedd ym mreichiau'i gilydd erbyn hyn, y naill yng nghesail y llall, fel pe baen nhw'n gwneud hynny bob nos. Ac yna, wrth weld Petal yn rhoi cusan fach ar dalcen Haf, cafodd Nan y syniad efallai eu *bod* nhw'n gwneud hynny bob nos. Rhyfedd fel roedd modd iddi weld pob dim yn gliriach nawr.

Ni ddaeth llygaid Gwelw i gyfarfod â'i rhai hi. Ers iddi gael ei gorfodi i orwedd ar y llawr gyda'r gweddill, roedd hi wedi colli ei statws, rywsut, a syllai ar y nenfwd yn bwdlyd. Roedd ei bol yn codi uwchben y cyrff, yn gromen gnawdol, yn dinistrio unffurfiaeth y dorf, yn gwneud i'r lle edrych yn anniben. Hi, hefyd, a wnâi fwyaf o sŵn drwy riddfan, a rhwbio'i bol yn ddiddiwedd. Roedd Nan am ddweud wrthi am roi'r gorau iddi, ond roedd hi hefyd yn ofni y gallai'r fath beth achosi i'r baban ddod yn gynt. Ofnai hefyd y byddai hi'n teimlo'r ysfa i ladd y baban unwaith y'i gwelai, yn yr un modd ag yr awchodd i saethu Niclas Gruffudd. Yna, wrth i Gwelw ddistewi, gwelodd Nan rywbeth fel deigryn yn arllwys dros glogwyn ei boch. Unwaith eto bu'n rhaid iddi ystyried y sefyllfa o'r newydd; nid pwdu oedd Gwelw, ond crynu'n ofnus yn ei chroen ansicr ei hun.

Erbyn hyn, roedd Niclas yn cysgu'n sownd, a'r boi â'r sbectol yn dal i dendio arno, gan dderbyn ychydig o gymorth oddi wrth Dora a Cenfyn. Roedd ganddo enw erbyn hyn: Luc. Rhoddodd ei enw i Nan wedi iddi ei fygwth â'r gwn ac yntau'n dadlau nad oedd enwau'n bwysig mewn sefyllfa fel hon. Mynnodd Dora mai'r peth cynta oedd ei angen ar y claf oedd bwyd, os oedd e'n mynd i oroesi, ac er bod pawb yn meddwl bod Niclas yn anymwybodol, roedd e wedi agor un llygad wrth glywed y gair 'bwyd' ac wedi ciledrych ar yr hyn roedd Dora'n ei gynnig iddo, sef dwy bicen ar y maen yn fwy nag y byddai pawb arall yn ei gael. "Siwgr, ch'wel," meddai Dora wrth lygad oer y gwn, "ma isie siwgr ar y claf i wella. Allech chi neud 'da bach o siwgr 'ych hunan, os chi'n gofyn i fi." A dyma hi'n troi ei chefn ar y gwn, a dechrau bwydo Niclas Gruffudd fel petai'n aderyn clwyfedig, yn briwsioni'r pice yn gynigion euraid, mân. Mor hawdd fyddai saethu hon nawr, meddyliai Nan, a'i chefn bras yn darged perffaith o'i blaen. Ond fedrai hi ddim. Doedd y rhai nad oedden nhw'n ofni'r gwn ddim yn werth yr ymdrech.

Wedi i Niclas Gruffudd lenwi ei fol, roedd hi wedi rhoi caniatâd iddyn nhw ei symud fymryn fel y gallai ei goes orffwys ar wal gyfagos, fel na fyddai'n rhaid i Luc eistedd yno fel rhyw fath o dracsiwn dynol. Wedi iddyn nhw ei osod yno, ac yntau i'w weld yn blaen gan bawb a orweddai ar y llawr, fel rhybudd o'r hyn allai ddigwydd petaen nhw'n meiddio mynd yn groes i'w dymuniad hi, gorchmynnodd i Luc, Dora a Cenfyn ymuno â'r dorf ar y llawr. Doedd Luc ddim yn hapus i wneud hynny; fe brotestiodd fod angen gofal ar Niclas, ond roedd Nan yn gwybod yn iawn mai methu dioddef mynd yn ôl i ganol y dorf, yn ôl at ddinodedd, oedd e. Roedd Dora'n ddigon hapus, wrth gwrs, a suddodd i fan gwag ar y carped mor gyffforddus â tasai'n mynd i'w gwely hi ei hun, tra eisteddodd Cenfyn yn bwdlyd yn ei gwrcwd am rai eiliadau, nes i'r gwn ei berswadio i syrthio'n dwt i'w le.

Fe ddychwelodd y distawrwydd unwaith eto, y llonyddwch perffaith. Dyna oedd yn gysurus am gymesuredd y cyrff ar y carped, er mor abswrd ydoedd. Pawb yn ffitio'n daclus, a darnau olaf y patrwm yn eu priod le. Anodd oedd dychmygu sut yr edrychai'r stafell hon heb gyrff wedi'u taenu ar ei hyd. Bellach roedd rhywbeth yn frawychus wrth feddwl am y rhain i gyd yn codi, ac yn datgelu'r gofod. Ai dyna oedd swyddogaeth pobl, meddyliodd, sef cuddio'r gwacter? Cofiodd drachefn am y teimlad glasoer hwnnw a sleifiodd i'w hymwybod flwyddyn ynghynt, wrth nesáu at falconi'r fflat y bore hwnnw, mai canfod dim byd a wnâi yno, yn hytrach na'i mam. Cofiodd dynnu'r llenni sidanaidd yn ôl a gweld y môr. Gweld neb, gweld dim byd o'i blaen, lle bu ei mam. A hynny oedd y peth gwaethaf oll – gweld y bwlch hwnnw, yr awyr wag, y gofod o falconi gyda 'mond hi ei hun yn sefyll arno. Profiad gwahanol gafodd Ana, wrth gwrs, am fod Ana wedi cyrraedd ddeuddeng munud yn hwyrach am unwaith, a hi welodd y corff yn gorwedd ar y pafin islaw. Roedd Ana wedi gweld *rhywbeth*; ond gweld y *dim byd* wnaeth Nan. Dyna fu eu hanes erioed.

Roedd Ana eisiau gwybod wedyn, ymhen amser, pam na ddaeth Nan i lawr. Pam ei bod hi wedi sefyllian yn stond am awr a mwy, yn syllu ar y môr, a dim ond dwy wylan yn gwmni iddi ar y balconi. Pam roedd hi wedi cilio i'r fflat am oriau wedyn, yn gwrthod siarad â neb. Cariai tôn llais Ana gryndod o gyhuddiadau, fel y gwnaethai erioed. Roedd yr amheuaeth am yr oriau ola 'na'n dal yn ei llygaid wrth iddyn nhw gamu o'r morg, rhyw giledrychiad a oedd yn llawn chwilfrydedd. Yna, fe ddaethon nhw ar draws y llythyr. Reit yng nghanol y dyddiadur, yn esbonio pob dim roedd angen ei esbonio. Rhoesai Ana ei breichiau amdani ac ochneidio'n ddwfn. Gwyddai Nan fod y cynllun wedi gweithio, a dychmygai ei mam yn gwylio'n foddhaus o'r entrychion, yn gweld y cynllun yn dechrau cymryd ei siâp, yn gweld eu stori nhw'n raddol yn troi'n wirionedd yn yr un goflaid, gynnes. Ac eto, doedd Nan erioed wedi teimlo mor oer.

Edrychodd drachefn ar y deuddeg person o'i blaen ar y llawr. Roedd hi wedi penderfynu bod angen iddi wneud rhywbeth, rhywbeth a fyddai'n pwysleisio ei bod hi'n wahanol i'w chwaer. Nid yr un un, meddyliodd unwaith eto, na, nid yr un un. Ond dwy. Ac fe ellid eu gwahanu, yn gwmws fel roedd modd tynnu eu henwau palindromaidd yn ddarnau wrth drio'n ddigon caled; troi'r Nan yn Nins neu'n Nani, troi'r Ana yn An neu'n Ani. A chyda hynny, fe glywodd rhywun yn galw arni, rhyw lais yn defnyddio'r enwau hynny oedd yn gas ganddi.

"Nins," meddai Gwelw gan godi ei phen rhyw fymryn.

"Dim siarad!" meddai hi'n uchel, gan geisio ymbil ar Gwelw i gau ei phen. Doedd hi ddim eisiau saethu ei ffrind. Ond fe wnâi, pe bai'n rhaid. "Nan yw'n enw i, Gwelw. Ti'n gwybod 'ny. N-A-N. Ti ddim fod i ymyrryd ag enw fel 'na."

Distewodd Gwelw, a gorwedd yn ôl drachefn, ond roedd ar ei hwyneb ryw olwg ddieithr y tro hwn, rhywbeth tu hwnt i'r diflastod arferol a fyddai yno'n ddwys yn ei dwy lygaid. Cododd Nan a mynd draw i gadw llygad arni. Ac yna gwelodd staen yn lledu ar hyd ei legins cotwm, i lawr ei choesau, dros y carped. Roedd dŵr yn dianc ohoni, a'r babi'n gwthio ei ffordd tuag at waelod y groth.

"Ma'r babi'n dod, Nins," meddai.

Unwaith eto, gweddïodd Nan na fyddai'n teimlo'r ysfa i ladd.

DAN

O'R DIWEDD ROEDD e wedi cael gafael ar y teclyn diogelwch, ac roedd y lleian fach yn ôl yn ei boced. Ond roedd 'na un broblem fach. Roedd hi wedi colli ei phen. Ceisiodd wthio hwnnw'n ôl i'w le, ond doedd dim iws. Doedd y lleian ddim yn tycio. Er iddo wasgu ei chorff drylliedig yn ôl at ei gilydd, a'i thaenu yn erbyn y stribed diogelwch ar ochr y wal, weithiodd hi ddim. Llaciodd ei afael a syrthiodd ei phen i ffwrdd drachefn. Ceisiodd ddefnyddio gweddill ei chorff, gan obeithio canfod bywyd yn hwnnw. Dim lwc. Dim sôn am y clic cysurus a fyddai'n digwydd fel arfer, ac roedd y drws mahogani'n gwgu arno'n ddigyfaddawd. Dim oedd dim. Roedd hi wedi torri ei gwddf, a doedd dim modd iddi ateb ei weddïau bellach. Gollyngodd hi i'r fasged sbwriel.

Trodd i wynebu ei gariad – yr hon a adwaenai nawr fel Nan – yng nghornel y stafell.

"Beth ddiawl rwyt ti'n neud?" meddai, gan gerdded tuag ati. Doedd e ddim yn ei hofni mwyach. Doedd dim gwn gan Nan bellach, wedi i'r bwbach blonegog ddiflannu ag e drwy'r to fel rhyw ddihiryn mewn pantomeim, a doedd ganddi ddim byd i'w fygwth nac i'w niweidio. Heblaw am ei chorff, hynny yw. Hyd yn oed o wybod ei bod hi wedi saethu un dyn, a bron â lladd un arall, daliai Dan i edrych ar siâp ei bronnau o dan y flows.

"Sbwyliest ti bob dim," meddai hithau'n bwdlyd. "O'dd Eben 'da fi jyst lle ro'n i'n moyn e, a 'ma ti'n dod mewn a neud strach o'r cwbwl. Wyt ti'n sylweddoli bod ti newydd ddinistrio'r eiliad dwi 'di treulio misoedd yn ei chynllunio? Wyt ti?"

"Sori am wneud 'yn swydd," meddai yntau'n chwerw. "O leia dwi'n deall dy gêm di nawr. Sdim rhyfedd bo ti 'di 'nilyn i rownd fel ci bach ers misoedd."

Trodd hithau oddi wrtho, gan groesi ei breichiau. Sylwodd Dan fod hollt yn ei sgert lle cafodd ei rhwygo fymryn wedi'r ffrwgwd.

"O't ti ar fin 'i ladd e!" meddai Dan. "Jyst fel triest ti ladd y boi arall 'na. Beth yw dy gêm di?"

"Nid fi… " dechreuodd, cyn distewi.

Dyma ni, eto, meddyliodd Dan. Bydd hi'n dadlau nad hi oedd yn gwneud y pethau hynny, ond y person arall yna, y llais arall roedd e wedi'i glywed wrth benlinio ar y balconi.

"Pam rwyt ti'n gwneud hyn?" meddai, gan edrych i fyw ei llygaid. Gwelodd rywbeth ynddyn nhw'n fflamio'n sydyn cyn distewi.

"O'n i ddim yn moyn 'i ladd e," meddai hi, a'i llais bellach yn bitw, yn fach, yn debycach i'r llais roedd wedi'i glywed pan oedd hi'n addfwyn yn ei freichiau, y prynhawniau hynny pan oedd hi'n gwrthod gadael iddo'i chyffwrdd. "Jyst isie hala ofan arno fe. Neud iddo fe feddwl ei fod e'n mynd i farw."

"Ma honno'n drosedd waeth, mewn ffordd," meddai Dan, gan feddwl am y rhaglen ddogfen welodd e rai blynyddoedd ynghynt am griw o bobl ifanc a oedd wedi clymu merch, rhoi mwgwd dros ei llygaid, ac yna wedi gwneud iddi eistedd yno'n gwrando arnyn nhw'n palu bedd iddi. Wrth gwrs, jôc fawr oedd y cyfan iddyn nhw, ac wedi iddyn nhw ei gosod yn y pridd, fe dynnwyd y mwgwd a phawb o'i chwmpas yn chwerthin am ei phen wrth iddi hi grio'n hysterig. Ond o'r hyn roedd Dan yn ei gofio, cafodd y ffrindiau eu carcharu am oes am fod y drosedd seicolegol yn un waeth na'r un farwol go iawn. Roedd e eisiau dweud hynny wrthi, ond wnaeth e ddim. Gadawodd y frawddeg ar ei hanner yn yr awyr agored rhyngddyn nhw, gan obeithio y gallai ddarllen ei feddwl, a rhedeg dros yr hen ffilm a oedd yn dal i chwarae ar sgrin ei gof.

Cerddodd o gwmpas y stafell fechan. Byddai'n dod i lawr i'r archif hon weithiau. Roedd e wastad yn cynhyrfu wrth weld cynifer o lyfrau go iawn mewn un stafell. Y dyddiau 'ma, roedd peryg i lygaid rhywun arfer gydag unffurfiaeth perffaith yr e-ddarllenwyr a oedd i gyd yr un maint a'r un lliw ar y silff. Fan hyn, roedd y gwahaniaeth rhyngddyn nhw'n amlwg. Llyfrau main yn cael y rhyddid i eistedd rhwng trwch o lyfrau swmpus, ac roedd 'na lyfrau newydd, sgleiniog yn cael bod ochr yn ochr â'r cloriau rhychiog hynny a oedd yn arllwys eu cynnwys o'u canol. Perthynai ryw annibendod bendithiol i'r cyfan, ac roedd hi'n wefreiddiol cael rhedeg ei fysedd ar eu hyd, gan deimlo'r crychau mân yn crafu dan ei ewinedd, a phob amherffeithrwydd yn fryntni balch ar gledr ei law.

Anaml byddai'r Senedd yn mynnu bod y porthorion yn ymweld â'r llefydd hynny. Gwarchod y cyfrifiaduron, y systemau digidol, oedd eu prif swyddogaeth nhw, ac roedd Dan yn dechrau gweld bod hynny'n gwbwl ddisynnwyr. Pe bai e-ddarllenydd yn diflannu, roedd yr holl lyfrau a storiwyd ynddo'n dal i fodoli, yn nofio yn y system yn rhywle. Roedd e mor ddisynnwyr â dwyn beic, neu gar, neu unrhyw beth roedd 'na gannoedd ar filoedd eraill, yr union yr un fath, yn bodoli yn y byd. Peth hurt, felly, oedd gofyn i borthor i warchod rhywbeth a ellid ei gyfnewid mor hawdd am rhywbeth arall. Onid y trysorau hyn, yn yr archif, y dylai fod yn eu gwarchod, y pethau bregus, brau

– y pethau nad oedd eu tebyg yn y byd? Yr Archborthor yn unig a fyddau'n ymwneud â'r parseli dirgel a gyrhaeddai gyda'r hwyr ar gyfer eu storio mewn archifau. Fe fyddai e'n mynnu nad oedd angen cymorth arno, ac y gallai'r gweddill ohonyn nhw fynd adre. Efallai fod ganddo ryw ffetis am lyfrau go iawn, meddyliodd Dan, a'i fod yn aros yma drwy'r nos yn eu harogli nhw, yn llyfu'r tudalennau.

Estynnodd am un o'r llyfrau oddi ar y silff.

"Paid! Ti i fod wisgo menig cyn cyffwrdd," meddai hithau'n bwdlyd o'r cornel, wrth i ddwy faneg hedfan draw ato fel gwenoliaid.

"Shwd allen i anghofio rheol 778?" meddai, gyda ffug gywilydd, gan dynnu'r menig am ei ddwylo. Collodd ei ddwylo eu difrifoldeb unwaith eto.

Cydiodd yn y llyfr. Clawr caled, du, â'r geiriau *Miriwen yn fy Meddwl* ar y clawr. Gwelsai ffilm o'r un enw rai blynyddoedd ynghynt, pan oedd e'n byw gyda chriw o fyfyrwyr ffilm Aber. Cofiai'r olygfa gyntaf yn dda: dyn mewn ffrog yn ymbleseru o flaen y drych. Wrth feddwl am hynny, meddyliodd unwaith eto am y rhwyg yng nghefn ei sgert. Ceisiodd ganolbwyntio ar y llyfr o'i flaen. Doedd e erioed wedi sylweddoli mai nofel oedd *Miriwen yn fy Meddwl*.

"Wyt ti'n meddwl dylen i fynd ar ei ôl e?" meddai hithau, gan syllu i'r gofod du yn y nenfwd. "Falle gallet ti ddod 'da fi – helpu fi i ddal lan ag e. Dwi ddim yn meddwl alla i ei ddal e nawr, ar ben 'yn hunan, ta beth."

"Dyw e ddim yn syniad da, o ystyried bod gwn 'da fe," meddai'n sydyn, wrth ei gweld hi'n codi i ben y ddesg ac archwilio'r gofod. "Fe alle fe dy saethu di."

"Sdim ots 'da fi," meddai hithau, gan gamu ar ben y ddesg a gwthio'i llaw i'r tywyllwch. "Ma'r agoriad i'w weld yn ddigon solet. Alli di rhoi help llaw i fi?"

"Na alla," meddai, gan gydio yn ei braich a'i thynnu'n ôl. "Dyw hi ddim yn saff."

Ceisiodd hithau sleifio o'i afael, ond fe fynnodd gadw ei afael ar ei braich. Er ei fod yn fethiant llwyr wrth geisio sicrhau diogelwch y Llyfrgell, roedd ganddo'r pŵer i wneud rhywbeth nawr, ac roedd yn rhaid iddo ailafael yn ei gyfrifoldebau. Doedd diogelwch erioed wedi bod mor bwysig iddo, a'r peth hwnnw yr arferai feddwl amdano fel gofod gwag, di-nod, bellach yn llawn o bethau prin i'w hamddiffyn, ac yn llawn peryglon i'w hosgoi.

"Gad lonydd i fi," meddai hithau, gan roi un gic hegar i'w goes. Llaciodd ei afael a gadael iddi guddio ym mhen draw'r stafell unwaith yn rhagor. Llyfnhaodd ei sgert yn ôl dros dwll yn ei theits, a chaeodd fotwm uchaf ei blows drachefn. Roedd y rhimyn o wallt rhuddem a oedd fel arfer mor berffaith dwt bellach yn blu blêr.

"'Nest ti ddim eu lladd nhw, do fe?" gofynnodd Dan yn betrus. Roedd yn rhaid iddo wybod. "Dora a Cenfyn," meddai'n ddistaw. "Achos nethon nhw ddim byd..."

"Na, 'nes i ddim, ond... " edrychodd i fyw ei lygaid.

Roedd e am iddi ymddiried ynddo am unwaith. "Fi'n credu y byddan nhw'n iawn. Pan fydd hyn i gyd drosodd."

Mae'n siŵr ei fod e eisoes drosodd, meddyliodd Dan yn sydyn. Efallai mai'r heddlu, neu'r llywodraeth, oedd wedi sicrhau bod y drws hwn yn aros ar gau. Roedd e wedi gweld rhaglenni dogfen am bethau fel hyn hefyd. Gwarchae, lle roedd y lluoedd arfog yn sleifio i mewn yn ddirybudd at y gwystlon a'u carcharorion, ac yn eu diddymu mewn eiliad. Ond roedd pethau'n gallu mynd o'i le, weithiau. Weithiau roedden nhw'n saethu'r bobl anghywir, yn lladd y gwystlon diniwed.

Eisteddodd hithau i lawr yng nghornel y stafell, gan

ddechrau byseddu – a hynny'n ddi-faneg, gan dorri rheol 778 yn ddigywilydd – y llyfrau a gawsai eu gadael yn gilagored ar y ddesg.

"I beth oedd e'n ymchwilio 'te?" holodd yntau'n betrus, heb ddisgwyl iddi ateb.

Amneidiodd â'i phen tuag at gornel y stafell, ac fe drodd yntau i wynebu llun olew enfawr o rywun o'r enw Elena Wdig. Roedd ei llygaid yn gyfarwydd iddo rywsut, ond doedd e ddim yn ei hadnabod. Edrychodd ar y plac o dan y llun. Roedd hi'n 53 yn marw. Syllodd yn ôl arni. Yr un llygaid. Ei gwallt fel toriad gwawr.

"Dy fam?" meddai, wrth i'r gwir ei daro'n sydyn. "Dyna pam roeddet ti ar ei ôl e?"

"Gwna'th e ei ladd hi," meddai hithau, yn ddiemosiwn erbyn hyn fel pe na bai'r ffaith wedi cynnau unrhyw beth ynddi o gwbwl.

"Sut?" meddai. Yn sydyn roedd yn chwilfrydig unwaith eto. Byddai'n casáu pan ddywedai rhaglenni dogfen fod rywun wedi cael ei ladd, ond heb esbonio sut. Roedd byd o wahaniaeth rhwng cael eich lladd mewn damwain car, a'ch lladd gan wallgofddyn ar y stryd, ac roedd angen i bobl ddeall y gwahaniaeth sylfaenol rhwng y ddau beth. Nid llofrudd oedd car arall, na darn o'r hewl neu goeden neu wal roeddech chi'n digwydd taro yn eu herbyn. Llofrudd oedd person a oedd yn dod o'r tu ôl i chi, yn rhoi ei ddwylo am eich gwddf. Llofrudd oedd y person yna a wyddai o'r eiliad y cododd yn y bore ei fod e neu hi'n mynd i ddod i chwilio amdanoch chi. Dyna oedd lladd go iawn.

Syllodd hithau arno mewn syndod.

"Mae lladd yn air mawr, on'd dyw e," meddai. "Yn honiad mawr. 'Wy jyst yn moyn gwbod oes 'na unrhyw sail i'r peth."

"Mae'n honiad teg," meddai hithau, a'i llygaid yn crisialu eto, yn oer drachefn. "Fe wnaeth e ei lladd hi. Nid â gwn, efallai, nid â chyllell, nid â chyffuriau nac unrhyw beth arall caled, real. Ond gyda rhywbeth mwy pwerus o lawer. Gyda geiriau, rhagfarnau, bwriadau maleisus. Print ar dudalen i ddechrau. Heb sôn am y print rhwng y llinellau. Mae geiriau'n clwyfo'n galed, galed, ti'n gwbod, yn ddyfnach nag unrhyw beth."

Teimlai'r ysfa anhygoel i ateb nad oedd print hyd yn oed yn bwysig y dyddiau 'ma, fod print yn rhywbeth a oedd wedi hen farw, ond rhwystrodd ei hun rhag gwneud hynny. Gwelai ei bod hi'n credu'r hyn a ddywedai, a hyd yn oed wrth iddo weld na allai hynny fod yn wir – na allai neb fyth wir ddiddymu rhywun jyst drwy bŵer geiriau – roedd e'n barod i adael llonydd i'r meddylfryd hwnnw am nawr, yn barod i'w rewi'n stond yn ei feddwl ei hun. Roedd e wrth ei fodd â'r olwg oedd arni nawr, ei llygaid ymhell, wrth iddi dwrio'n wyllt drwy bentwr o lyfrau ar y ddesg. Roedd y rhwyg yn ei sgert yn gwenu arno bob tro y symudai.

"Do'n i ddim wedi disgwyl y peth, chwaith," meddai hithau'n ddistaw. Roedd e eisiau gafael amdani. Dweud wrthi y byddai pob dim yn iawn. "Ond mae'n rhaid ei bod hi wedi diodde'n ddistaw, ac wedi teimlo'r boen gymaint mwy nag y gallwn i fod wedi dychmygu. Roedd hi'n iawn, ac yna un diwrnod, doedd hi ddim yn iawn. Ac yna, yna roedd hi wedi mynd."

"Falle bod rhesymau eraill," meddai.

"Fel beth?" meddai hithau, gan edrych i fyw ei lygaid. Doedd e ddim yn gwybod, nag oedd? Doedd e erioed wedi gweld ei mam cyn heddiw. Ond roedd yn dechrau meddwl y byse'n licio rhoi pryd o dafod iddi am adael ei hunig ferch yn y fath stad. Roedd rhywbeth tyner am hon, rhywbeth addfwyn, ond fel yr holl ferched eraill y câi eu denu atyn nhw, roedd yn amlwg yn rhy wallgo i allu cynnal perthynas gydag unrhyw un heblaw ei ffrind dychmygol a'i mam oedd wedi marw. Serch hynny, roedd yn welliant o'i chymharu â'i gariad diwethaf. Roedd gan honno frawd a oedd yn cuddio yn y wardrob ac yn tynnu lluniau ohonyn nhw'n caru, a'u postio ar y we y diwrnod wedyn. O leiaf ni allai'r ffrind dychmygol na'r fam yn ei bedd gasglu tystiolaeth i'w defnyddio yn ei erbyn.

"Dwi ddim yn gwbod," meddai, wrth ei theimlo'n pellhau oddi wrtho eto. "Jyst gweud ydw i bod lot o resymau pam mae pobl yn lladd eu hunain dyddiau 'ma a dyw e ddim wastad jyst am un rheswm, hyd yn oed os y'n nhw'n dweud hynny."

Sylweddolodd yn rhy hwyr nad dyna oedd hi am ei glywed. Roedd hi am gadarnhad fod yr hyn a wnâi yn iawn. Ei bod hi'n iawn i ddychryn rhywun. Mai bai Eben oedd y cyfan, a'i fod e mor syml ac mor ddu a gwyn â hynny. Meddyliodd unwaith eto am ei fam ei hun y diwrnod iddi ddarganfod ei dad wedi tagu ar ei chwd ei hun; doedd dim pwynt beio'r botel, nag oedd? Roedd y llofrudd yn llechu yn rhywle anesboniadwy. Amser oedd y llofrudd, a hyd yn oed gyda'r holl ddicter yn y byd, doedd dim ffordd o fynd ar ôl amser drwy dwll yn y nenfwd, gwn neu beidio.

"Wna i ddangos i ti," meddai hi, a'i llais yn meddalu drachefn. Roedd 'na rywbeth gorffwyll amdani nawr. Roedd hi'n synhwyro, meddyliodd, nad oedd e'n ei chredu. Roedd hi angen profi ei hun.

"Sdim isie i ti brofi dim," meddai, gan fynd ati. "Os wyt ti'n dweud mai fe wnath…"

"Nid fi sy'n dweud," meddai hi'n siarp. "Mam sy'n

dweud. Dyma pam dethon ni 'ma. Er mwyn Mam. Achos mai dyma roedd Mam isie. Ma rhaid i ti weld yr hyn sgwennodd hi. Roedd hi isie i ni ddod ar ei ôl e. Isie gwneud iddo fe fwyta'i eiriau ei hun, yn llythrennol, gwneud iddo dagu arnyn nhw."

Ni. Roedd hynny'n ei frawychu. Dyma'r eilwaith iddi sôn amdani ei hun fel mwy nag un person. Meddyliodd am y llais arall a glywsai. Y llais a oedd wedi gorchymyn i'r holl bobl orwedd ar lawr. Ai dyna'r llais fyddai'n dychwelyd? Roedd e eisiau i'r llais dof yna ddod 'nôl, hwnnw a glywsai eiliadau ynghynt.

"'Drych," meddai hi. "Hwn yw e – hwn yw'r dyddiadur olaf. Mae e'n gweud yn fan hyn yn rhywle," meddai hi, gan ddechrau twrio o dudalen i dudalen. "'Na i ddangos e i ti. Ar y dudalen olaf... " Aeth ei phen ar goll rhwng y tudalennau.

"Dwi ddim angen 'i weld e," meddai yntau. "Ac yn ôl pob golwg, dwyt ti ddim chwaith."

Cydiodd yn ei dwy fraich, a gwneud iddi roi'r dyddiadur yn ôl ar y ddesg. Syllodd hithau arno unwaith eto, yn llawn ofn y tro hwn. Y peth mwyaf naturiol yn y byd oedd ymestyn tuag ati, a'i chusanu. Gwnaeth naid dros y gofod du rhyngddynt, a theimlo'i gwefusau fel wal i ddechrau, yn gwbwl ddigyfaddawd. Ond yn araf, fe ddaeth symudiad bychan, ac yna un arall, a chyn pen dim roedd y briciau caled oll wedi disgyn ac roedd hi'n ei gusanu'n ôl yn awchus, fel 'tai hi'n llwgu.

A dyna fel y bu hi am bum munud perffaith; dau yn cusanu yn erbyn silff, a'r plaster rhydd uwchben yn disgyn fel eira o'r nenfwd.

EBEN

DOEDD GAN EBEN ddim syniad lle roedd e bellach. Esgynnodd i fyny i'r düwch gan obeithio'r gorau, a thwrio drwy dwnnel bach cyfyng uwchben y twll awyru. Gan ddal yn y gwn, llusgodd ei hun ar ei hyd, ac erbyn hyn roedd e'n rhy bell i mewn i'r twnnel i fentro troi yn ôl. Ond doedd 'na ddim golau yn y pen draw, na diwedd, hyd y gwelai ac roedd e'n morio mewn düwch. Straffaglodd i anadlu. Roedd yr aer yn brin. Doedd bod mewn lle mor gyfyng ddim yn dda i rywun a oedd yn dueddol o fynd i banig. Brwydrai am aer mewn sefyllfa normal, heb sôn am y tameidiau pitw o ocsigen a gynigiwyd iddo nawr. Breuddwydiai weithiau ei fod e'n methu anadlu, a hynny am amryw o resymau: weithiau roedd e'n boddi; weithiau fe fyddai rhywun yn dal clustog dros ei wyneb; neu weithiau fe fyddai'n cerdded i lawr y stryd ac yn sylweddoli fod yr aer i gyd wedi diflannu. Fe ddeffroai mewn chwys oer yn ei wely, gan sylweddoli ei fod e wedi bod yn ceisio anadlu drwy ei drwyn. A doedd dim pwynt gwneud hynny – roedd ei drwyn fel coedwig, yn llawn blew a blerwch a llysnafedd. Ychydig fel y twnnel hwn roedd e ynddo nawr. Roedd hi fel bod i mewn yn ei drwyn ei hun, meddyliodd, yn llawn ffieidd-dra.

Rhaid bod 'na ffordd allan, ffordd 'nôl tuag at y goleuni, ac at fywyd cyffredin. Wedi'r cyfan, roedd ganddo'r gwn. A gallai hwnnw ei ryddhau. Roedd modd iddo saethu ei ffordd mas o dwnnel, siawns? Ond roedd arno ofn. Doedd e ddim yn ddigon sicr o'r seiliau i ddechrau saethu tyllau yn yr arwyneb dirgel. Gallai wneud pethau'n waeth. Fe allai ffrwydro rhywbeth â'r fwled, a dinistrio'r holl le mewn eiliad. Parhaodd i dynnu ei hun drwy'r düwch, gan geisio peidio â meddwl am y llysnafedd du a oedd yn glynu yn ei ddwylo. Beth oedd y stwff 'ma? Roedd e'n drewi. Ond o leiaf roedd y stwff yn caniatáu iddo symud yn ei flaen ychydig yn haws, ac yn sydyn iawn, fe sylweddolodd fod ongl y llawr yn newid yn sydyn, a'i fod yntau'n llithro'n ara deg i lawr ac i lawr, nes iddo gael ei boeri yn un swp i mewn i stafell.

Y peth gorau am y stafell oedd y gofod. Roedd ei freichiau nawr yn rhydd i ymestyn, a gallai sefyll ar ei draed. Er bod y stafell yn isel, yn fach, yn dywyll, teimlai fel palas o'i chymharu â gofod cyfyng y twnnel. Cerddodd ar ei hyd, cymrodd anadl ar ôl anadl a gwerthfawrogi ei fod yn dal ar dir y byw, gan dynnu'r ocsigen i'w ysgyfaint mewn llowciadau mawr barus. Roedd y gwn wedi glanio wrth ei ochr, a chydiodd Eben ynddo drachefn. Doedd dim sŵn i'w glywed o gwbl. Rhaid ei fod reit ym mherfedd yr adeilad erbyn hyn. Ac am y tro cyntaf ers rhyw awr, teimlai ei fod yn ddiogel. Fedrech chi ddim cael drws heb stafell, ac os oedd 'na stafell, roedd 'na ddrws, ac roedd 'na ffordd allan.

Ceisiodd gyfarwyddo â math newydd o dywyllwch. Roedd y düwch hwn yn ysgafnach, yn llai fel niwl ac yn debycach i ryw darth llesmeiriol o'i gwmpas ym mhobman. Roedd arogl cyfarwydd i'r lle hefyd, arogl hen lyfrau a llwch yn cyfuno'n un ffrwydrad hudol, afiach ond atyniadol. Ond roedd 'na arogl arall hefyd, fel petai'n mygu'r cyfan. Arogl siarp, cemegol.

Mae'n rhaid nad oedd nepell o ystôr o lyfrau go iawn, meddyliodd, gan mai dim ond hen dudalennau a allai greu'r math hynny o bersawrau. Cynhyrfodd drwyddo. Efallai iddo ddod ar draws archif o fath arall, un nad oedd ar agor i'r cyhoedd. Ymbalfalodd yn ei flaen, gan ymestyn ei ddwylo tua'r tywyllwch, â'i ffroenau yn ei dywys. Ymhen dim, roedd e'n siŵr iddo deimlo blaen ei fysedd yn cyffwrdd yn rhywbeth solet, real, fel hen bapur argraffu, a hwnnw'n drwch yn erbyn y wal. Ymhellach eto, ac roedd e'n teimlo cloriau caled, nifer ohonyn nhw, yn taro'n erbyn ei gnawd fel bendith mewn tywyllwch. Teimlai Eben yn ddiogel. Ble bynnag roedd e, roedd e'n sicr yng nghanol ffrindiau.

Wedi peth amser, ymgyfarwyddodd ddigon â'r tywyllwch i weld nad stafell gyffredin mo hon, ond stafell yn llawn o lyfrau. Roedd 'na focsys o lyfrau wedi'u taflu o'r neilltu dros bob man, a'r llinyn a ddaliai ambell bentwr o lyfrau wrth ei gilydd wedi dechrau gwanhau, ac ambell ffeil yn orlif o bapurau, a'u tafodau melyn yn diferu dros yr ochrau. Roedd amryw o lyfrau ar lawr, hefyd, fel petai rhywun wedi'u taflu i ffwrdd. Yn anffodus, roedd y print yn rhy fân ar y cloriau iddo allu eu darllen yn iawn, ond credai i'r llythrennau hynny unwaith fod yn brint aur, er eu bod bellach wedi gorfod cilio i dywyllwch y clawr, er mwyn gweddu i'r stafell. Wrth i'r düwch deneuo fymryn yn fwy, gwelodd fod 'na lyfrau ym mhobman, wedi'u gwasgaru dros y stafell i gyd, yn bentyrrau ar hyd y waliau, yn ymestyn at y nenfwd. Roedd y lle'n gwegian dan lyfrau. Ac er mor wyrthiol yr ymddangosai hynny iddo'r foment honno, yn yr oes ddi-lyfr newydd, roedd e hefyd yn dechrau synhwyro bod rhywbeth o'i le.

Nid archif oedd hon fel yr un y bu e'n gaeth ynddi drwy'r bore, lle gosodwyd llyfrau'n daclus ac yn barchus mewn rhesi clir, a'u pennau twt yn pwyso yn erbyn ei gilydd. Archif o fath gwahanol oedd hon; archif heb unrhyw drefn, heb silffoedd yn rhannu'r deunydd, na chwaith gaead drostynt i'w cadw rhag casglu llwch. Yn hytrach, gwasgai'r llyfrau ar ben ei gilydd, gan ymdoddi i'w gilydd, yn glynu fel gelod, â'r llwch yn dawnsio o'u cwmpas ym mhobman, yn gannoedd o ronynnau bach. Ac yna'n sydyn, sylweddolodd Eben beth oedd y gwahaniaeth sylfaenol rhwng y ddwy archif: doedd neb i fod i weld yr archif hon. Doedd neb i fod i wybod am ei bodolaeth hi.

NAN

ROEDD BABI GWELW wedi dyfod i'r byd, a doedd dim byd y gallai Nan ei wneud am hynny. Wnaeth hi ddim codi bys i gynorthwyo'i chyd-weithwraig â'r enedigaeth. Arhosodd yng nghornel y stafell yn cuddio'i llygaid tu ôl i'w gwn wrth i Luc roi cymorth unwaith eto, heb syniad yn y byd beth roedd e'n ei wneud. Er eu bod nhw i gyd wedi clywed a gweld yr olygfa chwerthinllyd rhyngddo ef a Niclas Gruffudd, a'u bod nhw'n gwybod nad oedd e'n ddoctor go iawn, roedd y ffaith honno fel petai wedi mynd yn angof. Roedd synnwyr cyffredin wedi cael ei daflu o'r neilltu, a phawb yn y stafell bellach yn awyddus i gredu fod 'na ddoctor yn y lle, ac felly roedd Luc wedi troi'n ddoctor. Yn eu llygaid nhw, cerddai o gwmpas y lle mewn cot wen a stethosgop am ei wddf, ac roedd pawb yn y dorf yn achwyn bod ganddyn nhw ryw fath o boen neu'i gilydd ac angen i Luc ei wella.

Gwyliodd Nan yr holl enedigaeth afiach drwy glicied y gwn. Y legins a'r teits yn cael eu diosg jyst mewn pryd, y coesau'n agor, ac yna'r afon goch a phiws yn diferu rhyngddynt gan gario rhywbeth – bachgen, fel mae'n digwydd – a hwnnw'n slwp-slapian ei swmp ar y carped. Yna, roedd 'na foment o ddathlu. Y rheiny a ddaliai i orwedd ar y carped yn codi eu pennau ryw fymryn i fwmian am y newyddion da. Ambell un yn dechrau cymeradwyo, rhywun arall yn chwerthin. Dora'n cynnig rhagor o bice ar y maen i bawb. Cenfyn yn dechrau glanhau'r carped a rhywun arall – merch mewn bra porffor – yn mynnu bod Luc yn diosg ei grys ac yn lapio hwnnw am y babi.

"Bachgen!" meddai Luc yn browd, fel petai'n dad i'r truan cochbiws yn ei freichiau. "Cofia fod Luc yn enw da," meddai, wrth roi'r parsel ym mreichiau Gwelw.

Roedd ambell un yn helpu Gwelw i godi ar ei heistedd, a rhywun arall yn trio mynd i'r afael â'r brych a oedd bellach hefyd ar y carped. Wrth ei weld, cofiodd Nan am yr hyn roedd Ana'n arfer ei ddweud wrthi pan oedd yn blentyn: "Brych oeddet ti. Dim byd ond brych!" Ac roedd plant yr ysgol wedi gafael yn y gair hwnnw wedyn, a'i ddefnyddio i'w phoenydio bob amser cinio, nes y canai'r gair yn ansoniarus yn ei chlustiau. Y peth oedd, wyddai hi mo ystyr y gair tan yn gymharol ddiweddar. Roedd hi'n cofio meddwl y byddai'r gair yn ei brifo, petai hi'n gwybod ei ystyr, ac felly, am unwaith, fe wnaeth yn siŵr nad âi i'r geiriadur i chwilio am eglurhad. Roedd peidio â gwybod ystyr gair yn cymryd ei rym i ffwrdd – doedd e'n ddim byd mwy na chasgliad o synau a phoer ac ni allai ei chyffwrdd. Efallai mai bendith, wedi'r cyfan, meddyliodd Nan, oedd anghofio ambell air.

Ond gwyddai beth oedd e'n awr, ac roedd hi'n edrych arno – cawdel o ddim byd ar lawr. Dyna oedd ei chwaer wedi ceisio dweud oedd hi – yr eilbeth hwn, heb siâp, heb nodwedd, heb ddim o'r rhinweddau unigryw a oedd ganddi hi. Methai dynnu ei llygaid oddi ar y peth. Rywsut, trwy gyfrwng ryw ddyfais a oedd wedi'i chreu â'i ddidolwr tudalennau, fe lwyddodd Dr Luc i dorri'r llinyn bogail a'i stwffio i fag gliniadur Niclas Gruffudd. Roedd hwnnw'n cysgu'n braf erbyn hyn a fyddai e ddim callach.

Roedd gormod o weithgarwch yn y stafell erbyn hyn, ac roedd hi'n anodd cadw trefn ar bethau. Trodd rhai o'r gwystlon yn feiddgar wedi'r datblygiad diweddaraf, gan symud o fan i fan fel tasen nhw wedi llwyr anghofio pwy oedd yn rheoli'r sefyllfa. Roedden nhw wastad yn cymryd pip arni hi, Nan, yn gyntaf serch hynny, i weld a oedd hi'n eu gwylio. Ond roedd rhyw ddealltwriaeth yr aen nhw'n ôl i'w safle wreiddiol wedi cyflawni beth bynnag roedden nhw'n ei wneud. Gobeithiai Nan fod hynny'n ddigon eglur i bawb. Pan fyddai man gwag ar y carped am gyfnod hir, fe godai ar ei thraed a dechrau ysgwyd ei gwn. Ac roedd y rheiny a oedd ar eu traed yn deall, ac yn mynd yn ôl i'w lle'n syth bìn. Gwyddent mai dyna'r unig ffordd roedd modd sicrhau eu bod nhw'n dal eu gafael ar yr hyn a oedd yn dechrau edrych yn denau o annhebygol − sef unrhyw ddyfodol tu allan i'r stafell hon. Pan fyddai'r bwlch wedi'i lenwi unwaith eto, a'r jigso'n gyflawn, fe allai Nan ymlacio unwaith yn rhagor.

Roedd y ffaith fod Ana wedi mynd yn gwneud pethau'n haws, gan fod ei llygaid hithau yn ei hatgoffa'n ormodol fod yr hyn a wnâi yn groes i'w chymeriad, nid fel hi o gwbwl. Ond pwy oedd Ana i ddweud beth *oedd* hi, *pwy* oedd hi? Cyn belled ag roedd y bobl yma o'i hamgylch yn gwybod, fel hyn *roedd* hi erioed, fel hyn y bu, ac roedd ei chaledwch, ei dygnwch yn rhywbeth a oedd wedi'i nodweddu erioed. Gwelai fod hyd yn oed Petal a Haf yn dechrau credu hynny, er iddyn nhw weithio wrth ei hymyl cyhyd. Roedd hi'n amlwg, o'r ofn oer yn llygaid Petal ei bod hi'n diolch i'r nefoedd iddi benderfynu rhannu ei bisgedi sinsir gyda hi'r bore hwnnw, tra bod Haf eisoes wedi ildio i'r syniad o'i marwolaeth ei hun, gan orwedd yn llonydd ar y carped fel petai hi mewn arch. Roedden nhw'n parhau i ddal yn dynn yn nwylo ei gilydd, serch hynny − a phan fyddai un yn gorfod codi am ryw reswm neu'i gilydd, fe fyddai llygaid y llall yn ei dilyn o gwmpas y stafell, fel tasai hi'n ofni y diflannai pe bai'n ei gadael o'i golwg.

Roedd Gwelw'n wahanol i'r ddwy arall; doedd hi ddim fel pe bai wedi'i hargyhoeddi gan yr holl sefyllfa. Roedd Nan wedi gweld Gwelw yn lled wenu pan dynnodd hi'r gwn allan am y tro cyntaf, a hyd yn oed wrth wrando ar Nan yn bygwth y dorf, câi Nan yr argraff ei bod hi'n ufuddhau am fod unrhyw beth yn well na gweithio ar gyfrifon y Llyfrgell a hithau wyth mis yn feichiog. Roedd dyfodiad y babi wedi gwneud iddi ymddangos hyd yn oed yn fwy di-hid.

"Wyt ti isie 'i ddal e, Nins?" meddai hithau, gan wenu.

Syllodd Nan ar yr wyneb bach rhychiog, a'r gwaed yn dal i lynu rhwng y llygaid bychain.

"Na," meddai'n bendant. "Paid â siarad â fi, iawn."

Edrychodd Gwelw arni eto, â'r wên slei yn chwarae ar ei gwefusau.

"Mae'n reddfol, ti'n gwbod Nan, y busnes mamolaeth 'ma. Ma 'da ti'r gallu i deimlo be dwi'n deimlo nawr, taset ti 'mond yn gadael i'r teimladau 'na fodoli."

"Dim siarad, wedes i!" meddai Nan, gan godi'r gwn a'i bwyntio at wyneb Gwelw. Clywodd y dorf ar y llawr yn rhoi un ebychiad ar y cyd, wrth i ddegau o gegau bach dynnu'r holl aer o'r stafell.

Yn sydyn iawn, aeth sgrin ei meddwl yn wag eto. Doedd hi ddim yn deall dim. Dim oedd dim. Pwy oedd y ddynes o'i blaen? Beth oedd y peth trwm, onglog yn ei llaw? Sylweddolodd ei bod hi ar fin llewygu. Ceisiodd ei gorau glas i ymladd yn erbyn y gwendid. Roedd breichiau'r düwch fel melfed amdani. Aeth y bendro â hi dros ddibyn ei meddwl, dros ysgwydd y fenyw, i'r llawr yn un bwndel blêr. Clywodd sŵn rhywbeth yn tanio rywle yn y pellter, ac yna, ymhellach eto, fel cri fach mewn byd mawr, bloedd un baban yn codi, ac yna'n distewi'n sydyn.

DAN

Ers i Eben ddiflannu, roedd hi fel petai'n berson newydd. Welai e mo'r malais ynddi a glywsai ar y balconi 'na, rai oriau'n ôl. Gwyddai fod 'na ffeithiau na fedrai eu gwadu, sef ei bod hi wedi dwyn y lleian fach o'i boced, a'i bod hi wedi cadw'r holl le dan warchae 'mond i setlo ryw sgôr ddwl gyda dyn a edrychai fel pe na allai niweidio cath, heb sôn am anfon rhywun i'w bedd. Ond roedd e hefyd yn gwybod bod ganddo ei realiti ei hun, fan hyn, yn y stafell hon, a doedd e ddim eisiau colli gafael ar hynny. Roedd e'n dechrau gobeithio'n ddistaw bach na ddeuai neb byth i'w hachub nhw.

Mater o amser fyddai hi, nes y byddai hi'n ildio unwaith eto, meddyliai, fel y gwnaethai hi droeon cyn hynny. Felly, fe wnaeth ei orau i wneud iddi ymddiried ynddo. Fe adawodd iddi siarad am golli'i mam, a sut roedd hi'n siŵr y byddai'r weithred hon yn gwneud iddi deimlo'n well am ei marwolaeth, gan mai dyna roedd ei mam wedi bod yn trio gweud wrth y byd, mai Eben oedd yn gyfrifol am ei gweithred. Y gallai adolygydd ladd awdur, mewn mwy nag un ffordd, heb sylweddoli'r grym oedd ganddo. Ac fe griodd ychydig wedi hynny, gan lithro dros y ddesg tuag ato, a'i llaw yn arnofio ar y pren, yn gofyn iddo afael ynddi. Doedd 'na ddim caledwch ar ôl ynddi. Roedd ei chnawd yn dyner ac yn ddiamddiffyn, a gwelodd ei gyfle.

"Efallai na welwn ni ein gilydd eto," meddai, gan anadlu'n dyner yn ei chlust. "Efallai mai dyma'r tro olaf y byddwn ni gyda'n gilydd."

174

Edrychodd hithau i fyw ei lygaid, ac roedd e'n gweld fod 'na rywbeth yn dechrau newid. Er bod pob modfedd ohono'n dweud wrtho am beidio â mentro draw ati, dyna a wnaeth, gan gydio ynddi, a'i thynnu tuag ato ar draws y mahogani, ei rhwydo yn ei freichiau unwaith yn rhagor. Erbyn hyn roedd hi wedi ildio go iawn, ei gwefusau'n crynu ag awydd newydd, ac roedd e'n gwybod y câi ychydig o'r hyn a gawsai ganddi y nosweithiau blaenorol. Griddfannai yn ei freichiau wrth i'r dillad ddisgyn oddi arni, y flows wen yn gyntaf, ac yna, yn ara deg, y bronglwm sidanaidd. Sylweddolodd ei fod yn dal i wisgo'r menig gwynion, ond roedd hynny'n addas rywsut, yn esmwytho'i gyffyrddiad. Caeodd ei wefusau'n dyner o gwmpas un deth fach berffaith, a oedd fel perl yn ei geg. Ymatebodd hithau, bron mewn poen, gan grynu'n fwy fyth. Roedd fel petai hi'n gwneud hynny am y tro cyntaf. Roedd e'n galed nawr, yn galetach nag y bu ers amser, ac roedd canfod y nicer yn eistedd yn dwt uwchben dwy hosan sidanaidd, bron yn ddigon amdano. Ond fe'i rheolodd ei hun, a thywys y nicer i lawr ei choesau, a'i daflu uwch ei ben, nes ei weld yn glanio ar gornel un o'r dyddiaduron lliwgar.

Wrth iddo wthio'i hun i mewn iddi, clywodd yr ebychiad, yr un ebychiad yn union a roddodd hi'r tro cyntaf hwnnw. Ond roedd e hefyd yn teimlo'r gofod tu mewn iddi'n lledu, yn gwneud lle iddo, ac yn ei groesawu, fel y gwnaethai'r tro cyntaf hwnnw. Roedd 'na ryw gymesuredd od am yr holl beth, wrth iddi gau ei bysedd am ei war, a dechrau ei wthio'n ddyfnach ac yn ddyfnach i mewn iddi. Gwthiodd ei chefn yn erbyn y silff, fel y gwnaethai droeon cynt, gan feddwl am y clais cyfrin hwnnw'n ymledu. Sylwodd fod ei llygaid ar gau y tro hwn. Edrychai fel pe bai hi mewn poen. Ond yn sydyn iawn, gwelodd y pleser yn cydio ynddi, a'i bod hi'n esmwytho yn ei afael. Dechreuodd hithau gydio mewn llyfrau oddi ar y silff uwch ei phen a'u gadel i gwympo. Teimlodd y cloriau caled yn taro'i ben, ond roedd pob ergyd yn ei gyffroi fwyfwy, a theimlai'r rhesi cyfan yn ysgwyd yn erbyn eu cyrff a'i wthio yn nes ac yn nes at y lan. Wrth i'w hewinedd balu i mewn i'w ben-ôl, teimlodd ffrwydrad o olau tu ôl i'w lygaid, a sylweddoli bod y cyfan ar ben, yn llawer rhy sydyn.

Daliai i afael ynddo o hyd, fel petai hi heb sylweddoli, bron, mai dyna'r diwedd. "Ddim eto," meddai, "dwi ddim yn barod eto." Gwnaeth iddo aros yno, a'i gorff llipa'n dda i ddim, wrth iddi ddechrau crynu drwyddi. Ac yna'n sydyn roedd hithau hefyd yn llonydd.

"Dwyt ti ddim yn gwbod faint... faint... faint o ryddhad yw dy gael di, fel 'na, o'r diwedd. Teimlo beth 'nes i deimlo fan 'na. Roeddet ti'n wych," meddai hi'n dawel, gan ei gusanu eto ac eto. "Mae rhywun wastad eisiau rhywun gwych y tro cynta."

Chwarddodd yntau'n uchel ar hyn – gan ddifaru'n syth bìn. Gwgodd hithau, ac roedd hi'n amlwg yn meddwl ei fod yn gwneud hwyl am ei phen. Efallai mai rhyw fath o gêm ryfedd oedd hyn iddi hi – esgus mai dyma'r tro cynta – ond roedd ei chwarddiad wedi torri ar draws yr hud hwnnw, ac roedd yn rhaid iddo lusgo'r ddau ohonyn nhw 'nôl i'r presennol. Rhaid iddo'i hachub o'r byd afreal hwnnw roedd hi'n byw ynddo, a gwneud iddi weld yn iawn. Sylweddolodd ei fod yn agos at ei charu'n awr, ac roedd e ar dân eisiau iddi dderbyn pethau fel roedden nhw.

"Ond Nan," meddai, gan estyn am ei llaw. "'Y'n ni 'di neud hyn o'r blaen. Lawr fan hyn – dwyt ti'm yn cofio? Droeon."

Doedd e ddim yn gallu deall yr olwg ddaeth drosti'r

foment honno. Camodd 'nôl oddi wrtho a dechrau chwilio am weddillion ei dillad gan wisgo'r bronglwm yn chwithig, a chau botymau ei blows yn y drefn anghywir.

"Nan," meddai eto, gan geisio cydio ynddi. "Nan, edrych arna i – ma hi'n ocê."

"Nid Nan ydw i!" sgrechiodd, a'i llais yn ffrwydrad o boen. "Dwyt ti'm yn deall? Nid Nan ydw i, ac ro'n i'n meddwl, o'n i *wir* yn meddwl…"

Syllodd Dan arni. Cyn iddo sylweddoli beth oedd yn digwydd, roedd hi wedi dringo ar ben y ddesg ac wedi dianc drwy'r twll yn y to. Gadawodd e'n sefyll o flaen llygaid cyhuddgar Elena, a'i bidlen yn un ymddiheuriad llipa trwy ei gopis.

EBEN

MENTRODD EBEN YMHELLACH i'r goedwig o lyfrau oedd o'i gwmpas ym mhobman. Hyrddiodd ei ddwylo i ganol y cawdel papurog, gan geisio tynnu un llyfr o'r pentwr i edrych arno'n fanylach. Ond doedd dim yn tycio. Bob tro y ceisiai gael gafael ar lyfr, yn ei gyfanrwydd, roedd e'n llwyddo i'w ddadberfeddu neu ei falu'n rhacs yn ei ddwylo, gan greu cawod o dudalennau a llwch. Pesychodd. Roedd 'na arogl ffiaidd ar y llyfrau 'ma. Lle gynt y bu'n meddwi ar arogleuon melys hen lyfrau, roedd nawr yn tagu ar arogl o fath gwahanol – rhywbeth cemegol, maleisus, a oedd yn llosgi ei ffroenau, yn tasgu'n ffrwd felen dan ei draed. Cofiodd iddo arogli'r cemegyn hwnnw gynnau, rhyw sawr rywle rhwng arogl hen draed gwlyb a thanc pysgod roedd angen ei olchi. Codai o'r llawr, ac roedd hwnnw bellach yn llysnafedd tebyg i'r hyn a'i gwthiodd drwy'r twnnel, gan beri iddo lithro dros bob man. Ceisiodd ei rwystro ei hun rhag disgyn, ond doedd dim arwyneb caled o fath yn y byd a allai rwystro ei gwymp, ac fe aeth wysg ei din yn erbyn tŵr uchel o lyfrau yng nghornel y stafell.

Dyna ni, meddyliodd Eben, gan lanio wrth droed y tŵr hwnnw – dwi wedi llwyddo i osgoi cael fy saethu, 'mond i fogi dan bentwr o lyfrau. Caeodd ei lygaid; roedd e'n barod i dderbyn ei ffawd. Ond ymhen rhai eiliadau roedd hi'n berffaith amlwg nad oedd y tŵr hwnnw wedi crynu, hyd yn oed, wrth i Eben daro yn ei erbyn, er nad oedd ond pentwr ansicr o lyfrau yng nghornel y stafell, heb silff i'w ddal yn ei le.

Cododd Eben ar ei draed. Rhoddodd gic i'r tŵr. Aeth poen andwyol drwy ei droed ac i fyny ei goes. Roedd y llyfrau ymddangosiadol feddal yn galed fel haearn. Camodd Eben yn nes atynt. Sylwodd nad llyfrau unigol oedden nhw bellach, chwaith; roedden nhw wedi toddi i'w gilydd. Yn fwy na hynny, gwelai hefyd eu bod nhw'n glynu wrth y wal a oedd y tu ôl iddyn nhw. Nid rhywbeth annibynnol, unigol oedd y llyfrau hyn, roedden nhw'n rhan o wneuthuriad y stafell. Llyfrau oedd ei seiliau, sylweddolodd yn sydyn, wrth iddo graffu drwy'r tywyllwch ar y print mân a oedd ym mhob cornel o'r stafell. Ym mhobman gwelai lyfrau'n toddi, yn ymuno â'r plastr a'r concrid, a sylwodd fod y slwj dan ei draed yn troi'n rhywbeth mwy sylweddol.

Teimlai Eben yn sâl. Efallai ei fod e wedi marw, wedi'r cyfan, ac mai rhith o ryw fath oedd hyn. Roedd e'n ddigon o gwmpas ei bethau i wybod na fedrech chi adeiladu adeilad cyfan allan o lyfrau, ac nad oedd yr hyn a welai o'i flaen yn gwneud unrhyw fath o synnwyr o gwbwl. Roedd y peth yn ffiaidd, fel rhyw uffern lenyddol, lle roedd cyfrolau'n pydru ac yn gwaedu dros bob man. O ble daethai'r holl lyfrau 'ma? Oni ddylai'r Llyfrgell fod yn eu storio nhw mewn modd parchus fel roedden nhw'n ei wneud gyda'r rhai yn archif Elena? Fedrech chi ddim bod yn elitaidd gyda llyfrau; dyletswydd y Llyfrgell oedd eu storio nhw i gyd, hyd yn oed os oedd 'na gopïau digidol. Craffodd unwaith eto ar rai o'r teitlau. Llyfrau Cymraeg oedd yma, hyd y gwelai, a'r enwau yn anghyfarwydd iddo.

Ac yna'n sydyn cofiodd Eben am ddiflaniad y llyfrau prin, rai blynyddoedd yn ôl. Roedd 'na rywbeth ar y newyddion amdano, rhyw ddigwyddiad lle roedd holl lyfrau prin y Llyfrgell wedi mynd ar goll un nos olau leuad, casgliad enfawr ohonyn nhw. Roedd y lori a gawsai'r dasg o'u cludo draw i archif arbennig yn y Senedd yng Nghaerdydd wedi cael ei dwyn o flaen drysau'r Llyfrgell. Doedd neb wedi gweld dim, ac roedd y lori wedi diflannu i'r nos. Roedd e'n cofio gweld Ffrancon yn siarad ar y newyddion am y peth, gan ddweud fod y peth yn warthus, bod cof cenedl wedi cael ei ddwyn ac nad oedd unrhyw fodd o'i adennill. Eiliadau wedyn, roedd y Brif Weinidoges wedi datgan fod hwn yn ddigwyddiad arwyddocaol – fod angen dysgu gwersi o'r hyn a ddigwyddodd. "Ry'n ni'n byw mewn oes ôl-lyfryddol," meddai, "ac mae angen i ni dderbyn hynny. Dwi'n galw ar y Llyfrgell i foderneiddio, fel y gallwn ni ddiogelu ein dyfodol." Hwnnw oedd y digwyddiad a sbardunodd y Llyfrgell i ildio i'r syniad o gael e-ddarllenwyr yn unig ar y silffoedd yn hytrach na llyfrau go iawn, a chloi hynny o lyfrau a oedd yn weddill mewn archifau penodol. Gwell rhoi'r *argraff* a'r *ymddangosiad* o lyfrau, yn ôl y Brif Weinidoges, na brolio swmp a sylwedd llyfrau'r genedl a cholli'r cyfan yn y fargen. Gwelwyd y lladrad fel rhywbeth i ddysgu gwers i'r Cymry, ac roedd sibrydion ar led mai terfysgwr oedd wrth wraidd y peth, gyda rhai'n amau fod Gwylliaid Glyndŵr wedi codi o'r llwch drachefn.

Ond roedd hi'n amlwg nad oedd unrhyw beth o'r fath wedi digwydd. Roedd y Llyfrgell wedi dwyn ei llyfrau ei hun, sylweddolodd Eben. Wedi llyncu ei thudalennau ei hun i'w choluddion. Ond ni allai ddeall beth fyddai pwrpas hynny chwaith. Doedden nhw ddim wedi gwaredu llyfrau'n gyfan gwbwl, dim ond *rhai* ohonyn nhw. Roedd deunydd Elena'n parhau ar gael, ond doedd y rhain ddim. A chan nad oedd e wedi clywed am un o'r enwau y daeth ar eu traws yn y papurach, cymrodd nad oedd y gweithiau hynny wedi cael eu cofnodi ar y system ddigidol o gwbwl.

Roedd hi'n amlwg hefyd nad *dim ond* taflu'r holl lyfrau

yma i un stafell ac anghofio amdanyn nhw wnaeth y Llyfrgell. Rhaid bod y slwj a oedd yn diferu i mewn i'r stafell yn rhywbeth bwriadol, rhywbeth a oedd yn gwneud i'r llyfrau doddi i'w gilydd, a thyfu'n rhan o'r adeilad. Roedden nhw wedi troi'r llyfrau hynny i'w dibenion eu hunain, gan sicrhau eu bod nhw'n gwneud seiliau'r adeilad yn gryfach, yn fwy solet. Ailgylchu o'r radd flaenaf, meddyliodd Eben, er bod rhywbeth arswydus am hynny hefyd. Efallai mai'r llyfrau yma oedd yn dal yr holl le wrth ei gilydd, ond os na wyddai neb amdanyn nhw, pa fath o rôl roedden nhw'n ei chwarae go iawn? Aeth ias oer i lawr ei gefn wrth feddwl am awduron y cyfrolau hyn, yn pydru mewn rhyw fedd yn rhywle, heb wybod fod eu gweithiau mawr, y gweithiau hynny a oedd i fod sicrhau eu hanfarwoldeb, yn pydru yn union yn yr un modd.

Byseddodd drwy bentwr arall yng nghornel y stafell. Roedd y rhain yn fwy meddal, a heb ddechrau toddi i seiliau'r adeilad. Gwelodd gip o lyfryn bychan nad oedd eto wedi dechrau pydru, a cheisiodd ei ddatgysylltu oddi wrth y gweddill. Er mawr syndod iddo, fe ddaeth y llyfryn bach yn rhydd oddi wrth y gweddill, ac er bod y clawr yn wlyb, a'i fod yn ffitio yng nghledr ei law bron, o leiaf roedd e'n llyfr cyfan. Gwenodd wrth ei fwytho yn ei law. Roedd e wedi achub un o leiaf. Ond fe'i lloriwyd gan yr hyn a welodd nesaf. Wrth graffu i weld yr hyn a ysgrifennwyd ar y clawr bach gwyrdd, a'i liw yn pylu o gylch yr ochrau, gwelodd y geiriau 'Llyfrau'r Ford Gron: cyfres o drysorau'r iaith Gymraeg', mewn print mân. Ac yna, ychydig islaw mewn print bras, fel na fedrai osgoi arwyddocâd y geiriau:

EBEN FARDD: *Detholiad o'i Farddoniaeth.*

A N A

ROEDD Y TYWYLLWCH yn gysur iddi, ac fe ildiodd yn llwyr iddo, gan orwedd yn ei goflaid du am rai munudau. Y cyfan a wyddai'r eiliad honno oedd fod yn rhaid iddi ddianc o'r stafell a'i pheryglon, dianc rhag yr hyn roedd Dan yn ei ddweud wrthi. Caeodd ei llygaid a gwelodd yr enw yn dod tuag ati, yn fflach boenus o olau tu hwnt i'w hamrannau. Nan. Dyna y'i galwodd hi. Wrth gwrs mai dyna pwy roedd e'n ei feddwl oedd hi. Dyna'u bwriad wedi'r cyfan: gwneud yn siŵr na fyddai Dan yn sylweddoli bod 'na ddwy ohonyn nhw, gwneud iddo feddwl mai'r un un oedd e'n ei gyfarfod bob tro. Ac roedd hynny'n ddigon hawdd. Yn rhy hawdd, mewn gwirionedd. Hyd yn oed pan geisiodd sbwylio pob dim yn fwriadol. Fwy nag unwaith, roedd hi wedi ceisio bradychu ei chwaer, drwy gerdded heibio iddo eiliadau cyn roedd e i fod i gwrdd â Nan, gan obeithio y byddai e'n sylwi ei bod newydd fynd drwy'r drws i un cyfeiriad a bod Nan yn dod o'r cyfeiriad arall. Ond doedd e byth yn sylwi. Smocio gormod i sylwi, yn fwy na thebyg. Roedd e fel doli glwt yn cael ei daflu o'r naill i'r llall, yn gwbwl ddiymadferth yn eu breichiau.

Ond hyd yn oed wedyn, roedd Ana wedi cadw at y cynllun, wedi glynu'n dynn wrth y rheolau. Gwthiodd law Dan i ffwrdd, fwy nag unwaith, er ei bod hi weithiau'n ysu am ei blannu e'n ddwfn rhwng ei choesau. Roedd Nan a hithau wedi addunedu i beidio â gwneud yr hyn roedd e am iddyn nhw ei wneud: *fe fyddwn ni'n colli'n grym*, cofiodd Nan

yn dweud, *allwn ni ddim*. Ond roedd hi'n gweld nawr pam
y bu Dan â'r fath ddiddordeb cyhyd. Roedd Nan wedi ildio
iddo ers wythnosau. A dyna pam, sylweddolodd yn sydyn,
pam ei fod e, ar rai dyddiau'n edrych yn ddolurus i'w llygaid
pan fyddai hi'n ei wthio i ffwrdd, neu'n gwichian wrth iddo
geisio cyffwrdd yn ysgafn yn ei bron. Doedd e ddim yn deall
pam – ac yntau wedi cael popeth yn barod – ei bod hi'n
mynnu dal unrhyw ddarn ohoni hi ei hun yn ôl. Roedd
hi'n gweld nawr mor ynfyd fu ei dyheadau. Roedd hi wedi
breuddwydio am y cyfan y medrai hi ei roi iddo; ond mewn
gwirionedd, doedd 'na ddim byd ar ôl y gallai hi ei roi iddo,
gan fod pob dim wedi'i gymryd yn barod.

A beth bynnag ddigwyddodd yn erbyn y silff lyfrau,
doedd e'n ddim byd newydd: dim ots beth oedd e'n ei
ddweud.

Ymbalfalodd yn y tywyllwch am fotymau ei blows. Mor
hawdd oedd ildio; yr un foment bur o wallgofrwydd wrth iddo
gerdded tuag ati. Y rhyddid pur o beidio â gorfod meddwl,
na chynllunio, dim ond bod; dim ond teimlo rhywun arall
drosoch chi i gyd, yn eich cofleidio, yn eich caru. Nid bod
cariad ynghlwm wrth y weithred, fe dybiai hi, ond roedd 'na
rywbeth a oedd yn ymdebygu i gariad yno am rai munudau,
roedd hi'n sicr o hynny, wrth feddwl pa mor wahanol roedd
Dan yn ei chusanu tua'r diwedd, yn ddwfn, yn ofalus, fel pe
bai'n pysgota yn nyfroedd ei cheg. Am unwaith, roedd hi'n
rhydd. Ond roedd y rhyddid hwnnw wedi diflannu yr eiliad
y penderfynodd hi adael y stafell, a theimlodd y rhyddid
hwnnw'n hwylio ymhellach oddi wrthi eto wrth iddi geisio
lapio'r dillad 'nôl amdani. Fesul bron, aeth ei rhyddid yn ôl
i gaethiwed y sidan, a diflannodd ei choesau noeth i fêl ei
theits. Roedd hi'n gaeth drachefn, a dyna sut y dylai hi fod.
O leiaf roedd hi'n ddiogel nawr.

Cododd ar ei thraed, gan daro ei phen yn erbyn y nenfwd isel. Gwelodd fod 'na agoriad o ryw fath nid nepell oddi wrth y twll. Dringodd i mewn iddo. Doedd hi ddim yn siŵr iawn ble roedd hi, ac roedd y llwybr o'i blaen yn dywyll ac yn llithrig oddi tano. Dim ond un bwriad oedd ganddi bellach: dod o hyd i Eben. Siarad ag e. Doedd hi ddim eisiau codi ofn arno rhagor, chwaith. Dim ond siarad. Roedd hi wedi cael braw wrth ddal y gwn yn ei llaw. Gwelodd ei hun, yn sydyn iawn, fel yr hyn ydoedd – rhywun mewn galar eisiau cysur, rhywun yn chwilio am atebion. Sylweddolodd nad y dyn truenus hwn o'i blaen oedd yr ateb o bell ffordd – ei lygaid yn fawr ac yn ofnus, y staen pi-pi ar ei drowsus, y cryndod yn gwefru trwy ei floneg. Geiriau'n unig oedd ganddo, ac roedd hi wedi cael ei thwyllo i feddwl eu bod nhw'n clwyfo go iawn. Doedden nhw ddim. Bwledi oedd yn clwyfo. Fel roedden nhw wedi clwyfo Niclas Gruffudd, a Duw a ŵyr pwy arall erbyn hyn, meddyliodd, gan geisio peidio â meddwl am y criw truenus o dan gyfarwyddyd gwn Nan, rywle tu hwnt i'r waliau o'i hamgylch.

Teimlodd fod y waliau o'i chwmpas yn lleihau ac yn culhau, a bu'n rhaid iddi fynd ar ei phenliniau. Methai weld dim o hyd. Rhaid ei fod yno yn rhywle, ym mêr y tywyllwch. Yr unig broblem nawr – fel y dwedodd Dan – oedd fod ganddo yntau'r pŵer i'w chlwyfo hi. Yn ei feddiant e bellach roedd y gwn, ac efallai ei fod yn llechu yn rhywle, yn aros amdani, yn barod i'w saethu. Fe fyddai'n ffordd druenus o fynd yn y diwedd, meddyliodd Ana, ar ei hyd mewn rhyw gornel tywyll ym mherfeddion y Llyfrgell. Meddyliodd yn sydyn am ei mam a'r balconi. Os am ddewis, yna, pam y dewis hwnnw? Roedd hi'n gwybod beth oedd pawb yn ei feddwl: *gwneud rêl sioe ohoni hi ei hun, fel arfer. Isie anfarwoldeb, isie rhywbeth dramatig.* Meddyliodd eto am y nodyn rhyfedd a adawodd ar ei hôl, yr un yng nghanol y dyddiadur. Eben wnaeth. Eben wnaeth hyn i mi. Y geiriau a fu'n efengyl i Ana gyhyd, ond roedd hi'n gweld nad oedden nhw'n golygu dim byd mwyach mewn gwirionedd. Doedd Eben ddim ar gyfyl y lle'r diwrnod hwnnw. Doedd e ddim wedi gwthio'i chorff yn erbyn yr haearn, cydio yn ei dwy goes a'i hyrddio dros yr ymyl. Dyna oedd lladd. Nid llofrudd oedd Eben. Aeth cryndod drwyddi wrth feddwl mor agos y daethai hithau a'i chwaer i gipio'r teitl hwnnw.

Clywodd sŵn rhywbeth yn ystwyrian yn y pellter. Sŵn siffrwd.

"Eben," meddai Ana'n betrus wrth y tywyllwch. Fe aeth yr enw ar gyfeiliorn, gan ddrybowndio oddi ar yr arwyneb o'i hamgylch. Doedd dim yn adleisio mewn Llyfrgell fel arfer, roedd y lle wedi'i greu felly: i fod yn farwaidd, i beidio â chario sŵn, i beidio â datgelu dim, i fod heb glustiau. Ond nawr, a hithau wedi bod yn ddigon dewr i yngan enw, roedd hwnnw nid yn unig wedi seinio o'i genau hi ond roedd e'n cario, yn neidio, yn dianc oddi wrthi yn yr awyr. Estynnodd ei llaw i deimlo'r hyn oedd o'i hamgylch, a chanfod fod yr arwyneb yn oer ac yn haearnaidd. "Eben," gwaeddodd eto. "Os wyt ti yna, paid â saethu. Dwi jyst isie siarad gyda ti." Wrth i'r gofod leihau bu'n rhaid iddi fynd ar ei hyd ac ildio i'r llithro'n llwyr.

Fe'i hyrddiwyd i ganol rhywbeth a oedd yn teimlo fel mwsogl. Gorweddodd yn ei gysur am rai munudau, tan i'r arogl fynd yn ormod iddi, arogl cemegol yn ceisio cuddio rhywbeth arall, mwy sinistr, fel gwynt rhywbeth yn marw'n araf. Cododd ar ei heistedd. Gwelodd ei bod yn gorwedd mewn pentwr o lyfrau a oedd wedi cael eu chwydu blith draphlith dros ei gilydd. Trodd i edrych yn fwy manwl ar rai o'r teitlau. Fel y tybiodd, roedden nhw oll yn gyfarwydd iddi, gan mai hi a'u hanfonodd i'r fan hon yn y lle cyntaf. Gwelodd ddannedd melyn memrwn *Llyfr Antiffonau Penpont* yn ceisio'i brathu, fel pe bai e'n ddig am iddi ei ddienyddio yn y modd y gwnaeth. "Mond gwneud fy swydd, sori," meddai wrtho, a'i wasgu'n ddyfnach i mewn i'r pentwr. Roedd y Brif Lyfrgellwraig wedi bod yn arbennig o falch ohoni'r diwrnod y cafodd wared ar hwnnw. Cofiodd iddi addo efallai y câi fwy o gyfrifoldeb, bod angen mwy o archifwyr didostur arni, meddai hi, rhai nad oedd yn gadael i sentimentaleiddiwch dorri ar draws ergonomeg syml. "Os nad yw *Llyfr Antiffonau Penpont* yn deilwng o'i le, yna dyw e ddim yn deilwng o'i le," dwedodd, gan wincio arni. Ddeuddydd yn ddiweddarach, roedd *Llyfr Antiffonau Penpont* nid yn unig wedi diflannu o'i gês gwydr, ond hefyd wedi'i ddileu o'r system yn llwyr.

Ym mhen draw'r pentwr gwelodd rai o'r deunyddiau eraill a ddileodd o'r system: y daflen yn cofnodi sut y gwelodd Thomas Raynold y fôr-forwyn ym Mhentywyn yn 1604, y daflen fwyaf dwl a distadl a welsai erioed. Cofiai Ana iddi feddwl droeon ei bod wedi gweld môr-forwyn o'r balconi 'na yn Aberystwyth, ond fel yr âi'r blynyddoedd heibio, ac y trodd ei dychymyg ifanc, breuddwydiol yn baranoia a delfrydau duon, roedd hi'n berffaith amlwg nad oedd yn ddim byd mwy na morlo'n dawnsio yng nghanol gwymon, dim byd mwy, a dim byd llai. A doedd pethau felly ddim yn cyfiawnhau eu lle o fewn cof cenedl, meddyliodd, gan wasgu botwm er mwyn dileu pob cofnod ohono o'r system, a thaflu'r daflen i'r naill ochr. O gil ei llygaid gwelodd ymylon pydredig yr adroddiad am dreialon cŵn defaid Cymru ger y Bala yn 1873. Roedd yn gas gan Ana gŵn defaid.

Yna, o dan y rhain, roedd *Lona,* T. Gwynn Jones.

Cofiodd iddi hi a'r Brif Lyfrgellwraig gael tipyn o drafodaeth am honno. Darllenodd Ana adolygiad clodwiw ohoni gan Saunders Lewis yn Saesneg: *Lona is almost unique in Welsh… a perfectly constructed best seller which ought to create a furore in Wales and go through a dozen editions.* Dim ond un copi ohoni oedd ar ôl, ac roedd Ana'n gyndyn o'i dileu heb reswm teilwng. Anodd iawn fyddai dileu pob cofnod am T. Gwynn Jones, esboniodd wrth y Brif Lyfrgellwraig, yn enwedig gan iddo weithio yn y Llyfrgell Genedlaethol fel catalogydd ar ddechrau'r ganrif ddiwethaf, cyn iddo gael ei wneud yn Athro. "Mwy byth o reswm i gael gwared arno wedyn, 'te," atebodd hithau. "Mae'n rhaid ei fod e wedi bod yn un o aelodau cynnar y frawdoliaeth, neu'n gyfrifol am osod ei seiliau, o leiaf. Ei fai e yw'r ffaith fod yr holl rwtsh patriarchaidd di-werth yn y lle 'ma o gwbwl." Pendronodd Ana dros hyn cyn gwneud ei phenderfyniad. Roedd T. Gwynn yn ymddangos yn wahanol i'r gweddill, a rhywbeth gwylaidd amdano, mor wylaidd, mae'n debyg, fel na fynychodd ei seremoni cadeirio ef ei hun, a mynd yn hytrach i briodas ffrind, ac anfon cyfaill yn ei le. Penderfynodd rannu'r wybodaeth hon gyda'r Brif Lyfrgellwraig, gan obeithio'i achub, ond roedd y ffaith honno fel petai'n gwneud T. Gwynn druan yn fwy euog byth. "Wel dyna ni 'te," meddai'r Brif Lyfrgellwraig heb dynnu ei llygaid oddi ar ei sgrin. "Dodd e'n amlwg ddim o ddifri am yr hyn roedd e'n ei wneud, oedd e? Peidio mynychu seremoni – ma 'na rywbeth mor ffuantus am hynny. Ylwch fi! Dwi ddim yma! Gwrandwch, Ms Wdig, ma arian yn brin, fel gwyddoch chi, ac allwn ni ddim fforddio cadw llefydd ar gyfer pobl nad oedden nhw'n disgwyl cael eu cofnodi. O'dd Mr Gwynn yn amlwg eisiau cael ei anghofio."

Er ei bod hi'n gwybod na wnâi wahaniaeth, gwnaeth rhywbeth i Ana ddyfalbarhau â'r ddadl, gan drio ymladd achos dros ei gyfnewid am rywun arall. "Fel pwy," meddai'r Brif Lyfrgellwraig yn ddirmygus, "pwy arall ti'n gweud allwn ni shiffto 'te? Hmm? Ma rhaid i fi glywed hyn." Croesodd ei choesau hirion a'u taflu dros ymyl desg Ana. "Ymm… wel beth am y cerflun 'na o Syr John Williams yn yr Ystafell Ddarllen," meddai'n betrus. "Ma fe'n mynd â lot o le, on'd yw e, a'i fai e yw e fod 'na gyment o stwff 'ma yn y lle cyntaf. Dwi ddim yn gweud bod rhaid i ni gael gwared ar bopeth roiodd e i ni, ond falle bod lle i gael gwared arno fe'i *hunan*. Allen ni roi mwy o sgriniau darllen mewn fan 'na yn ei le. Dim ond lwmpyn o farmor yw e yn y diwedd, mae e'n, wel, yn wastraff *gofod*, on'd yw e?"

Syllodd y Brif Lyfrgellwraig arni mewn rhyfeddod. Am eiliad fer credodd Ana iddi ennill ei hachos. Yna, rhyddhaodd y Brif Lyfrgellwraig chwarddiad aflednais o'i cheg, gan daro Ana ar ei thalcen â chawod o boer cynnes.

"Jôc dda!" meddai hithau, gan ysgwyd ei phen. "A finne'n credu mai rhyw bethe bach di-hiwmor oedd gweision sifil! Jôc oedd hi, ontefe Ana? Dwi'n gobeithio, er dy les di, mai jôc oedd hi. Achos mi rwyt ti'n gwybod, on'd wy't ti, Ana, fod yr hen John 'di gwneud mwy droston ni nag a wnaeth un dyn arall dros y canrifoedd."

Gwenodd Ana, gan esgus ei bod hi'n cydsynio. Gwnaeth archwiliad sydyn ar y cyfrifiadur wedyn i weld beth oedd hanes John Williams. Sylweddolodd Ana pam nad oedd modd cael gwared arno. Proffesiwn John Williams oedd obstetreg, yn gyfrifol am ofal menywod. Er mai dyn oedd e, mewn theori roedd e'n wraig hefyd, yn fydwraig o'r radd flaenaf, ac yn credu mewn hawliau menywod. Tic yn y bocs. A chyda hynny, bu'n rhaid i Ana daflu *Lona* i'r pentwr gyda'r gweddill. "Sori T. Gwynn," meddai hi'n ddistaw bach. "Dries i 'ngore."

Yn hwyrach y prynhawn hwnnw, cofiodd leisio amheuon tebyg ynghylch *Deian a Loli* gan Kate Roberts. Byddai ei mam yn arfer darllen y llyfr hwnnw iddyn nhw bob nos, am ei fod yn sôn am efeilliaid, a thyfodd Ana i'w gasáu. Sleifiodd hwnnw i du blaen y pentwr, heb ymgynghori y tro hwn. Cyn diwedd y prynhawn, roedd y Brif Lyfrgellwraig wedi'i symud o'r pentwr unwaith yn rhagor. "Rhaid eich bod chi wedi drysu – wedi bod yn gweithio oriau rhy hir, Ana," awgrymodd. "Mae'n berffaith amlwg fod *Deian a Loli* yn gampwaith. Nawr 'te, y'ch chi wedi gorffen gyda'r rhain?"

Hwyliodd y Brif Lyfrgellwraig i ffwrdd gyda'r troli o lyfrau, a diflannu rownd y gornel. Doedd Ana erioed wedi cwestiynu i ble roedd y deunyddiau hynny'n mynd, chwaith. Wedi iddi anfon ei hadroddiad at y Brif Lyfrgellwraig, fe fyddai hi'n anghofio amdanyn nhw, ac yn twrio drwy'r pentwr nesa o ddeunyddiau i gael eu hystyried. Ond roedd hi wedi clywed rhyw si na fyddai'r llyfrau'n gadael y Llyfrgell o gwbwl, am nad oedd hi'n foesegol iddyn nhw waredu eu deunyddiau eu hunain, ac roedd hi'n deall, hefyd, pam roedd teitl ei swydd yn cael ei gadw'n fwriadol annelwig, sef 'Didolwr Deunyddiau'. Yn hynny o beth, dyna oedd yr unig wahaniaeth rhyngddi hi a Nan. 'Prosesydd Deunyddiau,' oedd Nan a golygai hynny drosglwyddo gweithiau i'r sgrin, creu copïau digidol ohonynt, a bwydo cof newydd i'r peiriant bob dydd. A hynny heb wir sylweddoli mai Ana oedd yn penderfynu beth a gâi fod yn rhan o'r cof hwnnw, beth oedd yn bwydo ymwybod a *chydwybod* y genedl.

Roedd gweld â'i llygaid ei hun beth oedd yn digwydd i'r llyfrau a gâi eu dileu yn wefr ryfedd iddi. Yn sydyn iawn roedd hi'n ymwybodol o'i phŵer. Er mai gwas sifil bach di-nod ydoedd, roedd ei phenderfyniadau hithau wedi arwain at anferthedd y stafell hon, at dyrrau o lyfrau a oedd oll, yn ôl pob golwg, yn dod yn rhan o seiliau'r Llyfrgell. Mewn gwirionedd, hi oedd yn cadw'r lle ar ei draed. Gwenodd wrth edrych o'i hamgylch. Byseddodd drwy'r pentwr unwaith yn rhagor. O dan rai o'r llyfrau, gwelodd fwndel o luniau. Lluniau oedd arbenigedd Petal. Er eu bod nhw'n cael eu gwahardd rhag trafod eu swyddogaethau gwahanol gyda'i gilydd, roedd Ana'n gallu dyfalu cymaint â hynny, wrth weld y pentwr o luniau'n mynd a dod o'i desg yn ddyddiol. Ond doedd Ana erioed wedi meddwl beth yn union roedd Petal yn ei wneud â'r lluniau hynny. Eu sganio a'u digideiddio, roedd hi'n cymryd yn ganiataol. Ond wrth graffu ar un o'r lluniau o'i blaen, gwelai fod Petal yn gwneud llawer mwy na hynny.

Syllai ar lun o ddau ddyn yn sefyll bob ochr i garreg. Dywedai'r nodyn islaw iddo mai llun o D.J. Williams a Dafydd Iwan yn sefyll ger y maen coffa yng Nghilmeri ydoedd, adeg y rali yn erbyn yr Arwisgiad yn 1969. Roedden nhw ill dau yn syllu i'r un cyfeiriad, nid ar y maen ei hun, ond ychydig i'r chwith ohono, fel petaen nhw'n edrych ar rywun, fel petai'r ddau wedi gweld ysbryd, ar union yr un adeg. Roedd 'na rywbeth yn rhyfedd ac yn annaturiol am y llun, gyda'r dyrfa tu cefn i D.J. yn edrych braidd yn rhyfedd, fel cysgodion ac iddyn nhw nodweddion dynol, fel petaen nhw wedi cael eu dylunio gan rywun arall. Mae'n amlwg nad y gwreiddiol ydoedd, beth bynnag, na hyd yn oed ddrafft gorffenedig o'r llun. Roedd e wedi'i daflu o'r neilltu am mai ymdrech amherffaith oedd e, a'i fod wedi dal olion o'r gwirionedd, fel y gallai rhywun weld wrth graffu fod 'na rywbeth – rhywun – ar goll. Ni allai Ana gofio pwy, serch hynny.

Tynnwyd ei sylw'n sydyn gan ryw gryndod rhyfedd yn un o'r pentyrrau. Rhuthrodd draw ato, gan ofni y byddai'n disgyn, ond ni symudodd fodfedd. Synhwyrodd rywbeth yn symud tu ôl iddi. Trodd ei phen a gweld ffigwr yn symud ar draws y stafell, yn rhuthro ar ei bedwar ar lawr fel llygoden fawr.

"Eben!" ebychodd. "Gad i ni siarad, plis."

"Paid â dod gam yn nes ata i, neu mi saetha i ti!" gwaeddodd, gan godi ar ei draed, a rhedeg at ysgol yr allanfa dân yng nghornel yr ystafell.

Safodd Ana yn ei hunfan yn gwylio Eben yn dringo i fyny drwy fyrdd o lyfrau.

Roedd yn rhaid iddi fynd ar ei ôl.

DAN

AETH E DDIM ar ei hôl hi'n syth; doedd ganddo mo'r
egni. Caeodd ei gopis, a gwthio'i grys 'nôl i mewn
i'w drowsus. Sythodd ei wallt. Tynnodd y menig i ffwrdd.
Ceisiodd ddehongli'r olwg ofnus yna yn ei llygaid pan
ynganodd ei henw. Ei llygaid yn ffrwydrad, fel blodyn yn
blaguro'n sydyn. Nid Nan oedd hi, sylweddolodd hynny'r
eiliad honno. Fe'i teimlodd, hefyd, wrth iddo garu gyda hi.
Roedd hi'n rhy gynnes yn ei freichiau, yn cau ei llygaid,
yn gafael yn dynn ynddo; roedd hi'n ei garu'n ôl. Nid Nan
oedd hi. Doedd Nan byth yn edrych arno wedyn. Roedd
hon wedi edrych i fyw ei lygaid wedi iddyn nhw garu ac
yn gadael iddi'i hun deimlo, ac yn gadael iddi'i hun frifo,
hefyd.

Aeth ar ben y ddesg a gwthio'i ben drwy'r gofod du.
Gwelodd ei hôl hithau ac Eben yn y rwbel o'i amgylch.
Roedd y ddau wedi gwasgu eu ffordd draw at agoriad
bychan ryw ganllath i ffwrdd. Arogleuodd Dan rywbeth
cyfarwydd y foment honno. Dyma'r arogl y bydde fe'n ei
wynto yn y lle bob hyn a hyn. "Hylif glanhau," dwedodd yr
Archborthor wrtho unwaith pan holodd am y sawr hwnnw.
Gan ategu'n sydyn: "A dweud y gwir, ma 'na fareli o stwff
sydd angen eu symud lawr i'r archifau. Fyddet ti a Jono
cystal â rhoi help llaw i ni heno, ar ôl i'r Llyfrgell gau?"
Cofiodd sut y bu'n rhaid iddo yntau a Jono gludo'r stwff
i'r fan honno ac yna arwyddo rhyw gytundeb cyfrinachedd
ynghylch y peth. "Achos mae'r stwff yn gryf, ch'wel bois,"

meddai'r Archborthor, gan arddel ei gryman gwyn o hunanbwysigrwydd unwaith eto. "Dy'n ni ddim wir i fod i ddefnyddio stwff mor gryf â hyn pan ma 'na bobl ambutu'r lle, ond fi'n siŵr y byddwch chi'n deall bod angen cadw lle fel hyn yn gwbwl, gwbwl lân." Wrth feddwl am hynny, dechreuodd boeni. Beth os oedd y stwff yn wenwynig mewn rhyw ffordd? Fyddai e byth yn maddau iddo'i hun petai hi'n marw nawr, yn mogi yn y sawrau hynny, ac yntau heb hyd yn oed gael y cyfle i esbonio'i hun yn iawn iddi. A chyda hynny, dringodd i mewn i'r twll, gan orffwys ei gorff yn betrus ar y paneli. Wedi iddo wneud yn siŵr fod y rheiny'n ddigon solet i ddal ei bwysau, crafangodd ei ffordd yn araf tuag at geg y twnnel.

Ond cyn iddo lwyddo i'w gyrraedd, fe glywodd ryw synau. Mor ddieithr oedd synau'r byd iddo nawr fel y cymrodd gryn dipyn o amser iddo sylweddoli beth roedd yn ei glywed. Roedd e'n sicr fod 'na griw o bobl yno, a chlywodd rywun yn curo'n galed yn erbyn y pren. Sylweddolodd yn sydyn fod 'na rywun yn ceisio dod i mewn i'r archif, yn trio torri'r drws i lawr. Roedd y lleisiau'n rhai cyfarwydd. Ciliodd ymhellach i gornel y gilfach fechan uwchben yr archif, a gwthio'i glust at y pared. Clywai'r lleisiau'n glir erbyn hyn, ac roedd e'n eu hadnabod nhw. Llais yr Archborthor a chorws y porthorion eraill. Roedden nhw 'nôl.

Yn ddirybudd ffrwydrodd drws yr archif ar agor, a chlywodd Dan sŵn y mahogani nid yn unig yn agor ond yn datgysylltu'i hun, gan hofran yn ansicr ar ei gorff digolyn am rai eiliadau cyn taranu i'r llawr. Feiddiai e ddim mynd drwy'r twnnel nawr; fe fyddai unrhyw symudiad a wnâi ar hyd y paneli tenau yn sicr o dynnu sylw ato'n syth. Doedd dim a allai ei achub nawr ond yr onglau gwahanol o dduwch yn y gilfach hon, ac aeth Dan i'w gwrcwd, gan geisio'i wneud ei hun mor fychan ag roedd yn bosib. Doedd e ddim yn siŵr iawn pam nad oedd e'n ildio yn y fan a'r lle, yn gweiddi mas am gymorth ei gyd-weithwyr. Wedi'r cyfan, roedd e'n ddieuog, yn eu llygaid nhw, neu o leiaf fe ddylai e fod. Doedd e ddim wedi gwneud dim byd o'i le, mewn gwirionedd. Efallai iddo fod ychydig bach yn aneffeithiol, ond roedd hawl gan borthorion i fod yn aneffeithiol; roedd hynny'n rhan o'u disgrifiad swydd.

Ac yna fe gofiodd am y ffilm ffug, a oedd yn dal i redeg yn rhywle.

Ond gwyddai mai'r prif reswm pam nad oedd e'n galw mas, a'r rheswm ei fod yn ceisio tynhau ei gorff yn belen fach o dywyllwch oedd am ei fod, o'r eiliad y datododd ei blows wen yn yr archif y prynhawn hwnnw, yn gwybod ar ochr pwy roedd e. Ar ei hochr hi. Nan – er nad Nan oedd hi. Ac er nad oedd ganddo syniad beth roedd ei gêm hi, na beth roedd ei ran yntau yn y cynllun, roedd e'n hapusach i fod ar ei hochr hi nag ailymuno â chriw o borthorion llipa a oedd yn clwcian fel gwyddau o gwmpas eu halarch tew o fôs. Ac os oedd e'n iawn, fyddai hi ddim yn cymryd fawr ddim i'w twyllo nhw. Rhoddodd ei ffydd yn y tywyllwch o'i gwmpas, a gadael iddo'i hun gredu yn ei glyfrwch.

Fel roedd e'n tybio, fe dreuliwyd y pum munud cyntaf yn ystwyrian o gwmpas yr archif, yn anwybyddu'r twll yn y nenfwd.

"Rhaid eu bod nhw mewn 'ma," clywodd yr Archborthor yn arthio. "Ewch i chwilio amdanyn nhw."

Yna, cafwyd yr halibalŵ arferol o gwmpas y lle. Porthorion mudan yn chwilio yn y llefydd mwyaf annhebygol – tu ôl i fasged sbwriel, rhwng y stacs caeedig, neu hyd yn oed rhwng llyfrau unigol, fel petaen nhw'n chwilio am griw o dylwyth teg. Rhai yn cerdded sha 'nôl ac yn taro yn erbyn ei gilydd, gan neidio i freichiau ei gilydd mewn ofn. Yna, o bellter, gwelodd ffon fetel yr Archborthor yn ymestyn ei thrwyn arian i'r twll.

"O na. Paid â gweud bo nhw 'di mynd drwy fan hyn," meddai. "Rhywun i fynd i mewn, plis. Jono, 'nei di'r tro."

Mewn geiriau eraill, roedd yr Archborthor yn benderfynol o beidio â pheryglu ei hun; câi rhyw druan-beth arall wynebu ei dynged ansicr yn ei le. Cafodd Jono ei hyrddio i'r twll, a glaniodd yn chwithig ar ei ochr. Cadwodd Dan ei lygaid ar gau, fel plentyn sy'n credu os na fedrith e weld y byd, fedrith y byd mo'i weld e. Synhwyrodd fod Jono yn cripian yn nes ac yn nes tuag ato. Eto, rhoddodd ei ffydd yn y tywyllwch ac aros. Ond erbyn hyn, roedd e'n gwybod bod Jono'n sefyll reit o'i flaen, a doedd ganddo ddim dewis ond codi ei ben ac edrych i fyw ei lygaid.

Roedd hi'n rhyfedd edrych ar wyneb rhywun arall. Er mai am ychydig oriau yn unig roedd e wedi bod yn gaeth yn y stafell hon, roedd y profiad wedi bod yn un mor ddwys nes iddo deimlo ei fod ar ynys, ac na fedrai'r byd mawr tu allan ymyrryd ag e. A dweud y gwir, roedd yn gas ganddo'r ffaith fod yn rhaid i amser symud yn ei flaen o gwbwl – roedd e wedi bod yn berffaith hapus yn y stafell hon ryw awr yn ôl, pan nad oedd neb arall yma ond fe a hi, a llygaid gwyliadwrus ei mam yng nghornel y stafell. Doedd e ddim eisiau gweld, drwy gyfrwng llygaid llo Jono, fod 'na fyd arall tu allan i waliau'r stafell hon, a bod 'na fywyd cyffredin, arferol, y byddai'n rhaid iddo ymhél ag e unwaith yn rhagor.

"Wel," clywodd lais yr Archborthor yn gweiddi islaw. "Odi fe ar agor?"

Roedd Jono'n dal i syllu arno, a'i wyneb fel dalen lân, yn hollol ddiemosiwn. Ond amhosib dweud a oedd e'n ei weld ai peidio, gan fod ei sbectol mor drwchus, a chysgodion o'u cwmpas ym mhobman. Gweddïodd Dan y byddai'r gwydr trwchus yn ei amddiffyn, gan wneud iddo ymddangos fel ystlum mawr yng nghornel y stafell. Yna'n sydyn, fe drodd Jono ar ei sawdl a cherdded i'r cyfeiriad arall, tuag at agoriad y twnnel.

"Odi, ma fe ar agor," gwaeddodd Jono yn ôl. "Ma'n edrych fel tase rhywun wedi bod trwyddo fe, 'fyd," ategodd.

"Damia," meddai'r Archborthor. "Damia, damia. Bydd angen i rywun anfon brîff at yr heddlu am hyn. Bydd isie cael rhywun i mewn i atgyweirio'r nenfwd 'ma mor glou ag y gallwn ni. Reit bois, 'nôl â ni i ffrynt yr adeilad am nawr."

Rhoddodd yr Archborthor orchymyn i Jono ddod 'nôl lawr. Wrth iddo ddiflannu o'r golwg, clywodd Dan yr Archborthor yn gofyn un cwestiwn arall iddo.

"Sdim byd arall lan 'na, oes e?" meddai.

Erbyn hyn dim ond dwy lygad Jono oedd i'w gweld, yn syllu'n syth i'w gyfeiriad, a golwg o ddryswch ar ei wyneb. Penderfynodd Dan y byddai'n ceisio ystwytho'i adenydd dychmygol; roedd e nawr yn gobeithio y byddai'n ymddangos fel teulu bach o ystlumod o'r pellter hwn.

"Na, sdim *byd* arall 'na," meddai Jono'n ansicr, gan gau'r panel drachefn. Gwelodd Dan yn sydyn mai mater syml iawn o gywirdeb a'i hachubodd. Doedd yr Archborthor ddim wedi gofyn a oedd Dan yno. Roedd hi mor syml â hynny. Tasai'r Archborthor wedi penderfynu gofyn y cwestiwn, mae'n siŵr y byddai Jono wedi cofio amdano, ac y byddai ei lygaid diffygiol wedi gweld y darlun o'i flaen yn ddigon clir. Ond nid dyna oedd y cwestiwn. Ac fel pob gwas sifil da, doedd Jono 'mond yn cael ei dalu i ateb y cwestiwn a ofynnwyd iddo, dim byd mwy na hynny.

Meddyliodd am y panig yn llais yr Archborthor. Yr unig beth oedd yn bwysig iddo oedd gwneud yn siŵr na fyddai pobl yn gofyn cwestiynau. Nid diogelwch oedd hynny, meddyliodd Dan yn sydyn iawn, wrth feddwl am sawr y cemegyn, ac am gyflwr anniogel y trawstiau hyn. Nid diogelwch oedd eu gofid mawr nhw, wedi'r cyfan, ond cadw pethau'n gyfan, cadw pethau ar eu traed, gwneud yn siŵr nad oedd yr adeilad ei hun yn ddiffygiol, ac nad nhw oedd yn gyfrifol am unrhyw beth a oedd wedi mynd o'i le. Diogelu eu hunain, nid diogelu'r cyhoedd, oedd y nod.

Roedd hi'n amlwg fod y gwarchae ar fin darfod. Fe soniwyd am yr heddlu. Roedd rhywrai wedi llwyddo i ddod i mewn i'r adeilad. Mater o amser fyddai hi cyn y byddai'n rhaid wynebu'r byd tu allan, cyn y byddai pob dim yn newid. Mater o amser hefyd cyn y byddai'n amhosib iddo dreulio munud ddwys, bersonol gyda hi, fel roedd e wedi'i wneud heddiw. A doedd e ddim yn barod am hynny, ddim eto. Roedd yn rhaid iddyn nhw siarad yn gynta. Roedd yn rhaid iddo ddweud wrthi nad oedd e'n poeni pwy oedd hi – Nan neu beidio – mai hi oedd ei ddewis e. Camodd yn betrus tuag at geg y twnnel.

EBEN

Niwsans. DYNA OEDD hi. Pan welodd Eben Ana'n glanio mewn bwndel o gymalau o'i flaen, roedd fel tasai cleren fawr ddu wedi glanio yn y stafell, un a fyddai'n debygol o ystwyrian uwch ei ben am oriau lawer, gan fynd ar ei nerfau, a gwneud iddo adael. A doedd e ddim yn barod i adael eto. Roedd e'n gysurus lle roedd e. Er iddo sylwi ar yr ysgol ym mhen draw'r stafell a oedd yn rhyw fath o allanfa dân hynafol, ac iddo weld y gallai, o'i dringo, gyrraedd to'r adeilad yn ddigon diogel, penderfynodd oedi fan hyn i edrych ar y llyfrau. Ei ddewis e oedd hynny, ac roedd e'n ddigon hapus â'r dewis hwnnw. Tan iddi hi lanio yno, a chipio'r dewis oddi arno.

Fe ddylai fod wedi'i saethu hi yn y fan a'r lle. Dyna oedd hi'n bwriadu ei wneud iddo fe, wedi'r cyfan. Ond o'r eiliad y cododd y gwn fodfedd i'r awyr roedd cryndod yn ei fysedd. Fe fyddai saethu'n amhosib. Mor amhosib ag y byddai lladd cleren. Felly, rhoddodd y gwn yn ôl i lawr, ac aeth i guddio yng nghornel y stafell, tu ôl i un o'r tyrrau mawr o lyfrau, cyn iddi sylwi ei fod yno. Wrth edrych 'nôl, roedd y peth yn hurt. Aeth i'r cyfeiriad anghywir, ac roedd y ddihangfa dân ymhellach oddi wrtho nag erioed. Pam nad oedd e wedi'i bygwth hi, o leia? Ganddo fe roedd yr arf – tra oedd hi'n hollol ddiamddiffyn, wedi syrthio wysg ei chefn i ganol pentwr o lyfrau. Ond doedd gwn ddim yn gallu newid rhywun yn sylfaenol, roedd hynny'n gwbwl amlwg. Yr un un oedd Eben o hyd.

Ond eto, roedd e wedi teimlo'n wahanol, am ysbaid, wrth agor llyfr Eben Fardd y prynhawn hwnnw. Doedd e erioed wedi gweld ei enw ei hun yn tywynnu'n ôl arno â'r fath addewid o'r blaen. *Cyfres o Drysorau'r Iaith Gymraeg,* dyna oedd e'n ei ddweud ar glawr y llyfr. Trysor. A'r enw Eben yno, yn gyfystyr â hynny. Ond os oedd e'n drysor, yna beth roedd e'n ei wneud yn pydru fan hyn? Roedd hi'n amlwg fod gan rywun yn yr adeilad hwn y grym i wneud penderfyniadau felly; i benderfynu pwy oedd yn deilwng o'i le yn y Llyfrgell, yng nghof a chydwybod y genedl, ac roedd hi'n amlwg nad oedd Eben Fardd wedi teilyngu hynny, er gwaetha'i rinweddau fel bardd. Cofiodd Eben drachefn am linell gynta'r rhagair: *Fe saif Eben Fardd ar ei ben ei hun ymhlith beirdd y ganrif ddiwethaf.* Efallai mai dyna dy broblem di, meddai Eben wrth ei gysgod, dy fod ti'n sefyll gormod ar dy ben dy hunan. Ma'r Cymry'n fwy tueddol o licio rhywun sy'n glynu wrth bobl eraill, rhywun sy'n rhan o bethau. Ma nhw wastad yn ddrwgdybus o rywun sydd mewn cae gwahanol i'r gweddill.

Wrth ddarllen y gyfrol, cafodd ei lorio gan un frawddeg reit yng nghanol y rhagair. Wedi traethu am ragoriaethau'r bardd, roedd golygydd y gyfres wedi nodi mai: *rheol a deddf a'i hachubodd lawer tro. Nid oedd ei reddf yn rhy sicr, ac fe ysgrifennodd doreth o bethau hynod o sâl.* Prin y byddai rhywun yn mentro ysgrifennu unrhyw beth o'r fath mewn rhagair y dyddiau yma. Holl bwrpas cael rhywun i ysgrifennu rhagair oedd eu bod nhw'n dweud celwydd, nid dweud y gwir. Roedd Ffrancon – a oedd yn arbenigo ar rageiriau, a hynny'n fwy nag ydoedd yn arbenigo ar unrhyw eiriau eraill – yn ymroi i ragair fel morwr balch yn hwylio cwch mawr i lawr y Fenai, y gwynt yn ei hwyliau a'r byd i gyd yn ei wylio o'r glannau pitw. Ylwch fi'n hwylio'r cwch, dyna fyddai rhagair yn ei ddweud. Ond roedd hwn yn rhagair o fath gwahanol. Roedd y capten yn syllu i mewn i'r dyfroedd du ac yn gweld *toreth o bethau hynod o sâl*. Roedd e'n ddigon i wneud i Eben deimlo'n sâl yn y fan a'r lle, fel pe bai'r frawddeg yn ymosod arno yntau'n bersonol, gan wasgu ar ei ymysgaroedd. Onid oedd Elena Wdig wedi ysgrifennu toreth o bethau sâl ar hyd ei hoes? Ond doeddech chi ddim yn gweld neb yn fodlon cydnabod pethau felly mewn rhagair i'w nofelau hi. Doedd neb yn ymosod ar *Y Trwbadŵr* neu *Miriwen yn fy Meddwl* fel enghreifftiau o reddf ansicr, er bod Eben yn meddwl mai dyna'n *gwmws* oedden nhw.

Roedd hi'n amlwg fod Eben Fardd wedi talu'n ddrud am y rhagair hwnnw, am i'r golygydd – a oedd yn amlwg yn ddyn rhinweddol, gonest – fod yn ddigon hyderus o'i weledigaeth ei hun i gydnabod beiau. Yn anffodus, doedd 'na ddim lle i feiau yn y byd llenyddol bellach. Er bod Eben yn gweld bod 'na frawddeg uwchben y gosodiad hwnnw yn nodi bod Eben Fardd yn *ddiamau yn un o brif feirdd Cymru*, roedd cydnabod beiau cystal â dweud y dylid taflu'r gwaith i enau du ebargofiant, a'i ddileu unwaith ac am byth o hanes Cymru. A dyna'n union beth roedd yn digwydd fan hyn. Fesul llyfr, fesul bardd, roedd y cyfan yn cael ei gywasgu'n ddim, yn cael ei fwyta, yn cael ei dynnu i mewn i seiliau'r adeilad. Cofiodd i Niclas sôn wrtho fod Eben Fardd hefyd yn rhwymwr llyfrau. Ac roedd y drosedd yn waeth, o ystyried hynny. Nid yn unig roedd llafur caled ei feddwl wedi'i draflyncu, ond roedd hyd yn oed lafur ei *ddwylo* yn troi'n uwd.

Gwelodd Eben yn sydyn mai dyma'r unig ffordd y byddai modd i'r Llyfrgell gyfiawnhau'r hyn roedden nhw'n ei wneud. Wrth gwrs, doedden nhw ddim wedi dileu'r llyfrau, roedden nhw'n dal i fod yma. Roedd holl weithiau'r byd modern, cyfredol yn sefyll ar seiliau'r byd clasurol. Roedd yr Elena Wdig simsan, gyfnewidiol yn sefyll ar ben ysgwyddau cadarn Eben Fardd. Y broblem oedd, doedd Eben Fardd ddim eisiau holl bwysau Elena ar ei ysgwyddau, ac, o'i nabod hi, roedd hi'n siŵr o fod wedi lapio'i chluniau mor dynn am ei wddf nes ei gwneud hi'n amhosib iddo anadlu. Fesul eiliad, roedd Elena'n lladd Eben Fardd fymryn yn fwy, a Duw a ŵyr pwy arall roedd hi wedi'i ladd yn y broses.

Eithafiaeth ar ei gwaethaf, meddyliodd Eben, ceisio arbed arian drwy daflu'r llyfrau oll i'r fan hon, a'u gwasgu'n rhan o seiliau'r adeilad. Rhaid eu bod nhw'n arbed miloedd ar filoedd ar waith atygyweirio, gan mai'r llyfrau, bellach, oedd yn dal yr adeilad ar ei draed, a fyddai dim angen adeiladu estyniad ar eu cyfer nhw chwaith, gan y bydden nhw i gyd yn raddol yn troi'n sment llyfryddol. Llyfrau eilradd yn gwneud lle i lyfrau o'r radd flaenaf. Ond pwy oedd yn gwneud y dewis hwnnw rhwng yr eilradd a'r blaenaf? Llyfrau o waith dynion roedd wedi'u gweld hyd yn hyn. Twriodd ymhellach ymhlith y teitlau i weld a oedd 'na fenyw yn eu plith. Hyd y gwelai, nid oedd gwaith yr un fenyw wedi'i daflu o'r neilltu. Llyfrau gan ddynion, a phob un dyn pwysig yn graddol droi'n neb. Neb – Ef. Canodd rhywbeth yn ei isymwybod. Ond roedd e'n rhy brysur yn chwilota am enw dynes i brosesu'r wybodaeth. Twriodd yn fyrbwyll, ond yr un oedd ei ddarganfyddiad. Sef bod pob un o'r gweithiau a daflwyd yn eiddo i awdur gwrywaidd. Roedd Elena a'i theip yn llythrennol uwchben y dynion – doedd dim o'i heiddo hi'n cael ei daflu o gwbwl.

Fe'i arswydwyd gan y meddylfryd hwnnw. Dim ond oherwydd paldaruo boreol Niclas Gruffudd roedd e'n gwybod am Eben Fardd. Tybiai nad oedd gan Niclas fawr o amser ar ôl ar y blaned hon, o ystyried pa mor grynedig oedd ei aeliau'n ddiweddar, ac fe aeth rhyw ias drwyddo wrth feddwl y byddai enw Eben Fardd wedi marw gyda Niclas Gruffudd, pe na bai yntau wedi dod o hyd i'r llyfr hwn. Rhaid bod 'na eraill, cyfoedion i Niclas, a oedd wedi marw'n barod, ac wedi mynd â'u hatgofion bregus am y beirdd a fu gyda nhw, gan fod nifer o rai eraill yn cael eu crybwyll yn y rhagair nad oedd Eben wedi clywed amdanyn nhw erioed. Yn waeth byth, rhaid bod 'na eraill, 'run oedran â Niclas, a oedd yn pydru mewn cartref yn rhywle, gydag enwau'r beirdd yn un â'r ffrwd o atgofion plentyndod, gyda Dafydd-drws-nesa yn cael ei grybwyll ochr yn ochr â Dafydd Ionawr neu Dafydd Ddu Eryri, a phob un ymwelydd yn edrych yn dosturiol arnyn nhw, gan ddweud wrth ei gilydd "Dyw e ddim yr un un nawr, gad i ni fynd o 'ma." Gallai ddychmygu nyrsys mewn oferôls porffor yn codi'r henaduriaid hyn oddi ar y tŷ bach ac yn dweud nad oedd yn rhaid iddyn nhw boeni, eu bod nhw'n sicr y byddai'r Ieuan Brydydd Hir 'ma'n dod i ymweld â nhw'n fuan.

Yn sydyn iawn, gwelodd Eben gymaint o gyfrifoldeb oedd ar ei ysgwyddau. Roedd arno ddyletswydd i achub y dynion anghofiedig hyn. Fe fyddai'n rhaid iddo dderbyn na allai achub pob un ohonyn nhw, chwaith, yn enwedig y pentyrrau gwerthfawr o femrwn a brwyn-bapur a oedd reit, reit ar y gwaelod. Ond roedd yn bosib adfer ambell un, fel y llyfryn bach hwn yn ei law, a oedd yn teimlo'n wyrthiol o gyfan, er gwaethaf ambell rwyg bychan ar y clawr tenau. Os gallai achub hwn, yna, byddai hi'n bosib achub canrifoedd, o bosib, o ddynion, a'u gosod yn ôl yn y system, cyn ei bod hi'n rhy hwyr.

A dyna pryd y glaniodd y niwsans mwyaf erioed, Ana Wdig, yng nghanol y papurach o'i flaen, ac y bu'n rhaid iddo fynd i guddio, er mwyn ei arbed ei hun. Sbeciodd arni trwy'r craciau rhwng y tyrrau a'i gweld yn bodio'i ffordd drwy'r lle, yn edrych ar hwn, y llall ac arall. Roedd hi'n gwenu, hefyd, gan edrych yn falch wrth gyffwrdd â'r llyfrau. Damia, meddyliodd, wrth weld y boddhad yn lledu ar draws ei hwyneb, rhaid ei bod hi'n gweld yr hyn roedd e'n ei weld – sef mai darganfyddiad prin oedd hwn – un roedd angen ei rannu â gweddill y byd. Fedrai e ddim gadael i hynny ddigwydd. Fedrai hi ddim cymryd y clod am weld yr hyn roedd e'n dyst iddo gyntaf. Gwyddai nawr mai ei unig obaith oedd dringo i fyny'r hen ddihangfa dân yng nghornel y stafell. Ond, i gyrraedd honno, fe fyddai'n rhaid iddo redeg drwy'r tyrrau, heibio Ana Wdig, ac ofnai y byddai'n cipio'r gwn oddi arno.

Cafodd weledigaeth sydyn, a rhoddodd gic i'r twr o'i flaen. Roedd e'n gwybod na fyddai'n ildio, ond fe ysgydwodd ddigon i Ana gymryd sylw ohono, a cherdded draw i'r cyfeiriad arall. Wrth iddi wneud hynny, sgrialodd ar ei bedwar ar draws y stafell, â llyfr Eben Fardd yn dynn dan ei gesail, nes cyrraedd yr ysgol. Un meddylfryd oedd yn sbarduno'i draed bach wrth iddo ddechrau dringo – nad oedd e'n mynd i adael i deulu Elena ddwyn rhagor o'i falchder oddi arno. Ei ddarganfyddiad ef oedd hwn. Fe oedd yr un fyddai'n cyrraedd y byd go iawn gyntaf, ac yn dweud wrth bawb beth oedd yn digwydd. Fe oedd yn mynd i adennill cof y genedl a chael pob bri ac anrhydedd a berthynai i hynny. Eben Prydderch. Eben Ddogfennwr. Dyma'r un cyfle a oedd ganddo bellach i wneud enw iddo ef ei hun – ac i wneud i'r enw hwnnw barhau, ac osgoi tynged fel yr un oedd wedi dod i ran y cannoedd o ddynion eraill oedd yn y stafell hon yn awr, y beirdd a oedd bellach yn ddim ond esgyrn papur yn siffrwd yn y tywyllwch. Fyddai e ddim, dros ei grogi, yn gadael i'r ffeminyddion dwl 'na ei labelu e fel Eben 'Neb' Prydderch am eiliad yn rhagor.

E-neb, meddyliodd, gan gofio am ei anffawd gyda'r cyfrifiadur y bore hwnnw. Yn sydyn iawn, roedd e'n gwybod yn union beth – pwy, yn hytrach – oedd ar y ffeiliau cyfrinachol yna.

NAN

"NAWR 'TE, NAN," meddai Petal gan grechwenu arni. "Gewn ni weld sut wyt ti'n licio cael dy fygwth."

"Petal," meddai Haf, a'i hwyneb yn laslwyd. "Rho'r gwn i lawr, 'nei di. Ma isie i hyn orffen nawr. Mae angen help ar Gwelw."

Syllodd Nan i fyw llygaid y gwn. Pan ddaeth ati ei hun sylweddolodd ei bod hi'n eistedd mewn cadair, ac roedd ei chynulleidfa llorweddol ffyddlon yn awr ar eu traed mewn cylch o'i hamgylch. Roedd y babi'n crio a chrio, a'i fam yn gorwedd yno wrth ei ochr, heb yr un smic yn dod ohoni. Doedd hi ddim yn siŵr iawn beth oedd wedi digwydd. Camgymeriad oedd e, dyna i gyd. Wrth iddi lewygu, ei dymuniad olaf oedd ceisio peidio â lladd y babi. Ond eto, roedd hi mor gyndyn i ollwng gafael yn y gwn, a rhaid ei fod wedi tanio yn ei llaw, heb yn wybod iddi. Oedd hi wedi lladd rhywun? Feiddiai hi ddim edrych.

Gwthiodd Petal y gwn yn nes at wyneb Nan. Roedd hi'n gweld bod mwy o gryndod yng nghorff Petal nag yn ei chorff ei hun. Am ryw reswm, doedd dim ofn ar Nan o gwbwl. Roedd hi'n fwy anniddig fod yr holl ddigwyddiad wedi peri i Petal chwysu fymryn yn fwy na'r arfer, a bod 'na ryw arogl annymunol yn cordeddu yn yr aer rhwng y ddwy ohonyn nhw. Roedd hi hefyd yn gwybod na fyddai Petal yn gallu saethu neb. Ond wedi dweud hynny, gallai Petal fod wedi dweud yr un peth amdani hithau, tan heddiw. *Nan fach anweledig. Nan fach fel llygoden yn y cornel.*

"Dyw hi ddim 'di marw," clywodd Haf yn dweud, wrth synhwyro nawr fod honno, hefyd, yn tynnu ei chrys er mwyn ei lapio am ysgwydd Gwelw. Roedd Nan am ddweud wrthyn nhw am fod yn weddus a pheidio tynnu eu dillad, rhag i'r stafell golli ei hurddas. "Mae hi'n dal i anadlu, ac mae ganddi bwls. Luc, tyd yma!"

Roedd yr hwn a gawsai ei ddyrchafu i statws doctor meddygol bellach yn sefyll yng nghornel y stafell, yn methu symud. Roedd e'n gwylio'r gwaed yn diferu'n ara deg i lawr ysgwydd Gwelw ac yn cnoi ei wefus.

"Luc!" sgrechiodd Haf, â'i llais yn donfeddi hunllefus. "Helpa fi. Rhywun, plis!"

Ni symudodd neb. Roedd yr hyn roedden nhw'n ei weld o'u blaenau'n ormod iddyn nhw. Roedd fel petai hi'n haws peidio â bodoli o gwbwl yr eiliad honno yn hytrach nag edrych ar lif arall o waed, a'r babi, nid nepell oddi wrtho, yn sgrechian nerth ei enaid, heb wybod bod ei ddoluriau yn rhai real ddigon. Ond yn ara deg, fe ddechreuodd pobl symud. Fe symudodd y ferch yn y bra porffor draw at y baban, fe symudodd Cenfyn a Dora i roi ambell ddilledyn oedd ganddyn nhwythau o gwmpas Gwelw, ac yn bwysicach fyth, fe drodd Petal ei phen, dim ond mymryn, a cholli ei phŵer. Ymhen eiliad roedd Nan wedi cipio'r gwn drachefn, ac wedi gwthio Petal 'nôl i'r gadair. *Allech chi o leiaf fod wedi fy nghlymu i,* meddyliodd Nan, wrth orchymyn i bawb fynd ar eu hyd unwaith eto. Gwyliodd holl lygaid y stafell yn troi i edrych yn gyhuddgar ar Petal.

"Damwain oedd hi," meddai Nan, a'i llais yn undonog, fflat. "Iawn? Dwi eisiau iddi fod yn hysbys mai damwain oedd saethu Gwelw."

Syllodd Petal arni drachefn gyda rhyw gymysgedd torcalonnus o gydymdeimlad a thosturi yn ei llygaid. Doedd

Nan ddim eisiau ei thosturi. Roedd hi eisiau iddi ddeall yr hyn a ddwedodd wrthi. Roedd yn rhaid fod 'na rywun ar ôl a fyddai'n gallu esbonio'r gwir. Fod a wnelo Gwelw ddim oll â hyn. Dim o gwbwl.

"Addo," meddai Nan. "'Nei di ddweud hynny wrthyn nhw. Os byddan nhw'n gofyn i ti. Welist ti dy hun mai damwain oedd hi."

"Weles i ddim byd o'r fath," meddai Petal, gan gau ei llygaid. Fe gythruddodd hyn Nan yn fwy eto, a bu bron iddi â saethu Petal yn y fan a'r lle. Ond pwyllodd. Roedd hi'n gweld sut roedd un pechod bychan yn esgor ar gannoedd. Ers iddi saethu Niclas Gruffudd yn ei goes roedd hi wedi saethu un ferch arall, ac wedi bygwth llawer mwy. Roedd e'n dechrau digwydd. Ei meddwl yn dechrau chwarae triciau, yn dweud wrthi mai dyma'r llwybr cywir. Ond roedd hi ymhell, bell o fod ar y llwybr cywir, o'r eiliad y cydiodd yn y gwn yn y lle cyntaf. Ble'r oedd Ana? Ar ei llwybr hithau, heb fod ganddi syniad llwybr mor ddiawledig o anghywir oedd hwnnw hefyd.

Yn sydyn, o nunlle, fe ddaeth llais. Mor anghyfarwydd oedd y llais hwnnw nes gwneud i Nan neidio – a bu bron iddi saethu'n ddamweiniol unwaith yn rhagor, at Haf y tro hwn. Sadiodd ei hun. Gwelodd yn llygaid Haf ei bod hi'n sylweddoli mor agos fu hi at golli ei chlust chwith. Ac yna fe ddaeth y llais eto. Yn llenwi pob cornel o'r stafell, yn llifo allan o'r arwyneb llyfn, gwyn, ym mhob cornel. Llais a oedd yn dod drwy beiriant. Llais o fyd arall.

"Rhowch y gwn i lawr," meddai'r llais a oedd rywsut oddi tani ac uwch ei phen ar yr un pryd. Deuai drwy'r uchelseinydd. "Ry'n ni wedi amgylchynu'r adeilad," meddai'r llais eto. "Ry'n ni am i chi ollwng y gwn."

Chwarddodd Nan. Sut roedd disgwyl i rywun ymateb

i ddim byd ond llais? Cyn belled ag y gwyddai hi, yn ei phen hi ei hun yn unig roedd y llais hwnnw. Ceisiodd anwybyddu'r ffaith fod Dora'n edrych ar Cenfyn a Cenfyn ar Dora a Luc ar y ferch yn y bra porffor a'r ferch yn y bra porffor ar Petal a Petal ar Haf a Haf ar Gwelw, a Gwelw'n ymateb i neb.

O gil ei llygaid gwelodd fod amrannau Gwelw bellach yn dechrau ffrwtian fel gloÿnnod byw yn ei hwyneb. Roedd hi'n fyw, o leiaf. Fe fyddai'n rhaid iddi eu gadael nhw mas nawr, meddyliodd, gan chwilio am y teclyn; dyna'r unig ffordd y gallai gario mlaen â phethau. Gadael i'r drysau oll agor ac yna gadael iddyn nhw ei dal. Doedd hi ddim isie rhannu cell ag Ana. Roedd hi wedi dod mor bell â hyn ar ei phen ei hun ac roedd hi'n benderfynol o barhau'r daith fel unigolyn.

Ond eisoes, roedd Ana wedi sbwylio pethau. Ana oedd â'r teclyn ddiwethaf, a Duw a ŵyr ble roedd hi erbyn hyn. Doedd dim modd iddi allu ildio felly. Fe fydden nhw'n gweld ei bod hi wedi gwrthod rhyddhau'r stribed diogelwch, ac fe fyddai'n rhaid iddyn nhw wthio'u ffordd i mewn.

"Rhowch y gwn i lawr," meddai'r llais eto. "Neu fe fydd yn rhaid i ni feddiannu'r adeilad."

Sylweddolodd Nan eu bod nhw eisoes wedi meddiannu'r adeilad. Os oedd rhywun yn y stafell lle roedd yr uchelseinydd, yna, roedden nhw eisoes o'i chwmpas ym mhobman. Yn ei gwylio. Mater o amser fyddai hi nes eu bod nhw ym mhob twll a chornel, yn rhedeg i lawr y grisiau, yn esgyn ar raffau dros y balconi. Fe ddeuen nhw amdani, gwthio'r gwn o'r neilltu, a mynnu gwybod pam roedd hi'n neud yr hyn roedd hi'n ei neud. Ni fyddai'n ddigonol iddi ddweud nad oedd hi'n cofio, nad oedd hi'n gwybod, hyd yn oed. Syllodd ar yr wynebau o'i blaen – Haf, Petal, Gwelw a'r gweddill, a theimlai'n sydyn iawn mai nhw oedd ei theulu, yr unig griw oedd ganddi. Roedd hi'n dyheu am fynd atyn nhw a'u cofleidio, dweud bod yn ddrwg ganddi, a gofyn iddyn nhw aros – i ochri gyda hi, er mor annhebygol oedd hynny. Ond fedrai hi ddim. Roedden nhw'n clywed y llais nawr ac yn gwybod eu bod nhw wedi cael eu hachub, felly doedd dim angen iddyn nhw esgus rhagor. Roedd yr wynebau a edrychai arni'n ddigon dof ers rhai oriau bellach yn newid ac yn crebachu, yn dangos eu dicter, eu ffieidd-dod tuag ati.

Gwelodd ddwy senario bosib: hithau'n saethu'n wyllt at bawb o'i blaen a phawb arall a ddeuai i'w chyfeiriad, gan dasgu cyrff dros y balconi, dros y grisiau, dros y cadeiriau, neu hithau'n diflannu'n ddistaw i'r cysgodion, yn diflannu i gorff yr adeilad.

Ac roedd hi'n gwybod pa un oedd yn apelio fwyaf. Wrth i gri'r babi godi'n uwch, ac anadlu Gwelw leihau, ac wrth i'r llais ddweud unwaith eto mai dyma'r rhybudd olaf un, saethodd Nan at y nenfwd. Roedd hi'n gwybod mai dyna fyddai'r arwydd iddyn nhw ymosod, ac fe redodd Nan i'r cysgodion, nerth ei thraed, oddi wrth ei theulu bach, a'r gwn yn dal yn boeth yn ei llaw.

DAN

Roedd Dan yn teimlo'n sâl. Roedd wedi ceisio dilyn trywydd gwahanol i'r ddau arall, gan ddringo i'r gofod cyfyng uwchben ystafell y staff, gan obeithio cyrraedd at Nan – neu pwy bynnag oedd hi – yn gynt. Ond wrth iddo gyrraedd un man cyfyng yn y trawstiau, saethodd bwled heibio iddo. Fodfeddi oddi wrtho. Am rai eiliadau wedyn, doedd dim modd iddo wneud dim ond dychmygu ei angladd ei hun yn digwydd o flaen ei lygaid, gan sylweddoli cyn lleied fyddai'n mynychu. Ei fam, mae'n sicr, yn llawn dyletswydd diog, yn godro'r sylw yn y glaw. Ei frawd, os oedd e'n gallu cael ei ryddhau o'r carchar am ddiwrnod. Ac yna pob math o bobl ryfedd o'r dre, y myfyrwyr drama y bu e'n byw gyda nhw, y myfyrwyr gwleidyddiaeth – os oedd e'n lwcus – ac ambell un o'r menywod hagr, tenau roedd e wedi'u cusanu tu ôl i'r Angel ar noson ddi-sêr. Roedd e'n gweld yr arch yn cael ei rhoi i mewn yn y hers, ac yn gweld hwnnw'n ymlusgo drwy'r glaw. Ac yna'n sydyn roedd e 'nôl, yn dal yn dynn yn y trawstiau, yn teimlo'i galon yn drybowndio rhwng ei asennau.

Ond yr hyn a wnaeth iddo deimlo'n salach fyth, oedd y twll a adawyd gan y fwled. Trwy hwnnw, gwelodd Nan. Yn rhedeg oddi tano, oddi wrth y criw o bobl a welsai rai oriau ynghynt. A dyna pryd y sylweddolodd e, go iawn, yr hyn roedd wedi'i amau'n barod. Roedd 'na ddwy ohonyn nhw. Yn union fel roedd dau fersiwn ohono yntau ym mhobman – un Dan, distaw, parchus, yn cerdded yn ôl ac ymlaen ar hyd y coridorau'n fodlon ei fyd, a'r llall, bellach yn dal yn dynn mewn trawstiau, yn ofni syrthio trwy dwll i'w dynged. Roedd hi'n amlwg fod y naill wedi rhoi ei chorff iddo yn gwbwl ddienaid a'i llygaid ar agor drwyddi draw, yn syllu i nunlle, a'r llall wedi gwasgu ei chluniau amdano fel 'se 'na ddim fory i'w gael, wedi'i dderbyn yn gynnes, wedi'i gusanu ag awch newydd.

Ond roedden nhw'n gwybod hynny, siawns. Rhaid eu bod nhw'n fwriadol yn chwarae mig ag e. Efallai mai cysgu gyda'r naill a'r llall y bu e'n ei wneud ers wythnosau, cyn belled ag y gwyddai.

Nan, yr hi islaw a oedd newydd saethu bwled drwy'r nenfwd, y bu yn ei chwmni yr wythnosau diwethaf, roedd e'n sicr o hynny. Hi oedd wedi dwyn y lleian fach o'i boced. Ond honno a ddiflannodd drwy'r to oedd wedi gwneud iddo fod eisiau rhedeg ar ei hôl, a'i hamddiffyn. Hi y gallai ei synhwyro, hyd yn oed nawr, yn dringo'n uwch ac yn uwch yn yr adeilad ar ysgol rydlyd, yn esgyn i'r nenfwd, mewn camau bach, a rhywun arall eto – Eben – fel pe bai'n dianc oddi wrthi.

Ond sylweddolai, hyd yn oed wrth feddwl hynny, mor abswrd oedd y syniad ei fod yn ei charu. Pwy a ŵyr beth fyddai'n digwydd o fewn yr oriau nesaf, heb sôn am y dyddiau, y misoedd wedyn? Doedd hi ddim yn debygol y byddai rhywun yn anghofio am yr hyn oedd yn digwydd nawr – y foment hon – y gynnau, y ffaith iddyn nhw ei gau ef allan o'r adeilad. A phwy a ŵyr a fyddai e mewn trwbwl. Fflachiodd yr opsiwn drwy ei ben yn sydyn, fel opsiynau hawdd y rhaglenni newyddion Americanaidd roedd e'n eu gwylio weithiau ar deledu lloeren. Roedden nhw naill ai'n mynd i feddwl mai:

a) ei fai e oedd y cyfan

neu

b) nad ei fai e oedd y cyfan.

Fe fyddai'r Archborthor yn sicr o ddadlau mai ei esgeulustod ef arweiniodd at y sefyllfa yn y lle cyntaf. Fe gafodd ei gloi allan o'r Llyfrgell, ac fe adawodd i'r lleian fach gael ei dwyn. Fe fyddai'r wybodaeth am sut roedd hi wedi cael ei dwyn yn sicr o ddod i'r fei hefyd, ac, yn waeth byth, gwelai bosibilrwydd gwirioneddol y gallai'r holl syniad o 'ddwyn' ddechrau edrych yn bur amheus. Ef roddodd y lleian iddi – dyna fyddai hi'n ei ddweud. Wedi dysgu iddi sut i'w defnyddio, sut i ddatgysylltu'r ffonau a chloi'r swyddfeydd. A waeth pa ffordd yr edrychai ar bethau, roedd ffeithiau eraill a allai fynd yn ei erbyn, sef ei fod, mewn theori, wedi torri i mewn i'r adeilad.

Achos roedd dwy ffordd o edrych ar bethau, cyn belled ag y gwelai e. Roedd gan y gynulleidfa ddau ddewis. Fe allen nhw ffonio i mewn i ddweud ei fod naill ai:

a) yn arwr

neu

b) yn gachgi.

Cachgi oedd e, meddyliodd. Digon o gachgi i beidio â mynd i mewn i'r stafell lle roedd y gynnau go iawn, ac achub y bobl 'na. Digon o gachgi i wthio Cenfyn a Dora o'i flaen gyda'r esgus ei fod yn mynd i chwilio am help. Digon o gachgi i beidio â bod yn gwarchod dim byd ar yr union ddiwrnod pan oedd angen gwarchod pob dim. Digon o gachgi i gredu y gallai fersiwn rhithiol ohono ef ei hun grwydro ar hyd coridorau'r Llyfrgell heb neud niwed i neb. Digon o gachgi i fod yn esgyn i entrychion yr adeilad pan oedd hi'n berffaith amlwg fod angen ei gymorth ar y llawr islaw.

Roedd hi'n rhy hwyr iddo geisio bod yn arwr – gwelai hynny'n awr drwy'r crac bach lleia yn y plastr. Roedd rhywun, yn wyrthiol, wedi dod â babi i'r byd. Rhywun arall wedi rhwymo coes hen ddyn mewn crys – ac o ganlyniad, roedd hi'n rhynnu mewn bra porffor. Rhywun arall yn tendio menyw a'i hysgwydd yn gwaedu yn y cornel – ac mae'n siŵr fod hyn i gyd wedi digwydd wrth iddo fe gael ei wala rhwng dwy silff lyfrau. Gwelodd fod y criw bychan yma o bobl yn fwy o arwyr nag y byddai e byth, ac wedi llwyddo i oroesi heb iddo fe fod ar gyfyl y lle. A dweud y gwir, mae'n siŵr iddyn nhw lwyddo am *nad oedd e* ar gyfyl y lle.

Gwelodd yr heddlu'n rhuthro i mewn trwy'r adeilad, â fflachiadau coch a gwyrdd logo'r Senedd yn sboncio ar eu crysau. Dyma pryd y dylai fynd ar ei bedwar, gweiddi drwy'r twll, a dweud wrthyn nhw lle roedd e. Dioddefwr oedd e, wedi'r cyfan, meddyliodd. Roedd y cyfan ar ben. Doedd 'na ddim rhagor i'w wneud, a doedd neb yn disgwyl mwy o arwriaeth.

Ond roedd modd ei hachub hi, ac achub Eben, pe bai e'n eu cyrraedd nhw'n ddigon buan. Camodd yn nes ac yn nes at yr ysgol fechan a oedd yn tywynnu yn y pellter. Roedd yn rhaid ei dringo. Doedd 'na ddim troi 'nôl nawr. Rhoddodd ei ddwy droed ar y gris a dechrau esgyn i'r tywyllwch. Yn y pellter, islaw iddo, roedd e'n meddwl ei fod e'n clywed rhywun yn dod i mewn drwy'r bwlch wrth y twll awyru, ac yn dechrau dringo'r ysgol o'r gwaelod. Doedd e ddim am edrych yn ôl, nac ymlaen – am ei fod yn amau mai'r un wyneb a welai'n syllu yn ôl arno o'r ddwy ochr.

EBEN

G WELAI EBEN OLEUNI uwch ei ben. Goleuni golau dydd. Ac roedd e'n anghyfarwydd iddo, wedi cynifer o oriau yn y düwch llethol, yn diferu i lawr ato'n un rhaff sanctaidd, orenaidd, yn llawn addewid. Roedd e bron â chyrraedd diwedd ei daith, meddyliodd, a chanddo gasgliad o waith Eben Fardd dan ei gesail, a gwybodaeth am y llyfrau cudd yng nghilfachau ei gof. Gwyddai, pe bai e'n llwyddo i gyrraedd y pen draw yn fyw, y byddai'r byd i gyd wrth ei draed, yn llythrennol, wrth droed y Llyfrgell, ac yntau, Eben – yr Eben annodedig, digymeriad, bellach yn rhywun pwysig. Efe fyddai'r rhywun a fyddai'n datgelu'r cyfan, a llwyddo i helpu cenedl i adennill ei chof, i ailgyfogi'r hyn roedd hi wedi'i lyncu'n ddwfn i'w chylla.

"Peidiwch â dod ar fy ôl i," bloeddiodd i lawr i'r düwch, wrth deimlo cryndod yr ysgol. "Neu fe saetha i!"

Gwyddai, wrth gwrs, na wnâi e fyth saethu. Ni allai fentro cyflawni trosedd ac yntau mor agos at statws eiconig, mor agos at y golau 'na a oedd yn llawn addewid.

"Eben!" gwaeddodd y llais oddi tano iddo. "Aros, i ni gael siarad."

Dwi ddim yn meddwl 'ny, 'merch i, meddyliodd. Islaw, roedd e'n clywed llais gwrywaidd yn gweiddi rhywbeth arall, ac yn is eto, ryw lais arall, ymhellach i ffwrdd, hefyd yn gweiddi bygythiadau. Ond doedd dim byd uwch eu pennau. Dim ond goleuni.

Wrth iddo nesáu at y ffenest wydr yn nenfwd yr adeilad,

dechreuodd deimlo'r panig unwaith eto. Doedd 'na ddim
bwlyn o unrhyw fath arni. Roedd hi, fel pob un darn arall
o'r adeilad, yn cael ei rheoli gan ryw fath o bŵer magnetaidd.
Yr eiliad y byddai'n ei chyrraedd, fyddai ganddo unman
arall i fynd. Roedd e'n dychmygu hunllef y foment honno;
byddai'r efaill yn glanio wrth ei ben-ôl, a'r ddau arall, y
pedwar ohonyn nhw ar ben y gris enfawr heb syniad sut i
ddianc, a'u cyrff yn gwasgu'n dynn yn erbyn ei gilydd, a'r
rhwyd yn cau. Ond bron fel petai'n rhith, fe ddechreuodd
y darn bach gwydr agor wrth iddo ddynesu ato. Llithrodd
ei droed ar dudalennau rhydd a oedd wedi glynu wrth
ambell ris. Efallai mai dyma sut roedden nhw'n rhyddhau'r
llyfrau: eu gollwng drwy'r agoriad syml hwn, eu taflu nhw
i'r difancoll du.

Wrth iddo gyrraedd y gris uchaf, fe aeth drwy'r agoriad
bychan, a theimlo'n sydyn haul gaeafol ar ei wyneb. Roedd
e allan o'r diwedd. Rhoddodd ei ddeudroed crynedig ar
ragfur y Llyfrgell a'i sadio'i hun. O'i amgylch, edrychai'r byd
i gyd fel rhywbeth afreal – môr Aberystwyth yn y pellter,
caeau Ceredigion yn garped glân, a'r awyr yn berffaith,
berffaith las. Ond doedd e ddim ar ei ben ei hun, chwaith.
O'i gwmpas ym mhobman roedd gwylanod, yn edrych yn
rhyfedd arno. Degau ar ddegau ohonyn nhw'n tyfu'n rhyw
borfa rhyfedd ar do'r Llyfrgell, yn ysgubau rhyfedd o blu
gwyn a llwyd o'i gwmpas ym mhobman. Fel arfer, fe fyddai
golygfa o'r fath bron yn ddigon amdano. Ond teimlai'n
hyderus erbyn hyn. A'r llyfr bach dan ei gesail, gwyddai fod
yn rhaid iddo ddod drwy hyn gydag urddas, ei fod e'n rhy
agos at anfarwoldeb i gael ei lorio gan wylanod. Gwylan
oedd gwylan, dyna oedd y doctor wedi'i ddweud wrtho, ac
wrth anadlu'n ddwfn, dyna'r union beth roedd e'n mwmian
wrtho'i hunan. Gwylan yw gwylan. Edrychodd i fer eu

llygaid oer a gwau ei ffordd drwyddyn nhw.

Lle roedd pawb? Roedd e'n methu credu ei fod e newydd ddangos dewrder nad oedd yn nodweddiadol ohono mewn unrhyw ffordd, heb neb yn dyst i hynny ond criw o wylanod. Roedd e wedi disgwyl criw camera, o leiaf. Ond gwelodd yn sydyn iawn ei fod e wedi camddarllen y sefyllfa. Wrth nesáu at ymyl yr adeilad, gwelodd mai ef oedd canolbwynt y byd i gyd.

Islaw, gwelodd gylchoedd hardd, tywyll, yn ehangu, a dotiau coch a gwyrdd yn syllu arno. Yna sylweddolodd mai cylchoedd ar gylchoedd o luoedd arfog y Senedd oedden nhw, pob un ohonyn nhw'n pwyntio gwn ato. Rhewodd yn ei unfan. Ofnai y gallai'r geiryn lleiaf, yr ystum symlaf, wneud iddyn nhw saethu ato, a beth bynnag wnâi e nawr, byddai'n gorfod sicrhau bod ei galon yn dal i guro, yr ocsigen yn dal i fynd yn ôl ac ymlaen drwy ei ysgyfaint fel y gallai ddweud ei stori, datgelu'r cyfan. Roedd am sicrhau y gallai'r lluoedd arfog – y cylchoedd hardd hynny o'i flaen – sylweddoli bod ganddo wybodaeth a fyddai'n gwneud gwahaniaeth i gof eu cenedl. Mewn ffordd, ef oedd â'r swyddogaeth bwysicaf un y foment honno, ac roedd y ffaith eu bod nhw hyd yn oed yn ystyried ei ddifa yn rhywbeth cwbwl chwerthinllyd – ac roedd arno eisiau gweiddi hynny, nerth ei ben. Ond feiddiai e ddim. Am unwaith, roedd cwmni'r gwylanod yn gysur. Teimlodd, am y tro cyntaf y diwrnod hwnnw, nad oedd ar ei ben ei hun.

Synhwyrodd fod rhywun arall tu ôl iddo nawr, yn dynesu'n nes ac yn nes tuag ato. Roedd e'n clywed rhywun yn symud drwy lwybr o blu'r gwylanod, a'r rheiny'n clegar eu dirmyg wrth iddi basio heibio. Yna, clywodd sŵn o fath gwahanol. Clywodd y clic-clacian wrth i un garfan o'r lluoedd newid cyfeiriad eu gynnau a'u pwyntio ati hi.

Dwedodd hi'n ysgafn, ysgafn: "Eben, rho'r gwn i lawr."

Teimlodd Eben ffrwydrad cyfarwydd o banig yn tynhau ei frest. Tan y foment honno doedd e ddim wedi sylweddoli ei fod e'n dal y gwn yn ei law, nac yn ei bwyntio i lawr at y dorf. Yr hyn a gredai oedd ganddo yn ei feddiant oedd gwybodaeth, datguddiad. Ond rhywbeth real a chaled oedd e: gwn. Dim rhyfedd eu bod nhw'n barod amdano.

"Rho fe lawr, Eben, neu rho'r gwn i mi," meddai'r llais a oedd bellach wrth ei ymyl, a'r anadl yn agos. "Cyn iddo fe fynd bant, drwy ddamwain neu rywbeth."

"Cama'n ôl" meddai, rhwng ei ddannedd. "Cyn iddyn nhw dy weld di. Cama'n ôl. Fi sy'n rheoli hyn nawr, nid ti. Deall?"

Camodd hithau'n ôl. Erbyn hyn, ef yn unig oedd o fewn golwg y dyrfa, ac ysai am iddi hi beidio ag ymddangos wrth ei ochr. Nid ei hamddiffyn hi oedd y cymhelliad, chwaith − oherwydd roedd e'n bwriadu dweud popeth wrth yr heddlu am yr hyn a wnaeth hi: y modd y bu iddi ei ddal yn wystl yn y stafell honno, ei boenydio, ceisio'i ladd. Na, rhywbeth mwy hunanol oedd wrth wraidd y peth. Doedd e ddim eisiau iddi gael y sylw. Ei foment ef oedd hon. Doedd e ddim am iddi hi gymryd y gwn oddi arno − ei wn ef oedd e nawr; roedd e wedi ennill yr hawl i'w ddal yn dynn yn ei ddwylo.

Syllodd yn ôl unwaith eto ar y cylchoedd o'i flaen. Doedd e ddim yn deall pam nad oedden nhw wedi saethu ato hyd yn hyn; roedden nhw i gyd, siawns, yn llawer mwy tebol nag ef i ddefnyddio arfau. Ac yna mi gofiodd. Polisi'r Senedd. Châi neb saethu heblaw bod rhywun yn saethu atyn nhw. Doedd neb eisiau cael ei ddyfarnu'n euog heb reswm. Fi sydd â'r pŵer, meddyliodd, gan deimlo mymryn o'r hyn y tybiai iddi hi ei deimlo wrth ddal gwn ato'r diwrnod hwnnw.

Fe ymddangosai fod y byd cyfan yn hollol ddistaw, er na allai hynny fod. Gwelai injan dân yn nadreddu ei ffordd i fyny'r lôn tuag at y Llyfrgell, a'i golau glas yn troelli a throelli. Gwelai ferched o'r swyddfeydd a blancedi am eu hysgwyddau yn igian crio. Gwelai yn y pellter ddyn a oedd yn ymdebygu i Ffrancon yn ysgwyd ei ben, a gallai ddychmygu gweld y cyhuddiad yn ei wyneb rhychiog, a chlywed ei ddannedd gosod yn rhincian yn ei ben esgyrnog. Gwelai filoedd ar filoedd o gamerâu bychain yn clician islaw, yn fflach o oleuni affwysol. Yr holl symudiad, yr holl seiniau. Ac eto roedd rhyw dawelwch mawr wedi lledu dros Eben y foment honno. Sylweddolai nad oedd e ar fai, na fu e erioed ar fai. Ond roedd pobl yn ei weld nawr ar do'r adeilad hwn, a gwn yn ei law, ac yn penderfynu bod yn rhaid iddo fod yn euog. O bob dim. Dim ots beth fyddai'r dystiolaeth, neu sut y câi pethau eu cloriannu wedyn; roedd e'n euog. Yr un mor euog ag roedd e yn llygaid pawb pan fu farw Elena Wdig.

Euog, meddai'r dyrfa. Gwaed, gwaed, gwaed.

Doedd pobl ddim yn tafoli sefyllfa fel hon, nac yn ystyried y ffeithiau o ddifri, meddyliodd Eben. Roedden nhw'n cymryd y peth symlaf, cliriaf, ac yn derbyn hwnnw fel y gwirionedd. Os oedd 'na ddyn ar ben y to, a gwn yn ei law, yna *fe* oedd yn euog, a doedd dim dwywaith am hynny.

Doedd hynny ddim yn ei frifo, na'i gyffwrdd hyd yn oed.

I'r gwrthwyneb, gwnâi iddo ddal ei afael yn y gwn â balchder newydd.

A N A

ROEDD EBEN YN rhy agos at ymyl yr adeilad, meddyliodd Ana. Roedd yr olygfa yn ei hatgoffa o hunanladdiad ei mam, neu o leiaf fersiwn Nan ohono. Damia Nan, meddyliai Ana. Roedd ei chof wedi'i lygru gan gof ei chwaer. Doedd ei hatgofion hi ddim yn bod o gwbwl, fersiynau ei chwaer o bob dim a hawliai ei meddwl bellach. A hyd yn oed pan geisiodd dorri'n rhydd yn y Llyfrgell gyda Dan, roedd hi wedi canfod bod gan ei chwaer eisoes ei hatgofion ei hun o'r weithred honno.

Roedd Dan tu ôl iddi nawr. Yn ei gwylio hi'n gwylio Eben. Ac yn gofyn iddi gamu'n ôl yn nes ato.

"Paid â dod yn agos ata i," meddai hithau wrtho. "Neu bydda i'n neidio."

Doedd hi ddim yn gwybod a wnâi ai peidio, ond roedd hi bron yn teimlo fel petai unrhyw beth yn bosib bellach. Roedd y cynllun gwreiddiol – y stori wreiddiol – mor bell i ffwrdd oddi wrth yr hyn roedd wedi'i bwriadu. Dychryn Eben oedd y nod cyntaf. Gwneud iddo gredu ei fod yn mynd i farw. Gwneud iddo gredu eu bod nhw eisoes wedi lladd pawb arall yn yr adeilad ac mai dim ond ef oedd ar ôl. Gwneud iddo edifarhau. Ac yna, ar y funud olaf, gadael iddo fynd yn rhydd, a derbyn eu cosb yn llawen, gan wybod eu bod wedi dial go iawn arno, a hynny o fewn y stafell a oedd yn cadarnhau anfarwoldeb eu mam. Ond nawr, roedd 'na bobl wedi cael eu caethiwo, pobl wedi cael eu saethu. Roedd y rhith o warchae wedi *digwydd*. Roedd hi ar ben arnyn nhw. Yn hytrach na chwerthin ar ben Eben, cael teimlo iddyn nhw neud iawn am yr hyn a wnaethai, roedd y ddwy ohonyn nhw wedi gwneud eu hunain i edrych yn waeth nag erioed. Dyma fyddai'r peth olaf fyddai pobl yn ei gofio, nid hunanladdiad ei mam. Ymddangosai hwnnw bron yn urddasol o'i gymharu â'r llanast pur roedd hi a Nan wedi'i wneud o bethau.

"Rho'r gwn i mi," ceisiodd bledio ar Eben unwaith eto. "Rho'r gwn i mi rhag ofn iddo fynd bant yn ddamweiniol."

"Paid," meddai llais tu ôl iddi. Llais Dan, yn isel ac yn ymbilgar. "Paid â'i gorddi e, rhag iddo dy saethu di."

Fe'i lloriwyd gan y llais hwnnw. Y llais roedd hi wedi ymddiried ynddo yn yr archif. Methai gredu mor hawdd yr ildiodd. Wrth gwrs, roedd e wedi dweud y pethau iawn wrthi. Dwedodd fod yn rhaid iddi beidio â beio Eben, ac y deuai dros y golled yn y diwedd. Yr hyn a wnâi â'r atgof oedd yn bwysig. Roedd e wedi dweud y pethau hynny i gyd er mwyn sicrhau ei nod. Gadawodd iddo wneud. Ac mewn rhyw ffordd wyrdroëdig, doedd hi ddim yn difaru chwaith. O leiaf roedd hynny'n golygu ei bod hi wedi setlo sgôr o ryw fath. Doedd hithau na Nan yn wyryfon rhagor, a byddai Nan yn methu â dal hynny yn ei herbyn.

Camodd yn nes at Eben, a synhwyrodd fod Dan yn symud yn nes ati hithau.

"Paid," meddai wrtho. "Neu neith e'n saethu ni i gyd."

"Gad i fi fynd o dy flaen di," meddai yntau. "Bydd hynny'n saffach."

Chwarddodd Ana.

"Pam? Am dy fod ti'n ddyn?"

Doedd ganddo ddim ateb i'r cwestiwn hwnnw. Roedd Eben yn dal i sefyll yn stond yn ei unfan, a'r gwn yn gwbwl ddisymud yn ei ddwylo, yn disgleirio'n llawn bwriadau.

Aeth hithau gam yn nes at Eben. Roedd arni eisiau dangos i Dan nad oedd ofn arni. Y gwn oedd i'w ofni, nid Eben. Gwyddai mai'r peth gwaethaf y gallai Eben ei wneud oedd ysgrifennu llith amdani yn ei hunangofiant. Doedd hi ddim yn ofni geiriau. Nid fel ei mam. Gwnaeth honno'r camgymeriad o osod rhyw werth ar eiriau, nes eu bod nhw, fesul un, wedi'u dileu.

"Cer 'nôl!" meddai Eben. "Cer 'nôl, neu fe wna i saethu."

Teimlodd ddwy law Dan ar ei gwasg, yn ei thynnu'n ôl ato. Roedd ei gyffyrddiad yn rhy gysurus, yn rhy gynnes. Roedd hi eisiau gadael iddo'i gwarchod. Ysai am un ennyd o normalrwydd. Gadawodd iddi'i hunan ddychmygu eu bod nhw ar draeth yn rhywle – yr awel yn chwipio'i gwallt yn donnau mân, ac yntau'n rhedeg ar ei hôl, yn ei rhwydo i'w freichiau. Ond nid dyna oedd yn digwydd. Roedd y môr ymhell o'r fan hon, mor bell ag roedd normalrwydd. Doedden nhw ddim ar y traeth, roedden nhw ar ben Llyfrgell, a llygaid y byd i gyd yn dwyn eu dirmyg arnyn nhw.

"Beth yw dy gêm di?" meddai'n sydyn yn ei chlust. "Ti a dy chwaer. Fy nhwyllo i i feddwl mai 'mond un ohonoch chi sy'n bod?"

"Cer 'nôl," meddai hi wrth Dan. "Cer 'nôl neu mi wna i neidio."

"Paid ti â meiddio," meddai Eben, a'i lais yn codi i ryw banig gwyllt. "Os gwnei di neidio, fyddan nhw'n meddwl 'mod i 'di dy saethu di. Ac wedyn mi wnân nhw fy saethu i. Paid trio cymryd drosodd!"

"Wel os nad wyt ti eisiau i mi neidio, dwed wrtho *fe* am gadw draw 'te," gwaeddodd hithau ato. Trodd Eben ei ben a gweiddi ar Dan i adael iddi fynd. Llaciodd Dan ei afael, ond nid cyn pwyso'n agos, agos at ei chlust a dweud: "ti rown i'n moyn, ti'n gwbod. Ti 'dwi'n dal yn moyn."

Ceisiodd Ana beidio â chael ei hudo. Pa ddaioni a wnâi'n awr? Roedd y byd ben-i-waered, ac roedd ganddi gant a mil o lwybrau yn dadfeilio'n garped coch, tyllog, yn ei phen. Neidio. Peidio â neidio. Saethu. Cael ei saethu. Cyfaddef. Peidio â chyfaddef. Achub cam ei mam. Achub cam ei chwaer. Achub ei chroen ei hunan. Neidio i fôr o fwledi. Neidio i fôr o lyfrau. Torri ei gwddf a marw. Torri ei chefn a chael ei pharlysu. Doedd 'na ddim opsiwn i garu neu i beidio â charu. Ymhen rhai munudau, rhai oriau, dim ots pa mor hir y byddai'n cymryd i'r gwarchae ddod i ben, fe fyddai'r awr honno yn yr archif fel petai'n ddim byd ond breuddwyd.

Safodd hithau'n ôl; a'r tu ôl iddi, clywodd Dan yn cymryd camau bychain tuag yn ôl eto.

A thu ôl i hwnnw, doedd dim angen iddi droi ei phen i wybod bod drws y to'n agor, a'i hwyneb hi'n dod i'r golwg unwaith eto. Ac wrth feddwl am ei chwaer yn llenwi'r bwlch lle bu'r gwacter, cofiodd yn sydyn pwy oedd ar goll o'r llun a welsai yn y pentwr islaw. Waldo. Roedd rhywun wedi trio gwaredu Waldo Williams o'r llun, wedi ei ddileu o hanes, fel pe na bai wedi bodoli erioed.

D A N

GWELODD DAN FOD Nan yn dod tuag ato trwy'r agoriad yn y to, ac yn sydyn iawn, doedd e ddim eisiau dim byd mwy na'i rhwystro rhag gwneud mwy o niwed. Hon oedd y foment y bu e'n aros amdani ers iddo agor drysau'r Llyfrgell y bore hwnnw. Methodd yn lân â gwarchod yr hyn roedd e i fod warchod – y gofod mawr glân yma, yr anialwch a oedd yn llawn o drysorau heb yn wybod iddo. Ond gallai warchod Ana ac Eben, roedd e'n gweld hynny'n glir, nawr. Dyma fyddai ei swyddogaeth olaf. Fe fyddai'n siŵr o gael ei gondemnio am bob un penderfyniad a wnaeth y diwrnod hwnnw, a phawb yn awgrymu ei fod yn llwfr, yn barod i droi ei gefn. Ond roedd yr hyn a wnâi nawr yn tystio iddo fynd i eithafion i warchod y Llyfrgell. Roedd e wedi troi ei wyneb noeth, diamddiffyn at y terfysgwyr, wedi anelu ei lygaid at y gwn a rythai arno, fwy nag unwaith, ac fe fyddai hynny'n mynd o'i blaid, siawns.

Roedd e'n gwneud gwaith y Senedd drostyn nhw, meddyliai, ac wedi bod yn gwneud hynny ers misoedd, hefyd, heb yn wybod iddo. Meddyliodd am yr hyn a welsai wrth ddringo'r ysgol. Gweld iddo fod yn gwarchod yr holl lyfrau yna rhag i neb ddod i wybod am eu bodolaeth. Cyfiawnhau'r digideiddio diddiwedd. Cael ei ddysgu i adrodd fel parot fod hynny'n well i ddiogelu testun yn y pen draw, ei bod hi'n hawdd dwyn llyfr ond na fedrech chi ddwyn treftadaeth, pe bai copi electronig ar gael. Dyna bwysleisiodd yr Archborthor wrthyn nhw am ei ddweud.

Cario bareli o'r stwff cemegol 'na i bob man. Sylweddolodd Dan ei fod e'n gwybod gormod iddyn nhw allu ei ddiswyddo. A chyda hynny'n teimlai'n ddewrach, wrth iddo benderfynu bod yn rhaid iddo rwystro Nan.

Roedd hi'n dod tuag ato nawr, a'i llygaid yn wyllt.

"Cer o'n ffordd i," meddai, a'r gwn yn pwyntio tuag ato. "Neu mi wna i dy saethu di."

Unwaith eto roedd yr oerfel yn ôl, y chwa o aer oer a oedd fel petai'n diferu o'i llygaid.

"Saetha fi 'te," meddai e'n herfeiddiol. "Mi fyddi di'n chwarae reit mewn i'w dwylo nhw."

Edrychodd o'i gwmpas, gan deimlo'n hurt. Yn y llecyn hwn doedd dim modd gweld y lluoedd arfog y cawsai gip arnyn nhw pan geisiodd dynnu Ana yn ôl o'r ochr. Cyn belled ag y gwyddai ef, doedd Nan yn gwybod dim am eu bodolaeth nhw, chwaith. Chwarddodd hithau, gan feddwl mai'r *nhw* oedd y gwylanod o'i gwmpas.

"Ti erioed ag ofn gwylanod?" meddai hithau, gan ddynwared eu sgrechiadau. Hedfanodd nifer ohonyn nhw i ffwrdd pan wnaeth hynny, heb allu deall pwy oedd yr wylan enfawr hon yn eu plith.

"Yr heddlu," meddai. Edrychodd yn ôl dros ei ysgwydd, ond ni allai eu gweld nhw o ble roedd e'n sefyll nawr. Pa fath o warchodlu oedd yn gadael iddo wynebu rhywun â gwn, ar do'r adeilad ar ei ben ei hunan? Yna, cofiodd yn union beth oedd polisi'r Senedd erbyn hyn, ar ôl yr holl achosion o saethu ar gam a fu. Doedden nhw ddim yn cael dod yn agos nes bod Nan wedi'i saethu e. Nes eu bod nhw wedi gweld hynny â'u llygaid eu hunain.

Doedd dim cysur gwybod y deuai'r gwarchodlu i'w achub ac yntau fwy na thebyg eisoes wedi marw. Bod hynny'n well, yn eu tyb nhw, na'u bod nhw'n saethu rhywun fel

Nan drwy gamgymeriad.

"Dwi isie siarad â'n chwaer," meddai Nan â'i llygaid yn isel. "Gad i mi siarad gydag Ana ac mi gei di fynd."

Ana. O'r diwedd roedd ganddo enw ac roedd e'n gallu teimlo'r gwahaniaeth ar ei wefus. Y ddeusill hufennaidd, â'i rythm addfwyn ei hun. An-A. Nid rhyw fwled o enw, fel Nan.

"Dyw hyn ddim oll i neud â ti, beth bynnag. Prop wyt ti. Rhywun a oedd i fod i neud pethau'n haws i ni. Ac mi rwyt ti wedi cyflawni hynny erbyn hyn. Sgen ti ddim pwrpas, rhagor, a sdim pwynt i ti geisio esgus bod gen ti un. Cer o'r ffordd i mi gael siarad gydag Ana."

Roedd hi wedi'i gorddi erbyn hyn, a doedd dim taten o ots ganddo a fyddai 'na fwled yn mynd drwy ei ysgyfaint ai peidio. Gadwch i mi fod yn ferthyr, meddyliai; doedd e ddim yn rhag-weld y gallai lwyddo i wneud dim byd mwy cyffrous na hynny â'i fywyd, beth bynnag.

"Cer 'nôl!" meddai Nan. "Dwi isie siarad â'n chwaer."

Camodd Dan ymlaen, ymlaen ac ymlaen.

"Paid, Dan!" clywodd lais Ana tu ôl iddo, yn ymbilgar, yn gynnes. Llais rhywun a oedd wir am iddo fyw. "Paid â'i chythruddo hi. Sdim dal be wneiff hi."

Chwarddodd Nan – ac roedd hi fel petai'n edrych reit trwyddo y tro hwn.

"O'n i'n meddwl dy fod ti'n gwbod yn union be ro'n i am 'i wneud, drwy'r amser," meddai Nan yn sbeitlyd. "Dyna roeddet ti'n arfer ei honni, cofio. Dy fod ti'n gwbod. Dy fod ti ddeuddeng munud o 'mlaen i. Wedi gweld yr hyn ro'n i am ei wneud, cyn i mi ei wneud."

Arhosodd Dan lle roedd e, er ei fod yn ymwybodol ei fod bellach yn fur o ryw fath, yn fur rhwng dwy chwaer. Rhwng dwy ran o'r un person.

"Gwed wrtho fe am symud, neu fe saetha i fe!" gwichiodd Nan eto, gan roi bwled newydd yn y gwn.

"Nan, rwyt ti'n gwbod yn iawn nad o's gan Dan ddim i'w wneud â hyn i gyd," meddai Ana, a'i llais yn isel. "Dethon ni yma i setlo'r sgôr gydag Eben, nid Dan."

"Eben?" meddai Nan, a'i llygaid yn cymylu. Dwedodd y gair eto fel pe bai'n air dieithr. "Eben."

"Ie, Eben," adleisiodd Dan, fel pe bai modd i'r enw hwnnw ei amddiffyn. "Hwnna â'r gwn?"

Trodd y tri ohonyn nhw i syllu ar y ffigwr unig a safai ar ymyl y to, a'r gwn yn dal i bwyntio tuag at y dyrfa islaw. Edrychai eisoes fel rhyw ddarlun hanesyddol y byddai rhywun yn ei hongian yn un o arddangosfeydd y Llyfrgell, fel arwr yng nghanol rhyw derfysg mawr. Y gwylanod o'i gwmpas yn fframio'r llun yn berffaith, gan roi naws sinistr i'r sefyllfa. Roedden nhw'n edrych yr un mor fygythiol, fel byddin fechan, dwt, a'u pennau pluog yn barod amdani.

Rhyfedd, meddyliodd Dan, fod hanes yn ganlyniad rhyw ddigwyddiad nad oedd â dim oll i'w wneud â'r hyn y bwriadwyd iddo fod yn wreiddiol. Roedd y llun o Eben nawr, yn sefyll yn erbyn haul y pnawn, ei gysgod du yn codi i'r awyr a blaen y gwn yn ymestyn ohono fel pe bai'n rhan o'i gorff, yn eiconig, bron. Fel tasai'r ddelwedd ei hun yn dal rhyw wirionedd am y diwrnod. Doedd dim ots bod Eben wedi dod i mewn i'r Llyfrgell at ei ddibenion ei hun y diwrnod hwnnw. Dim ots ei fod e wedi cael cymaint o ofn nes ei fod wedi gwasgu ei ffrâm flonegog drwy rhyw dwll awyru yn y nenfwd a oedd yn llawer rhy fach iddo.

Nid y dechreubwynt oedd yn bwysig mewn cofnod o hanes, ond y man terfyn. A byddai'r llun hwn nawr, darlun o Eben a'i wn, yn un o'r lluniau hynny.

A ble roedd e, Dan, yn y llun hwn? Yn sefyll rhwng

Ana a Nan? Fyddai e ddim yn ymddangos yn y llun, roedd e'n gwybod cymaint â hynny. Gwas sifil oedd e. Doedd hi ddim yn bosib i was sifil chwarae rôl arwyddocaol, roedd hynny yn erbyn y rheolau. Heblaw eich bod chi'n was sifil benywaidd. Yn forwyn sifil, hyd yn oed. Câi'r rheiny aros o fewn ffrâm y llun. Trodd yn ôl at Nan, â'r olwg ddryslyd yna'n dal ar ei hwyneb.

"Eben," dwedodd Ana eto, yn ddiamynedd y tro hwn. "Paid ag esgus bo ti ddim yn gwybod pwy yw Eben. Eben yw'r holl reswm pam y daethon ni 'ma, nage fe? Eben laddodd Mam, cofio? Fe wnaeth ei hanfon hi i'r bedd? Y dyddiaduron. Yr adolygiadau."

Yn sydyn, daeth yn amlwg ar wyneb Nan ei bod yn sylweddoli beth oedd y gwir. Doedd Dan ddim yn siŵr a oedd e i fod i gyfieithu hynny i Ana, yr hyn na fedrai hi ei weld. Sylweddoliad araf, poenus ydoedd.

"Na, doedd Eben ddim i'w wneud â'r peth," meddai hithau'n sych a fflat. "Fi wnaeth i ti gredu hynny. Fi oedd yno gyntaf. Ddeuddeng munud o dy flaen di."

"Ie, a wnei di byth adael i mi anghofio hynny, na wnei?" bloeddiodd Ana yn ôl.

Roedd dagrau'n llifo bellach o lygaid y ddwy. Dyma'r mwyaf addfwyn y gwelsai Nan yn edrych erioed. Y meddalaf. Rhyfedd sut roedd dagrau'n siwtio rhai pobl, yn gwneud iddyn nhw edrych yn fwy cyflawn rywsut.

"Eben," meddai Nan. "Rwy'n ei gofio fe nawr. Yr adolygydd cas. Yr un roedden ni wastad yn siarad amdano, yr un roedd Mam yn gwneud hwyl am ei ben. Fe soniodd hi amdano yn yr ail lythyr, ondo fe, yr un yn y dyddiadur… y cocyn hitio…"

"Be rwyt ti'n 'i feddwl, yr *ail* lythyr?" poerodd Ana. Daliodd Dan ei afael arni, rhag iddi fynd yn nes at ei chwaer.

"'Mond un llythyr oedd 'na, ontefe? I ni'n dwy? Yn gweud wrthon ni am Eben?"

Clywodd Eben ei enw a gwaeddodd nerth ei ben dros ei ysgwydd.

"Nid fi laddodd hi. Hi laddodd ei hunan! Mae gen i brawf o hynny. Peidiwch chi â meiddio 'meio i am eiliad yn rhagor. Chi â'ch triciau dwl! Methu sgwennu dim byd am flwyddyn o'm herwydd i… myn yffar i! Celwydd pur!"

Trodd Eben ei gefn am foment at y dorf a throi'r gwn arnyn nhw. Trodd Dan a thynnu Ana'n nes ato. Roedd Eben a Nan yn wynebu ei gilydd nawr fel pe baen nhw mewn gornest o ryw fath, a Dan ac Ana yn y canol.

"Saetha fi 'te!" meddai Nan.

Chwarddodd Eben.

"Dwi ddim yn meddwl, 'y merch i. Dwi ddim yn mynd i gymryd y bai am hyn. Fe geith pawb wybod be naethoch chi."

"Wel dylset ti fod wedi meddwl am hynny cyn i ti sgwennu'r holl bethau 'na am Mam," poerodd Ana, a'i chynddaredd at yr adolygydd wedi'i ailgynnau. Rhaid mai presenoldeb ei chwaer oedd yn sbarduno hyn, meddyliodd Dan. Safodd o'i blaen unwaith eto. Doedd e ddim yn barod i'w cholli.

"Weles i'r adolygiadau," meddai Ana. "Maen nhw'n llawn gwenwyn. Yn gwbl ddi-sail. Ac i feddwl, yn y diwedd, eu bod nhw'n ddigon i ladd rhywun."

"Doedden nhw ddim yn ddigon i ladd, ac mi wyt ti'n gwbod hynny, 'merch i," meddai Eben, gan agosáu ati. "Roedd hi'n sâl. Doedd gan fy adolygiadau i ddim i'w wneud â'r peth."

"Oedd!" sgrechiodd Ana. Roedd hi'n ysgwyd yn mreichiau Dan erbyn hyn. "Ti oedd ei salwch hi! Do'dd dim byd yn bod arni, roedd hi'n iach fel cneuen, gwed wrtho fe Nan… do'dd hi ddim yn sâl, oedd hi?"

Gostyngodd Nan ei phen.

"Oedd mi roedd hi," meddai Nan, yn ddistaw. "Dyna oedd e'n ei ddweud yn y llythyr cynta. Rodd hi'n sâl ac yn methu godde'r hyn oedd yn digwydd iddi… Y flwyddyn yna pan na sgwennodd hi air… dyna pryd cafodd hi'r diagnosis. Dyw awdur yn ddim byd heb gof, dyna ddwedodd hi. Un dewis oedd ganddi. Rodd hi eisiau creu argraff wrth farw, Ana. Rheoli'r hyn fyddai pobl yn ei gofio amdani. Dyna'r unig beth y medrai hi ei reoli…"

"Na," meddai Ana, a'i hwyneb yn wyn. "Dwyt ti ddim yn gweud y gwir. Yr un llythyr gafon ni'n dwy. Pam bydde hi'n sgwennu llythyr arall atot ti?"

"Am 'mod i'n diodde hefyd, fel hi," meddai Nan yn dawel.

"Na Nan… " meddai Ana, gan estyn ei llaw tuag ati. "Pam rwyt ti'n gweud y pethe 'ma? Alle fe ddim â bod yn wir. Yr holl stwff 'na gafodd 'i ddyfynnu o'i dyddiadur hi am Eben. Am Eben yn 'i lladd hi. Rodd hi'n teimlo'r peth i'r byw…"

"'Nes i eu newid nhw," meddai Nan, gyda'i llygaid ymhell. "Dwi'n cofio nawr. Y dyddiaduron. Yn raddol bach, ar y sgrin. Eu newid nhw bob dydd nes eu bod nhw'n ffitio'r stori. Dim ond y copi electronig fyddai'r newyddiadurwyr yn mynd ar ei ôl… o'dd e mor rhwydd…"

"Naddo, Nan," meddai Ana, wrth i'r sylweddoliad dorri'n donnau bach yn ei llais. "'Nest ti ddim, dwyt ti'm yn gwbod be rwyt ti'n ddweud."

"O'n i 'di anghofio," meddai hi, a'i llais yn isel. "Mae e'n digwydd i fi hefyd, Ana. Mae'r cof yn diflannu. Dyna'n salwch ni'n dwy – fi a Mam. Mae e'n ein gadael, yn raddol bach. Tyllau'n ymddangos yn y cof. Ac yn fy achos i mae e 'di digwydd yn gynnar, yn llawer rhy gynnar. Dyna beth na'th ei lladd hi, go iawn, Ana, a dyna fydd yn fy lladd i hefyd, mewn rhyw ffordd neu'i gilydd. *Dementia*, Ana. Colli amgyffred o bob dim. Naeth hi ddweud wrtha i am ei bod hi wedi gweld ei fod e'n dechrau digwydd i fi, hefyd. Mae e'n digwydd i fi nawr, dwi'n gallu ei deimlo fe'n digwydd. Ond dwyt ti, dwyt ti rywsut ddim wedi'i etifeddu fe…"

"Dwyt ti ddim yn sâl! Fydden i 'di sylwi, Nan, rwyt ti'n chwaer i fi. Un peth y'n ni. Un enaid, un pa…"

"Palindrom," meddai Nan yn ddistaw. "Ond nid yr un math o balindrom, nage? Mae gen ti ddwy sillaf. O'dd wastad 'da ti fwy nag o'dd gen i…"

"Ond hyd yn oed os yw e'n wir, os dyma wyt ti *yn* 'i gredu sy'n digwydd i ti, dwi'n dal ddim yn deall sut gallet ti…" meddai Ana, a'i llais fel ton ar fin torri. "Sut gallech chi'ch dwy 'ngadael i mas fel 'na, newid yr atgofion fel 'na… ma'r peth yn… ma'r peth yn…"

Ildiodd Ana i freichiau Dan. Roedd hi'n beichio crio nawr, a'i breichiau gwyn yn ddau ruban dynn am ei wddf, y corff main yn plygu i'w gorff e, a'r ysgyfaint tenau yn powndio yn erbyn ei grys. *Arllwys dy ddagrau*, roedd arno eisiau dweud wrthi, am na theimlodd y fath agosatrwydd at neb erioed. Roedd e wedi'i hachub hi, meddyliodd. Roedd ei ddwylo'n dynn amdani ac roedd hi'n dal i fod yn fyw. Tystiai hynny i'w waith yntau, i'w ddyfalbarhad. Siawns y byddai hynny'n sefyll o'i blaid mewn llys barn.

Gwelai nawr yr hyn roedd yn rhaid iddo'i wneud. Roedd yn rhaid iddo, yng ngŵydd pawb, ddangos ei fod yn gallu bod yn arwr, wedi'r cyfan, a gwneud i bob un o'r rhain ildio eu harfau. Fe fyddai'n rhaid iddyn nhw sefyll yno mewn llinell, yn gymesur â'i gilydd, ac ildio, yn barod am ba gosb bynnag a ddeuai iddynt. Doedd neb wedi marw, dyna'r peth pwysig. A dim wedi'i ddwyn. Roedd y Llyfrgell, heblaw am ambell dwll yma ac acw, yn union fel y bu. Roedd cof Nan yn dyllog – fe allai rhywun yn hawdd ddadlau nad oedd hi yn ei hiawn bwyll. Ac roedd Ana, yr Ana hardd, yma yn ei freichiau, heb wneud dim, mewn gwirionedd, ond galaru am ei mam. Ceisio gwneud iawn am bethau. Ceisio gwneud cyfiawnder â rhywbeth nad oedd yn bodoli.

Ac Eben, wel, doedd Eben erioed wedi niweidio neb. Er ei fod wedi trio'i orau.

A chyda hynny, fe arweiniodd y ddwy efaill yn araf, araf, at ymyl y to, lle roedd Eben yn dal i sefyll gyda'i wn. Roedd Nan yn dal yn sownd yn ei gwn hithau, hefyd, ac fe glywodd waedd yn dod o'r dorf islaw.

"Fedran nhw ddim saethu heblaw eich bod chi'n saethu gynta," meddai Dan yn ara deg, a'i lais yn isel. "Dyna'r gyfraith. A does dim eisiau saethu neb, oes e?"

"Alla i weld rhywun fydden i ddim yn meindo'i glipo," meddai Eben, gan symud ei wn i gyfeiriad rhyw ddyn boliog yn y pellter.

"Ie, ond ddim ar draul ein lladd ni i gyd," meddai Dan. Teimlodd Ana yn gwasgu ei law'n dyner wrth iddo ddweud hyn, a daeth ffrwydrad o hapusrwydd drosto.

"Sa i'n becso be sy'n digwydd i chi i gyd," meddai Eben. "A chithe'n hanner call a dwl!"

"O, a dwyt ti ddim, wyt ti? 'Drych arnot ti dy hunan am eiliad," meddai Dan yn ddiamynedd, gan amneidio â'i ben tuag at y gwn. Roedd e am i Eben ei weld ei hun fel roedd e, yn ddim byd mwy na gwallgofddyn ar ben to yn dal gwn yn ei law. Er mawr ryfeddod iddo, gostyngodd Eben y gwn ryw fymryn. Heb ei ollwng yn rhydd yn hollol, chwaith.

"A meddylia sut maen nhw'n dy weld di. Os na fyddi

di'n ofalus, ti geith y bai am hyn i gyd, ti'n gwbod."

Roedd Eben yn gryndod drwyddo. Edrychodd ar y dorf ac yna'n ôl ar Dan. Roedd e ei hunan wedi gweld mor dwyllodrus y gallai'r llun fod, sut y gallai un ddelwedd fod yn ddigon i saernïo rhyw fath o wirionedd. Yn sydyn, gollyngodd y gwn, a glaniodd hwnnw'n ddiwerth wrth ei draed. Cododd ei ddwylo i'r awyr i fynegi ei fod wedi ildio. Clywodd drydar degau o ddwylo'n uno mewn cymeradwyaeth dawel islaw. Y sŵn hwnnw oedd y peth harddaf a glywsai Dan erioed. Un peth oedd ar ôl i'w wneud.

"Nan," meddai'n ddistaw, gan agosáu ati mewn camau bach. "Rho'r gwn i lawr, iawn? Gad i ni ildio, er mwyn i hyn fod drosodd."

"Fydd e byth drosodd i fi," meddai hithau'n chwerw, gan dynhau ei gafael ar y gwn. "Alla i byth adennill y pethau sy eisoes wedi mynd o'n hymennydd i, ac a fydd yn parhau i adael, gam wrth gam, nes bydd 'na ddim byd ar ôl. Dim byd ond balconi a'r môr mawr glas yn galw amdana i."

Gwelodd Dan fod yn rhaid camu'n ofalus nawr. Roedd e'n ofni y gallai'r rhesymu ystrydebol a weithiodd ar Eben fod yn ddigon i yrru Nan dros y dibyn, a hynny'n llythrennol. Gwelodd hi'n codi'r gwn at ei phen, yn raddol bach. Allai e ddim gadael i hynny ddigwydd. Roedd yn rhaid achub pawb, dyna oedd ei swyddogaeth, gwarchod y gofod, a'r bobl a oedd ynddo, yn anad dim.

A heb feddwl, rhuthrodd tuag ati er mwyn cydio yn ei gwn a'i anelu i'r awyr. Taniodd y gwn yn ei law, ac fe lewygodd Nan yn y fan a'r lle, er nad oedd y fwled wedi cyffwrdd ynddi. Ond gwyddai'n iawn nad felly yr ymddangosai i'r dorf islaw.

Cyn iddo gael amser i brotestio, i ddweud dim, nac i

wthio Ana, a oedd wedi lapio'i hun amdano, oddi wrtho, fe glywodd fwledi'r Senedd yn cael eu tanio islaw, ac fe aeth un o'r bwledi hynny yn syth drwy ysgyfaint Dan ac ymlaen drwy galon Ana, gan eu chwythu nhw ill dau dros ddibyn y to.

EBEN

ROEDD CAEL EI gludo i lawr tuag at y dorf ar y craen
yn brofiad arallfydol, fel bod yn y ffair slawer dydd.
Fel hyn roedd sêr go iawn yn teimlo, meddyliodd, y rheiny
oedd yn cael eu gollwng o'r nenfwd ar ddechrau sioe
fawreddog, fesul tipyn yn cael eu drenglian i'r golwg nes
anfon gwefrau drwy'r dyrfa nwydwyllt. Ond roedd awch
o fath gwahanol ar y dyrfa hon. Doedd neb yn gweiddi na
chlapio na chwerthin, ac roedd eu genau agored yn ddegau
o ogofau bach du. Yn y pellter, gwelai Ffrancon yn parhau
i ysgwyd ei ben, mor ffyrnig ag y gwnaethai'r diwrnod
hwnnw yn y drws pan glywodd am farwolaeth Elena. Ond
roedd Eben yn taeru iddo weld rhywbeth arall yn ei lygaid
nawr, hefyd, rhywbeth tebyg i genfigen yn dawnsio yng
nghysgodion ei aeliau. *A dwyt ti ddim hyd yn oed yn gwbod
pam dy fod ti'n genfigennus ohona i eto,* meddai Eben, yn
hunanfoddhaus. Doedd e ddim yn gwybod am y llyfrau, na'i
ddarganfyddiad, na'r ffaith fod Eben Prydderch yn mynd i
fod yn enw hanesyddol a fyddai'n para am genedlaethau y tu
hwnt i un Ffrancon Emlyn.

Ond wedyn, nid golwg felly oedd ar wynebau pawb.
Gwelodd un ferch lond ei chot yn edrych i fyny arno â
dagrau'n ffrydio o ffynnon ei llygaid. Roedd mwy nag un
yn edrych felly, ac yn gosod blodau'n dyner wrth droed
y Llyfrgell. Rhaid eu bod nhw'n nabod y ddau gafodd eu
lladd, meddyliodd. Heb wybod dim am yr hyn wnaethon
nhw iddo fe – dyma'r ddau a oedd wedi'i fygwth. Wedi

gwneud iddo wasgu drwy'r twll yn y to. Roedden nhw'n euog o rywbeth, siawns. Doedd e ddim wedi gweld neb yn cael ei saethu o'r blaen. Cyn iddo gael cyfle i edrych i lawr dros y dibyn roedd milwyr y Senedd yn rhedeg tuag ato drwy'r twll yn y to, yn ei lapio mewn blancedi arian, a'i barselu yn barod ar gyfer llygaid y cyhoedd. Ac unwaith roedd e ar ei ffordd i lawr, doedd dim golwg o'r cyrff o gwbwl. Dim cymaint ag un smotyn o waed ar y palmant glân, dim byd o gwbwl yn y golwg ond ambell dusw bach, bach o flodau yn y fan lle y glaniodd y ddau.

Wrth ei ymyl, ym mhen pella'r craen, roedd hi, yr ail efaill – Nan – yn crynu mewn toreth o flancedi, a oedd yn edrych fymryn yn fwy moethus a chysurlon na'i rai e. Roedd sawl plismones o'i chwmpas hi, yn rhwbio ei chefn yn ddistaw bach, yn ei chysuro. Hyd y gwelai, hi a gâi'r sylw, y cydymdeimlad, i gyd – tra ei fod e'n rhynnu yn ei flancedi simsan, a'r blismones wrth ei ochr yn syllu'n syth o'i blaen, yn ddywedwst.

Gwelai'r dyrfa'n glir erbyn hyn, wrth iddyn nhw ddisgyn yn dyner i lawr i lefel y ddaear. Roedd dynes y cantîn yn dal i fynd o gwmpas yn gweini bwyd i bawb, fel 'tai hi'n unrhyw ddiwrnod arall, a'i chyd-weithiwr surbwch yn ei ddilyn, a'i wg yn tywyllu ei wallt golau. Roedd 'na fabi'n crio yn rhywle, a mam yn cael ei chludo draw at ambiwlans â chadach wedi'i rwymo am ei hysgwydd. Roedd ambiwlans arall yn cordeddu ei ffordd drwy'r dre, yn taflu stribedi glas dros y prynhawn. Ac un arall yn sleifio oddi yno'n dawel, heb seiren na dim, gyda rhai'n plygu eu pennau wrth iddo basio heibio. Rhaid mai yn y cerbyd yna roedd y cyrff, meddyliodd.

Wrth gyrraedd y concrid cafodd ei gludo ar unwaith i gar yr heddlu gan ddwy blismones arall, er i sawl un geisio ei gyrraedd gyntaf. Roedd Ffrancon yn un o'r rheiny.

"Gwedwch wrthon ni be sy'n digwydd," meddai Ffrancon. "Dwi'n gyfaill iddo. Eben, wyt ti'n iawn? Eben?"

Gwgodd Eben arno. Cyfaill nawr, pan oedd hynny'n golygu rhyw stori fach gyhoeddus i'w gosod drachefn yn y ffrâm. Penderfynodd na fyddai'n dweud dim, am y tro. Ofnai y byddai'n dweud gormod. A'i stori ef oedd hon, yr un peth nad oedd modd i Ffrancon ei ddwyn oddi arno.

"Ma arna i ofn nad oes modd i neb siarad â Mr Prydderch nes i ni ei holi," meddai'r blismones gyntaf, gan wthio Ffrancon yn ôl. "Nawr, os byddech mor garedig â gadael i ni basio."

"Ffrancon Emlyn," meddai, gan saethu ei law allan o'i lewys. "Eben, dwed wrthyn nhw pwy ydw i, 'mod i angen dod gyda ti. Ffrancon Emlyn," meddai eto, wrth i'w enw ddiasbedain yn ddiystyr yn yr awyr.

Gwelodd y dryswch ar wyneb y blismones. *Sneb yn gwbod pwy wyt ti'r ffŵl dwl,* meddyliodd Eben yn hunangyfiawn, gan adael i wên fach ddianc dros ei weflau. Erbyn hyn roedd 'na fwy a mwy o bobl yn ymgasglu ger y car, newyddiadurwyr yn ceisio gwthio'u camerâu i'r gofod rhwng y ddau. Ar gyngor y blismones, plygodd Eben ei ben, a mynd i ogof gysurlon car yr heddlu, gan dynnu'r drws yn dynn ar ei ôl. Gwasgodd Ffrancon ei wyneb yn erbyn y gwydr, er ei bod hi'n amlwg na fedrai weld dim drwy'r ffenest drwchus, dywyll. Cymrodd Eben fantais o hyn, a gwasgu ei fys canol yn sarhad unionsyth ar y gwydr, gan rannu wyneb Ffrancon yn ddau.

★ ★ ★

Nid tan iddo gyrraedd yr orsaf y sylweddolodd Eben ei fod e ei hun, erbyn hyn, o dan amheuaeth. Gwenai wrtho ef ei hun wrth fynd drwy'r dorf, yn meddwl mor bwysig ydoedd, yn meddwl bod eraill wedi deall hynny, hefyd. Ond roedd y ditectif a eisteddai yn sedd flaen y car ar y pryd yn ei wylio'n ofalus drwy'r drych ochr, ac yn amlwg yn gweld hynny fel rhyw fath o adlewyrchiad o'i falchder.

"Roeddech chi'n edrych yn fodlon iawn yn y car," meddai hithau'n sych wrtho, gan dynnu ei gwallt rhydd yn gwlwm caled, difrifol ar ei phen. "Fel tase'r gwarchae wedi gweithio'n berffaith i chi."

Tagodd Eben ar ei goffi llugoer.

"I fi? Doedd y gwarchae'n ddim byd i'w wneud â fi," meddai Eben yn ffyrnig. "Fi ydi'r dioddefwr fan hyn. Ces i 'nghadw mewn stafell am oriau, fy mygwth gyda gwn, fy erlid i fyny dihangfa dân, a bron iawn i mi fynd dros ddibyn to'r Llyfrgell. Nid fi sydd ar fai fan hyn. Dwi eisiau cyfreithiwr."

"Fe gewch chi eich cyfreithiwr mewn munud," meddai hi'n ddiamynedd, "wedi i ni sefydlu beth ddigwyddodd. Roeddech chi'n gafael yn y gwn, pan ddaethoch chi i'r golwg?"

Roedd Eben wedi anghofio'n llwyr am y foment ryfedd honno ar do'r Llyfrgell, pan gafodd ei ddallu. Cofiai nawr. Daliai'r gwn a'i bwyntio at y dyrfa. Beth oedd e'n ei wneud? Gweld Ffrancon roedd e. Roedd hwnnw wedi troi ei ben a'i ddrysu, fel y gwnaethai erioed. Roedd e'n grac gydag Elena, am wastraffu misoedd o'i fywyd yn teimlo'n euog am ei marwolaeth, nad oedd yn ddim byd ond rhyw hunanladdiad pathetig o ganlyniad i salwch. Ond doedd yr holl bethau hynny gyda'i gilydd ddim cweit fel tasen nhw'n ddigon o reswm iddo gipio'r gwn fel y gwnaeth. Roedd 'na rywbeth mwy na hynny. Efallai ei fod eisiau profi i'r ddwy efaill yna nad dyn pitw oedd e wedi'r cyfan. Efallai ei fod e wedi diwallu ei ddyhead am unwaith, gwneud yr hyn y bu eisiau ei wneud erioed. Cydio mewn gwn a saethu at y sefydliad a oedd yn ei anwybyddu'n gyson.

Ond gwnaeth hynny iddo edrych fel gwallgofddyn; ac roedd hynny'n newid y stori.

"Drychwch 'ma," meddai Eben, gan geisio cadw'i lais dan reolaeth. Byddai colli ei dymer yn gwneud iddo ymddangos yn fwy euog byth. "Dwi wedi bod drwy lot dros y naw awr diwetha 'ma, ac ro'n i wedi drysu braidd pan o'n i ar do'r Llyfrgell. Ro'n i'n ofni y deuai'r efeilliaid 'na i'n lladd i... eisiau amddiffyn 'yn hunan o'n i."

"Ond roeddech chi'n pwyntio'r gwn at y dyrfa, Mr Prydderch," meddai'r ditectif. "Nid at y ddwy efaill, Ms Wdig a Ms Wdig."

"Fel dwedes i," meddai, "o'n i wedi drysu."

"Dwi'n cael ar ddeall i chi wneud sawl cais i gael ymweld ag archif Ms Elena Wdig," meddai'r ditectif, gan bwyso'n ôl yn ei sedd. "Ydy hynny'n gywir? Gan roi pwysau sylweddol ar y Llyfrgell i adael i chi ymweld â'r lle hwnnw."

"Drychwch, dyw hynny wir yn ddim byd i neud â fi," meddai Eben. "Mae gen i rywbeth llawer mwy pwysig dwi eisiau'i drafod."

"Nid eich dewis chi yw'r hyn ry'n ni'n ei drafod, Mr Prydderch," meddai'r ditectif. Edrychai fel pe bai'n chwerthin arno nawr, a'r minlliw indigo ar ei gwefusau'n ei wawdio.

"Pam na wnewch chi edrych ar y dystiolaeth sydd gyda chi yn hytrach na'n llusgo i fan hyn a 'nghyhuddo ar gam?"

"Pa dystiolaeth?" meddai'r ditectif gan syllu i fyw ei lygaid.

"Y dystiolaeth," poerodd Eben mewn rhwystredigaeth. "Mae'n rhaid bod rhywbeth 'da chi, camera cylch cyfyng, tystion – pobl sy'n gwybod yn iawn 'mod i'n ddim byd i'w wneud â hyn."

Cilwenodd y ditectif.

"Ie, wel, fe fyddech chi'n meddwl, on'd byddech chi, yn yr oes sydd ohoni, y bydde 'na dystiolaeth i'w chael. Ond y cyfan sy 'da ni ar gof a chadw o'r diwrnod yw hyn."

Cododd ar ei thraed a cherddodd i gornel y stafell ar nodwyddau main ei hesgidiau duon, a oedd, i Eben, yn edrych yn gwbwl anaddas ar gyfer ditectif o unrhyw fath. Trodd sgrin fechan ymlaen. Gwelodd Eben y porthor yn cerdded yn ôl ac ymlaen heibio'i ddesg wrth fynedfa'r Llyfrgell, fel roedd wedi'i weld yn ei wneud droeon. Deuai ambell berson i mewn, a'r porthor yn gwenu'n braf ar bob un ohonyn nhw.

"Dyna chi'ch tystion chi 'te," meddai Eben, yn hunangyfiawn.

"Wel ie, byddech chi'n gobeithio hynny, on'd byddech chi," meddai'r ditectif gan rewi'r sgrin. Pwyntiodd ei bys at un dyn bach a oedd wrthi'n siarad â'r porthor. Fflachiodd paent coch ei hewinedd ato fel rhybudd.

"Welwch chi hwn – Mr Lloyd Trimble o Gomins Coch?"

"Gwela," meddai Eben gan graffu ymhellach. "Ody fe rywbeth i'w wneud â'r peth?"

"Wel, fe fyddai wedi bod ar ein rhestr ni o bobl i'w holi, petai hynny'n bosib."

"Gafodd e 'i ladd?" holodd Eben, gan gofio am y gynnau roedd e wedi'u clywed yn tanio ymhell i ffwrdd.

"Wel do," meddai'r ditectif. "Ond nid heddiw. Buodd Mr Trimble farw bythefnos yn ôl. Damwain car ger Llanrhystud."

Syllodd Eben ar y sgrin o'i flaen. "Ysbryd yw e?"

Tro'r ditectif oedd hi i dagu ar ei choffi'r tro hwn.

"Na, Mr Prydderch. Does neb yn credu mewn ysbrydion y dyddiau 'ma, oes e? Doedd Mr Trimble ddim unman yn agos at y Llyfrgell heddiw, yn fwy nag roedd un o'r bobl hynny sydd yn y ffrâm. Hen gofnod sydd fan hyn. Wedi cael ei raglennu i ddod ymlaen ar y dyddiad anghywir drwy gyfrwng system gyfrifiadurol soffistigedig tu hwnt. Drychwch."

Dangosodd ragor o'r ffilm iddo. Roedd yn nodi'r dyddiad cywir ar waelod y sgrin, ond doedd neb yn yr archif, lle y treuliodd y rhan fwya o'r bore, nes i ffigwr y porthor ddod i'r golwg yn sydyn, gan fusnesa ym mhob twll a chornel. Diolchodd iddo'i hun yn ddistaw bach fod ei ddamwain wedi mynd yn angof am byth, na fyddai neb byth bythoedd yn gweld y staen yn lledu dros ei drowsus. Trodd y ditectif at sgrin arall y tro hwn. Gwelodd yr un porthor yn camu'n fras o gylch yr Ystafell Ddarllen, a phawb yno'n eistedd â'u pennau'n isel, yn gweithio'n ddiwyd.

"Ar yr union adeg yma," meddai'r ditectif, "mae 'na rai'n honni i ddwy efaill gymryd yr Ystafell Ddarllen drosodd gyda dau wn. Ond does 'na ddim tystiolaeth o hynny ar ffurf llun o gwbwl. Y cyfan sydd gennym ni yw gair y tystion."

"Ond mae'r gair yn dal yn ffurf ar wirionedd, ydy e ddim?" meddai Eben.

"Cwestiwn dyrys, Mr Prydderch," meddai'r ditectif, gan lowcio gweddill ei choffi ar ei ben. Espresso ydoedd, mewn cwpan bychan, twt. "Dyw geiriau ddim yn bethau diriaethol iawn, nac 'dyn? Ma'n rhaid gweld rhywbeth i gredu ynddo'n iawn. Ma'n rhaid ei fod wedi cael ei ddogfennu, ei ddigideiddio – *wedyn* mae'n bodoli."

"Ond dwi ddim wedi fy nigideiddio, na 'nogfennu, a

dwi yma o'ch blaen chi nawr. Fe alla i ddweud wrthoch chi beth ddigwyddodd. Dwi'n bodoli," meddai Eben.

"Mater o farn yw hynny, Mr Prydderch," meddai'r ditectif, gan gamu allan o'r stafell a chau'r drws yn glep ar ei hôl.

Rai oriau'n ddiweddarach, roedd Eben yn ceisio esbonio'i ddarganfyddiad yng ngŵydd y ddwy blismones a'u cludodd i'r orsaf. Roedden nhw'n edrych arno fel pe bai wedi mynd o'i gof, fel pe bai pob un gair a ddeuai o'i enau yn ddierth.

"Ond does 'na ddim llyfrau prin rhagor, Mr Prydderch," meddai'r ditectif pan ddychwelodd, â gwên yn chwarae ar esgair ei boch. "Dim ers i ni ddigideiddio. Fe gollwyd y llyfrau prin i gyd yn y digwyddiad anffodus yna yn… gadewch i mi feddwl nawr, 2015. Dyna pam y penderfynwyd digideiddio, os dwi'n cofio. I ddiogelu'r deunydd."

"Ie, ond ddaethoch chi fyth o hyd iddyn nhw, do fe?"

"Naddo, ond ry'n ni'n amau mai'r un bobl â'r rhai a wnaeth ddwyn llythyr Pennal oedd yn gyfrifol, Gwylliaid Glyndŵr."

"Gwylliaid Glyndŵr!" chwarddodd Eben, gan feddwl pa mor affwysol oedd yr ymgais honno i ddwyn. "Dim ond tri ohonyn nhw oedd 'na, fel dwi'n deall, ac fe fyddai'n rhaid iddyn nhw fod yn glyfar iawn i ddwyn y llyfrau prin i gyd. A p'run bynnag, dydyn nhw ddim wedi'u dwyn. Jyst rhyw *cover-up* oedd e i gyd. Ma'r llyfrau'n dal i fod yno, reit lawr yng ngwaelod y Llyfrgell. A 'na i weud rhwbeth arall wrthoch chi – nage dim ond llyfrau prin y'n nhw. Llyfrau gan ddynion yn unig. Ma nhw'n pydru, rhai ohonyn nhw! Ma nhw'n arllwys rhyw stwff dros y cyfan, sy'n gwneud i'r holl ddeunydd i doddi. Mae angen i ni ddatgelu'r cyfan, a dweud wrth y byd fod y Llyfrgell yn trio cael gwared ar yr holl lyfrau gan awduron gwrywaidd, er mwyn caniatáu rhyw system newydd, er mwyn rhoi blaenoriaeth i fenywod yn ein hanes llenyddol ni, os y'ch chi'n gofyn i fi. Mae'r peth yn warthus. Ma trysorau ein cenedl ni'n pydru, yn dechrau mynd yn un â'r seiliau. Mae rhai enwogion – fel Eben Fardd, er enghraifft – yn cael eu dileu o hanes yn gyfan gwbwl. Ma nhw'n ceisio chwarae o gwmpas gyda'n gorffennol ni – dileu rhannau ohono – a wel, fedrwch chi ddim gwneud hynny... fedrwch chi ddim dewis dynion dros ferched mewn ffordd mor elfennol... ma'r peth yn..."

"Pwy yw Eben Fardd?" meddai plismones o'r cysgodion.

"Dangosa i chi nawr," meddai e, gan gynhyrfu wrth feddwl ei fod ar drothwy'r datguddiad mawr. Aeth i boced ei gesail i chwilio am lyfr Eben Fardd. Ond roedd yn wag. Cofiodd yn sydyn nad oedd yn gwisgo'r siaced mwyach, ei fod wedi cael ei orfodi i wisgo rhyw wisg las oedd yn sipio i fyny o'i ben-ôl i'w wddf. Roedd e ar goll mewn rhyw gawell o gotwm a oedd yn annifyr ar ei groen. Doedd e ddim hyd yn oed yn gwisgo trôns.

"Fy nillad i," meddai. "Lle mae'n eiddo i?"

"Yn berffaith saff," meddai'r ditectif dan wenu. "Roedden ni angen i rywun archwilio'r cynnwys yn gynta, fel tystiolaeth."

"Tystiolaeth ar gyfer beth, yn union?" meddai Eben, gan ddechrau colli ei dymer. Erbyn hyn, disgwyliai fod gartref yn ei fflat, yn ymladd drwy fyrdd o newyddiadurwyr ar ei stepen drws, yn pori dros gynigion gorau'r wasg yn Llundain am ei stori. Roedd e wedi meddwl y byddai'n debygol o fynd gyda'r *New Guardian,* yn bennaf am mai dyma'r e-bapur roedd Ffrancon yn ei ddarllen. Disgwyliai gau ei ddrws ei hun ar y diwrnod, gan wybod fod 'na ystyr i'w fywyd unwaith yn rhagor. Yn hytrach, doedd ganddo ddim hunaniaeth, fel baban yn torri dannedd, ac roedd yr wynebau o'i flaen yn gwrthod cymryd yr un gair o ddifrif.

"Fel dwedes i, Mr Prydderch," meddai'r ditectif yn ddiamynedd. "Does 'na fawr o dystiolaeth yn yr achos yma, gan fod rhywun wedi ymyrryd â'r disgiau diogelwch. Felly, mae'n rhaid i ni gymryd unrhyw beth allwn ni fel tystiolaeth – samplau croen, gwallt, a dillad hyd yn oed. Mae'r rheiny oll yn ddogfennau pwysig mewn achos fel hyn, am ein bod ni wedi canfod bod ganddyn nhw eu stori eu hunain, a honno'n llawer mwy cysáct."

Meddyliodd Eben yn sydyn am ei ddillad. Y staen pi-pi ar ei drowsus. Y ffaith fod Ana ac yntau wedi bod o fewn modfeddi i'w gilydd. I'r gwn fod yn ei ddwylo. Brethyn dyddiadur Elena yn erbyn ei grys cotwm. Pa fath o naratif fyddai'r rheiny'n ei greu? Un cwbl ddigamsyniol, hyd y gwelai. Roedd arno eisiau dweud hynny, hefyd, ond ofnai y byddai unrhyw beth a ddywedai nawr yn cadarnhau'r cyfan.

"Y llyfr," meddai, a'i ben yn isel. "Llyfr Eben Fardd yn fy mhoced. Mae'n rhaid y bydd hynny'n fy nghlirio o un drosedd o leia. Ac mae hynny'n profi bod 'na lyfrau prin ar ôl yn y lle 'na," meddai'n anniddig, gan daro'i ddwrn yn erbyn y bwrdd.

"Doedd dim llyfr ymhlith eich pethau chi," meddai'r blismones gan ddal bag i fyny. "Dyma'r cyfan oedd yno."

Edrychodd Eben ar weddillion ei fywyd mewn bag plastig, clir, a bu bron iddo grio. Roedd gweld ei fywyd wedi'i grebachu i gwdyn yn ddigon amdano bron. Roedd e'n adnabod y chwistrell trwyn, yn cywilyddio wrth weld y tabledi ar gyfer ei bledren wan, ac roedd gweld yr hances boced a fu mor llyfn a chymesur nawr yn oferbeth blêr yn torri ei galon. Gwelodd rwydwaith o lygaid yn y stafell yn siarad â'i gilydd, heb ddweud dim. Doedd 'na ddim llyfr. Roedd Eben Fardd wedi diflannu drachefn, a fyddai yntau fawr o dro cyn gwneud hynny hefyd.

"Oedd e 'da fi i pan ddes i mewn 'ma," meddai, gan edrych o'i gwmpas. Roedd e'n cofio'i deimlo yn erbyn ei frest pan ddaeth allan o'r car, y llyfryn bach gwyrdd hwnnw, a'i ochrau'n pylu. Un o drysorau'r iaith Gymraeg. Yna cafodd ei ddallu gan oleuadau'r camerâu, y llwybr o olau tuag at orsaf yr heddlu. Pan ofynnwyd iddo ildio ei holl eiddo i focs plastig a gwisgo'r wisg las amdano, dyna a wnaeth. Heb feddwl ddwywaith. Gan ymddiried yn y system. Gan ymddiried yn y ffaith ei fod yn ddieuog, ac mai felly'r ymddangosai i bawb o'i gwmpas, hefyd.

"Ond y llyfrau 'na i gyd," meddai. "Ma nhw i gyd yno, yn y Llyfrgell. Yn y seler – mae pob dim yno. Dyna'ch tystiolaeth chi. Ac mae 'na fwy o lyfrau eto'n barod i gael eu diddymu, ma'n rhaid i chi roi stop ar y peth…"

Fflachiodd sgrin fechan y gliniadur ar y bwrdd. Tynnodd y ditectif y sgrin yn nes ati. Cofiodd Eben yn sydyn am yr E-Neb.

"Dwi'n gwbod," meddai, gan sefyll ar ei draed. "Mae 'na gofnod ohonyn nhw ar y cyfrifiadur. Yr E-Neb ma nhw'n eu galw nhw! 'Na ni – ma'n rhaid eu bod nhw'n gwneud cofnod cyfrifiadurol o bob dyn sy'n cael ei ddileu, rhag ofn… bydd rhaid i chi wneud ymchwiliad i mewn i'r peth, edrych drwy eu ffeiliau cyfrinachol ar y cyfrifiadur. Do's neb yn gallu cael mynediad iddyn nhw ar hyn o bryd, ma'n rhaid i chi gael cyfrinair a…"

Gwgodd y ditectif arno, gan godi un o'i haeliau plyciedig perffaith.

"Shwd byddech chi'n gwbod am ffeiliau cyfrinachol y Llyfrgell, Mr Prydderch?"

Ysai Eben am lyfu'r holl eiriau roedd newydd eu rhyddhau yn ôl i'w geg, fel broga.

"Wel, damwain oedd hi, ro'n i'n chwilio am rywbeth arall…"

"Ma hi'n drosedd ddifrifol, ceisio cael mynediad i ffeiliau cyfrinachol," meddai'r ditectif. Fflachiodd y sgrin o'i blaen drachefn. "Esgusodwch fi, mae gen i fwletin pwysig yn dod drwyddo." Cliciodd hithau ar amryw o fotymau, a'i phen yn suddo'n is ac yn is i gyfarfod â'r sgrin. Yn y golau gwyrdd edrychai ei hwyneb llyfn yn arallfydol, yn frawychus. Amneidiodd â'i phen at y ddwy blismones flinedig yn y cornel, a daethant hwythau i edrych ar y sgrin gyda hi, a golwg o ddiflastod pur yn eu llygaid. Ochneidiodd Eben. Unwaith eto roedd e ar y tu fas. Cyn belled ag y gwyddai yntau, roedd y foment hon yn ategu ei enw at y rhestr o E-Nebiaid, yn ei ddileu yn y fan a'r lle. Pwyntiodd y ditectif at y sgrin, a dilynodd llygaid y ddwy blismones drywydd ei bys.

"Allwch chi roi gwybod i'r wasg?" meddai wrthyn nhw, gan glicio'r sgrin ar gau. "Mor fuan â phosib? Bydd angen i rywun wneud datganiad."

"Mi wnewn ni," meddai'r ddwy, ar yr un pryd, â'r un oslef ddifywyd. Ac allan â nhw fel dwy gath yn sleifio i ffwrdd i chwilio am guddfan.

"Dwi'n rhydd i fynd?" meddai Eben yn obeithiol, gan godi ar ei draed.

"Na, mae arna i ofn," meddai'r ditectif, gan godi ar ei thraed a chroesi ei breichiau'n ddirmygus. Sylweddolodd Eben ei bod hi o leiaf droedfedd yn dalach nag ef. "Dwi newydd gael neges yn cadarnhau bod y ddau a syrthiodd oddi ar y to wedi marw. Ugain munud yn ôl."

Eisteddodd Eben yn ôl; roedd e wedi cymryd eu bod

wedi marw'n barod. Meddyliodd am yr ail ambiwlans, yr un heb seiren.

"Felly, mae llai o dystiolaeth eto, ry'ch chi'n gweld," meddai'r ditectif, gan hoelio ei holl sylw ar Eben.

"Beth am yr efaill arall?" meddai, gan sylweddoli fod y nodau o banig yn ei lais yn gwneud iddo swnio'n fwyfwy euog. "Rhaid ei bod hi'n gallu eich helpu chi. Hi ddylech chi fod yn ei holi, nid fi!"

"Ry'n ni'n asesu ei chyflwr meddyliol," atebodd y ditectif. "Dy'n ni ddim yn siŵr pa mor ddibynadwy yw ei thystiolaeth hi."

Teimlodd Eben fod y stafell wedi mynd yn llai, ac yn llai, yn ei wasgu i mewn. Roedd e'n gallu dychmygu lolfa yn rhywle, gyda Ffrancon Emlyn ar ei draed yn ei chanol, yn gwylio'r newyddion a gwên slei ar ei wyneb.

"Ond y llyfrau," meddai Eben.

"Rydyn ni eisoes wedi anfon rhywun i chwilio yng ngwaelodion y Llyfrgell," meddai'r ditectif. "I'r union fannau y sonioch chi amdanyn nhw. Y stafell archif yn gyntaf, ac yna uwchben hwnnw a lawr y llwybr y gnaethoch chi ei gymryd. Trwy'r twnnel."

"Ie?" cododd aeliau Eben yn sydyn. Roedd e'n gweld eu bod nhw, am unwaith, yn ei gymryd o ddifri. Roedden nhw wedi gwneud yr hyn roedd e wedi'i ofyn iddynt. Wedi cymryd ei dystiolaeth ac wedi ymddiried ynddo. Ond gwelai rywbeth arall yn ymarweddiad y ditectif y foment honno, rhywbeth caled, amhosib.

"Ac mae arna i ofn na ddaethon nhw o hyd i unrhyw beth," meddai'r ditectif, â rhyw foddhad rhwysgfawr yn ei lais. "Dim yw dim. Mae popeth fel y dylai fod. Popeth mewn trefn, a does 'na ddim byd ond archifau yno, yn unol â'r gyfraith newydd. Roedd yr hyn roeddech chi'n sôn amdano, y syniad yma o ryw fath o sgip llenyddol, gyda thudalennau'n pydru ac yn tyfu'n un â'r seiliau, wel, doedd hynny ddim yn bod. Yn eich meddwl chi'n unig roedd hynny, mae arna i ofn."

Cododd Eben ar ei draed. Roedd e'n gwybod beth welodd e, ac roedd 'na ddyletswydd arno i bledio hynny. Cof y genedl yn pydru mewn seler, ac ef yn unig oedd yn fodlon cydnabod hynny.

"Drychwch 'ma," meddai â'i lais yn crynu. "Dwi'n gwbod beth welais i. A hyd yn oed os oedd modd iddyn nhw guddio'r llyfrau sydd eisoes yn pydru, roedd 'na gannoedd ar gannoedd o lyfrau eraill yno, hefyd, yn disgwyl eu tro."

"Mae'r meddwl yn gallu chwarae triciau," meddai'r ditectif, fel petai hi bellach yn meddwl am bethau amgenach – beth i'w gael i swper y noson honno, efallai. "Yn enwedig mewn sefyllfa... *argyfyngus* fel yr un a ddigwyddodd heddiw. Mae'n siŵr eich bod chi wedi meddwl i chi weld y llyfrau, ond doedden nhw erioed yn bod, go iawn."

Tyrchodd Eben archif ei feddwl. Roedd e'n gwybod beth welodd e. Ac roedden nhw'n dal i fod yno – mae'n rhaid. Doedd 'na ddim un ffordd y gallai rhywun fod wedi cael gwared arnyn nhw ar frys fel 'na, yng nghanol yr holl drybini. Fe fyddai rhywun wedi sylwi.

Yna, cofiodd am yr ambiwlans tawel a oedd wedi sleifio o'r olygfa, heb dynnu sylw ato'i hun. Yn cordeddu'n ddistaw trwy'r dre, ar daith ddirgel, heb yr un smic. Y cyrff, roedd e wedi cymryd yn ganiataol mai'r cyrff oedd oddi mewn. Ond doedd 'na ddim cyrff. Cariwyd Dan ac Ana eisoes ar wib i'r ysbyty.

Cofiodd am y lori a ddiflannodd i'r nos.

Cofiodd mai'r Senedd oedd yn ariannu pob dim – y Llyfrgell, yr heddlu, cof y genedl. Cofiodd nad oedd wedi gweld yr un dyn ers iddo ddod i mewn i'r orsaf; menywod oedden nhw i gyd. Roedd y dynion i gyd wrth droed y Llyfrgell pan ddaethai i lawr, yn gwarchod ac yn amddiffyn, ond nid nhw oedd yn gwneud y penderfyniadau.

A chyda hynny, rhoddodd ochenaid drom, drom, rhywbeth trymach na'r un gair, rhywbeth a fyddai'n siŵr o gael ei ddefnyddio fel tystiolaeth yn ei erbyn.

NAN

ROEDD GLENDID DISTAW'R morg yn falm i'w meddwl. Camodd i mewn a theimlo'n gartrefol yno ar unwaith. Roedd hi'n cofio mynd yno o'r blaen – hi ac Ana – i adnabod ei mam. Mater o ffurfioldeb oedd hi bryd hynny, hefyd, wrth gwrs, am ei bod hi'n gwybod yn iawn mai ei mam a neidiodd dros ymyl y balconi, yn union fel roedd hi'n gwybod mai Ana fyddai'n gorwedd ar y silff fach arian 'na nawr. Ond roedd yn rhaid gwneud pethau'n iawn, llenwi'r ffurflenni'n gywir, cau pen y mwdwl. "Mae pobl fel arfer yn ffeindio'i fod e'n eu helpu nhw i ddygymod," dyna ddwedodd y blismones ddof wrthi ddoe, a'i llaw yn mwytho'i chefn. Y morg yn unig fyddai'n help iddi, meddyliodd Nan. Ei onglau gwyn, glân, ei dawelwch tosturiol. Y sglein arian ar bob arwyneb, a gwynt disinffectant yn ei diheintio, yn ei golchi'n lân drachefn. Camodd i mewn drwy'r drysau ac mi giliodd y cysgodion yn ei meddwl. Doedd dim byd nawr, dim ond y glendid a'r perffeithrwydd hwn.

A'r rhyddid mwyaf a deimlodd erioed, wrth roi un droed fain o flaen y llall, wrth deimlo pleser rhyfedd. Roedd hi'n dal i synnu ei bod hi'n cerdded yn rhydd ar hyd y coridorau hyn, heb neb yn ei dilyn, na char yn disgwyl amdani'r tu allan. Roedd hi wedi synnu mor syml oedd y cyfan, mewn gwirionedd, am fod fersiwn yr heddlu o'r hyn ddigwyddodd eisoes wedi cael ei greu cyn iddi rhoi deudroed ar lawr, ac eisoes yn gwau ei wirionedd ei hun yn gynt nag y gallai Nan weithio'i fersiwn hithau o'i genau.

Roedden nhw wedi saethu Ana; ac roedd yn rhaid iddyn nhw ffeindio rheswm da dros wneud hynny. Deallodd beth roedd llygaid y ditectif yn ei ddweud wrthi. Roedd hithau wedi bod yn berffaith barod i ddweud y cyfan wrthyn nhw, ac wedi dechrau sôn nad oedd hi'n gwbwl siŵr o'i phethau, beth bynnag. Roedd ganddi afiechyd ar y cof – a byddai hi'n cofio llai a llai fel yr âi'r amser yn ei flaen, esboniodd. Gwelodd y ditectif yn edrych ar blismones yn y cornel wrth iddi ddweud hyn. Yna, fe roddodd ei llaw'n dyner iddi, gan esbonio y byddai'n adrodd yr hyn a oedd wedi digwydd, a'i roi mewn dogfen ar y sgrin fechan yn y cornel. Yna, os cytunai â'r hyn roedden nhw wedi'i ddweud, fe allai hi arwyddo ar y gwaelod, ac fe gâi hi fynd yn rhydd. Yr unig beth y byddai'n rhaid iddi ei wneud oedd mynd i'r morg i adnabod corff ei chwaer yn ffurfiol. Ond roedd rhywbeth bach arall ac amodau ynghlwm wrth hynny, hefyd.

Cofiai edrych ar y ddogfen ar y sgrin a theimlo'i bod yn rhyw fath o wirionedd. Nid fel roedd hi'n cofio'r gwirionedd, chwaith, ond yn ddigon agos. Doedd ei chof ddim yn ddogfen ddibynadwy, chwaith. Gwyddai fod Eben yn euog, neu ei fod wastad wedi ymddangos yn euog yn llygaid ei chwaer, beth bynnag. Ac roedd hi'n ddigon hapus i gytuno mai syniad ei chwaer oedd y cyfan, ac mai hi oedd wedi saethu'r holl bobl yn yr Ystafell Ddarllen a bod Dan wedi dwyn pwysau arni i wneud yr hyn a wnaeth. Roedd Dan wedi troseddu cyn hynny, roedd hi'n cofio cymaint â hynny. Oedd, roedd hi'n berffaith iawn i chi eu saethu nhw, meddai hi, gan edrych i fyny i lygaid glas y ditectif. Arwyddodd ei henw ar waelod y sgrin â'r nodwydd fach blastig, mewn patrymau powld, du yn erbyn y gefnlen werdd. Cododd y ditectif y sgrin ac edrych arni am rai munudau. "Un peth bach arall, Ms Wdig," meddai. "Cyn i chi adael."

Pan ddaeth y sgrin i'w dwylo drachefn, gwelodd fod y ditectif wedi dileu ei henw. Syllai gofod gwyrdd, glân arni. Ail-lofnododd y ddogfen, ac yna cytunodd i wneud yr hyn roedden nhw'n ei ofyn, wedi iddi gyrraedd y morg.

Ni ddwedodd gweithiwr y morg ddim byd wrth ei thywys tuag at y drysau arian. Roedd hi'n gwerthfawrogi hynny. Roedd hi wedi cael digon ar gael ei chysuro gan bobl nad oedd hi'n eu hadnabod, a'u hystrydebau'n ffrwd hyderus ar eu gweflau. Roedd y dyn bach hwn, a'i wallt tywyll a'i groen fel plisgyn wy, yn fwy triw wrth iddo fynd drwy ei bethau'n ddieiriau, fel y gwnaethai gannoedd o weithiau o'r blaen, yn hytrach na'r rheiny a geisiai roi'r argraff fod pob un achos yn wahanol. Doedden nhw ddim yn y bôn. Doedd neb mor wahanol â hynny i'w gilydd y dyddiau 'ma, er bod pawb yn crefu am ychydig o unigolyddiaeth mewn byd a oedd bellach mor unffurf. Roedd pawb fel pawb arall; gwyddai hi ac Ana hynny'n fwy na'r rhelyw o bobl. Na, roedd yn well peidio â phersonoli'r digwyddiad. Roedd wedi edrych i wyneb ei chwaer gannoedd o weithiau o'r blaen, a'r cyfan a welai'n syllu'n ôl arni oedd ei hwyneb hi ei hun – a oedd ar yr un pryd yn gysur rhyfedd iddi ond hefyd yn fraw. Hi ei hun, ac eto nid myfi, dwedodd wrthi ei hun. Dyna sut y teimlai. Doedd 'na ddim byd i'w ddweud y byddai hyn yn wahanol i unrhyw adeg arall. Fel y deallai hi, doedd y fwled ddim wedi mynd yn agos at wyneb ei chwaer, felly yr un wyneb y disgwyliai ei weld yn tywynnu'n ôl arni.

Ond nid yr un wyneb oedd e, mwyach. Pan welodd e, teimlodd ochenaid yn gadael ei hysgyfaint. Roedd wyneb Ana'n llyfn fel o'r blaen, yn annaturiol o hardd, bron, a'i gwallt yn llenni cymesur, coch am ei phen. Ond â'i llygaid ynghau a heb y sgarff binc am ei gwddf, nid hi oedd hi. Roedd 'na rywbeth ar goll, rhyw fath o egni o dan y cnawd a oedd yn gwneud i'w chroen lynu ati'n wahanol, yn rhy dynn. Roedd y peth elfennol hwnnw rhwng corff ac enaid – bywyd, fe dybiai – wedi mynd, ac wedi gadael cragen frau yn hytrach na chnawd. Ac, yn sydyn iawn, nid hi ei hunan a welai Nan mwyach wrth edrych i mewn i wyneb Ana ond rhywun arall. Nid braw na chysur a deimlodd, ond rhyw rhyddhad. Rhyddhad ei bod hi bellach yn fwy nag adlewyrchiad o rywun arall. Hi ei hun oedd hi. Nid efaill Ana, nid merch Elena. Hi ei hun. Roedd yr hen gaethiwed a deimlai o fod yng nghorff rhywun arall, a oedd yn eiddo i rywun arall, wedi mynd. Ac roedd ei hofnau wedi diflannu hefyd. Ei hatgofion ei hun fyddai ganddi o hyn ymlaen, heb neb i'w herio na'i chywiro.

"Ddrwg 'da fi'ch rhuthro chi," meddai gweithiwr y morg, "ond mae gen i deulu arall yn dod i mewn am dri. Wnewch chi arwyddo'r sgrin yma i gadarnhau mai hi yw hi?"

Syllodd Nan i lawr drachefn. Llyfnhaodd flewyn un o aeliau Ana. Roedd y croen yn oer fel marmor. Dwedodd hwyl fawr wrthi'n ddistaw, gan weld y corff yn hwylio'n ôl i mewn i'r tywyllwch. Cofiodd yr hyn roedd y ditectif wedi'i ddweud wrthi. Roedd olion bysedd ar y gwn. Tystion dibynadwy ymhlith y gwystlon. Tair o'r rheiny'n gwybod y gwahaniaeth rhwng y ddwy efaill, yn gwybod yn iawn pwy a'u caethiwodd, pwy oedd y drwg yn y caws. Pob un o'r rheiny ag enw i'w gynnig i'r heddlu, ac yn barod i dystio yn erbyn yr un a'u gormesodd.

Estynnodd am y nodwydd fechan, blastig.

"Ie, hi yw hi," meddai. "Nan. Nan Wdig. Fy chwaer."

A chyda hynny arwyddodd Nan ei henw newydd mewn patrymau main, unionsyth ar y sgrin fach. Dwy sillaf y tro hwn. A-na.

Palindrom gyda phwyslais newydd.

Hefyd gan Fflur Dafydd:

"Gwir artist y gystadleuaeth"
GRAHAME DAVIES

Enillydd
y Fedal
Ryddiaith
2006

atyniad
fflurdafydd

y|Lolfa

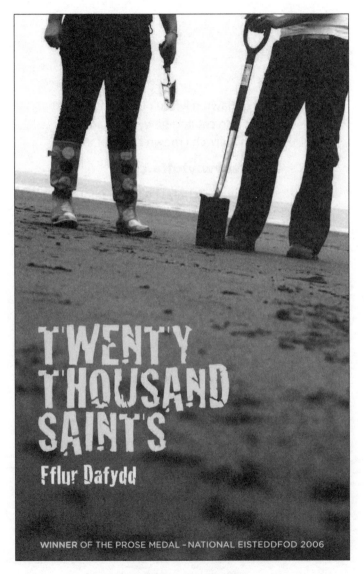

TWENTY
THOUSAND
SAINTS

Fflur Dafydd

WINNER OF THE PROSE MEDAL - NATIONAL EISTEDDFOD 2006

Enillydd Gwobr Oxfam
ac awdur mwyaf addawol Gŵyl y Gelli 2009

Am restr gyflawn o lyfrau'r Lolfa, mynnwch
gopi o'n catalog newydd, rhad
neu hwyliwch i mewn i'n gwefan

www.ylolfa.com

lle gallwch archebu llyfrau ar lein.

TALYBONT CEREDIGION CYMRU SY24 5HE
ebost ylolfa@ylolfa.com
gwefan www.ylolfa.com
ffôn 01970 832 304
ffacs 832 782